JUDISK MAT I SVENSKT KÖK

Mat, minnen & tradition

Eva Fried
Marina Burstein
Chaja Edelmann

Foto: Karl Gabor

HILLELFÖRLAGET

JUDISK MAT I SVENSKT KÖK

Mat, minnen och tradition

Text
Eva Fried

Medförfattare i avsnittet Den judiska matens resor
Svante Hansson

Redigering och produktion
Marina Burstein

Idé, traditioner och menyer
Chaja Edelmann

Foto samt grafisk formgivning
Karl Gabor

Andra upplagan
Bookwell i Borgå, Finland 2003

Hillelförlaget
Box 5053
102 42 Stockholm
Telefon 08-663 38 66
Telefax 08-661 93 66
E-post marina.burstein@hillel.nu
Copyright ©Hillelförlaget

ISBN 91 85164 607

*B*oken du håller i din hand är den första i sitt slag – en bok om judisk mat i svenskt kök, baserad på material inhämtad från judar bosatta i Sverige.

I bokens första, mer teoretiska del, resonerar, beskriver och reflekterar vi rätt utförligt kring kosherbegreppet, matkultur och symboler samt de historiska förlopp som lämnat avtryck i de judiska mattraditionerna. I den andra delen lotsas läsaren mer handgripligt fram till den judiska matkulturens kulinariska upplevelser. Här finns recepten samlade och många av dem åtföljs av en historia – ett matminne, som berättar något om den person som lämnat receptet, varifrån vederbörande härstammar och i vilka sammanhang den specifika maträtten brukade och brukar serveras.

Alla människor lagar mat på sitt eget sätt – och det finns skäl till att tillagningssätten är olika (t ex tillgång på råvara och andra ingredienser). En hönssoppa, det ashkenasisk-judiska kökets flaggskepp, kan innehålla olika kryddor och ingredienser beroende på var den som tillagar den vuxit upp. Till och med av *gefillte fisch* finns det många varianter.

De svenska judarna bekänner sig huvudsakligen till den så kallade *ashkenasiska* traditionen. Det finns dock även judar i vårt land som förvaltar det *sefardiska* arvet. Eftersom vi alla dessutom anammat svenska inslag i vår kultur präglas recepten och matlagningen till en del av denna blandning.

Detta verk kan ses som ett försök att ur ett "köksperspektiv" förmedla svensk-judisk kultur. I teoridelen vill vi visa att det judiska köket är unikt och på samma gång universellt – eller för att travestera 1600-talspoeten John Donne "ingen kultur är en ö". Men varför orda så mycket mer – var god och stig på, köksdörren står öppen!

Stockholm i juni 2002

Eva Fried
Marina Burstein
Chaja Edelmann

En rad personer har bistått oss med råd, minnen, recept, ekonomisk hjälp och annat stöd.
Varje sådan uppmuntran var avgörande för att vi skulle orka slutföra boken Judisk mat i svenskt kök.

VI VILL TACKA

LENNART WOLFF för outtröttligt mentorskap · STEFAN MEISELS för outtröttligt mentorskap · LENA POSNER KÖRÖSI och HANS KRAIT-SIK för konsekvent stöd till Hillelförlaget i dess ansträngningar att ge ut Judisk mat i svenskt kök · TAMI COHEN för konstnärliga insatser inför fotografering · MOSHE EDELMANN för granskning av texterna rörande kashrut och tradition · CARL-HENRIK CARLSSON för råd i historiska faktafrågor · KRISTIAN GERNER för råd i historiska faktafrågor CAMILLA HOLLANDER för hjälp i våra resonemang kring mat och identitet · JUDISKA MUSEET för lån av museiobjekt inför fotografering JUDITH WIKLUND för hjälp med att skriva ut och sortera recept HOUSE OF WILLEROY & BOCH, Nybrogatan 24, Stockholm · MARGARETA ELFGREN · KAJ FRIED · BILL HARRIS · MORTON NARROWE · ADAM OCH ESTER RAFMAN

PERSONERNA NEDAN HAR DELAT MED SIG AV SINA MATMINNEN

PATRICK AMSELLEM · DAISY BALKIN RUNG · HANS BARUCH · KARL-MAGNUS BENSOW · ROLF BIRNIK · ILSE BLOCH · LENNART BYK · RICKY DAVID · LENA EINHORN · MIKAEL ELIAS · LAURA FRAJND · PETER FREUDENTHAL · ULF FRIBERG · HEDI FRIED · MARGOT FRIEDMAN · BASIA FRYDMAN · PALLE GRANDITSKY · PAULA GRINGER · ANITA GOLDMAN · IVAR HECKSCHER · ANNA ICEK · MARYSIA JANOWSKI · GERD JUVIN · ESTERA KATZ · JUDITH KATZ · BERT KOLKER · CHANNA LAZAR · ESTER LEBOVITS · BRITT OCH KLAS LEVIN · ROSA LEVY · RACHEL LEVI-LARS-SON · MARTHA MANKOWITZ · STEFAN MEISELS · JONATHAN METZGER · TOVE MICHAELI · SAM MIKULINCER · IVAR MÜLLER · JUDITH NARROWE · ISAK NACHMANN · BERTIL NEUMAN · JAN NISELL · CARMEN REGNÉR · HAN-NAH RINGART · ANNA ROCK · MIRJAM ROBINSSON · FANNY ROSENBERG · HILDE ROHLÉN-WOHLGEMUTH · LENKE ROTHMAN · HARRY RUBINSTEIN · CHESSI SASI · LIESEL SHAPIRA · NATHAN SCHLACHET · EDITH STEINHAGEN · VERA SUNDBERG · SERGEI STERN · ROBERTA STOCKI · MARGIT TESLER · NAOMI STAHL BERLINGER · GUNILLA STORCH · BO RUBEN · CLAS OTTO RUBEN · SYLVIA URWITZ · OLLE WÄSTBERG

PERSONERNA NEDAN HAR BISTÅTT MED RECEPT OCH RÅD

RUTH BERLINGER · GITTA BENARI · ELISE BLECHER · STEPHANE BRUCHFELD · LENNART BYK · JETTA CHANOW · PETER CHRISTENSEN · TAMI COHEN · HAYLEY EDELMANN · ANDERS EDNER · ILONA FARAGO · BERIT FELDSTEIN · PIERRE FRÄNCKEL · ELISABETH GABRIS · ESTER GELLBERG · SUSANNE HODOSI EWERMAN · HANS KRAITSIK · SÁNDOR KÖVES · RUTH LICHTENSTEIN · FANNY LICHTER · INGRID LOMFORS · SUSE MANGELL · SARA MANKOWITZ · SHARON MEISELS · SUSANNE METZGER · KIKI NEUMAN · DORIS NISELL · EVA PAVEL · GUNILLA SAULESCO · JAFF SCHATZ · EVA SCHULMAN · ANNA SCHLACHET · ISABELLE SILBERSTEIN · JACQUELINE STARE · ILONA STERN · JONAS SUNDBERG · ANNA SVENSSON · VERA WOLFF · MARTHA ZACHARIAS

PROJEKTETS SPONSORER

BS FOODS AB · EDUARD OCH SOPHIE HECKSCHERS STIFTELSE · EVA ROSENBERG AB · FREDSLOGENS SYSTER-KRETS · GERTRUDE OCH IVAR PHILIPSONS STIFTELSE · JAN FRIEDMAN AB · JAKOB OCH JEANETTE ETTLINGERS MINNESFOND · KOSHERIAN BLECHER & CO · JUDISKA FÖRSAMLINGEN I STOCKHOLM · JUDISKA FÖRSAMLINGENS VÄNFÖRENING · MEMORIAL FOUNDATION · MIKAEL ELIAS, NTI-SKOLAN · PARAMETER AB · RITCHIE TRAVEL AB · SABRA TOURS · SALAMON KONSULT AB · STEFAN MEISELS TRADING · STIFTELSEN DORIS OCH GÖRAN NISELLS FOND · STIFTELSEN WARBURGS DONATIONSFOND

INNEHÅLL

DEN JUDISKA MATENS RESOR

Judarna kan med rätta kallas ett "vandringsfolk". Under historiens lopp har de bosatt sig i de flesta av världens länder och anpassat sig till skiftande kulturer i de länder där de bott. Detta har lämnat tydliga avtryck i den judiska matkulturen. Här ryms med andra ord stora variationer och dessa hänger samman med judarnas geografiska spridning.

Matkunskaper bär man med sig

Trots detta uppvisar den judiska matkulturen även många gemensamma drag. På en fråga om judisk mat verkligen finns kan man troligen svara både jakande och nekande. Visst brukar man tala om judisk mat och då ofta i nostalgiska tongångar. Smak och doft leder till minnen av släktingar, platser, trevliga och eventuellt mindre trevliga händelser. Att hitta en heltäckande definition på vad som är judisk mat är dock näst intill omöjligt.

Vad är då gefillte fisch om inte judisk mat? Liksom gehackte leber, inlagd gurka, gehackte herring, latkes, matsekneidel, tsholent och så vidare. Visst är det judisk mat, men rätterna bottnar i mattraditioner hemmahörande i det medeltida Tyskland och Östeuropa med stråk av ännu äldre franska och italienska mattraditioner.

Man kan hävda att judarna som i olika perioder levt på olika platser kommit att fungera som budbärare av mattraditioner mellan kontinenterna. Judiska handelsresande har förmedlat kunskap om andra platsers bruk av råvaror och kryddor. Bland annat beroende på kosherreglerna har judar ätit hos andra judar då de befunnit sig på resa, vilket har bidragit till att sprida kunskap om mat som härstammar från andra platser än den egna hemorten.

Matens betydelse i modern judisk tradition har givit upphov till ett slags "kulinarisk judendom". Många identifierar sig med sina förfäders religion enbart genom att man föredrar traditionella judiska rätter. I det habsburgska riket talade man under andra hälften av 1800-talet om en "Fressfrömmigkeit". I memoarboken Längesen berättar bokförläggare Tor Bonnier om middagar hos sin morfar, grosshandlare Wilhelm Josephson:

"Bordet var för våra vanor opulent, med särskild barnmat, köttbullar utan like och till efterrätt marängsuisse eller blancmanger, för de vuxna 'franskt kök' eller ibland judiska rätter, som 'scholem [sic!] mit kugel' eller 'gefüllte fisch".

1:a Mosebok 1:29:
Gud sade:
"Jag ger er alla
fröbärande örter på hela
jorden och alla träd med
frö i sin frukt;
detta skall ni ha att äta"

Shabat-lampan kommer från min farmors hem i Schlesien, Polen. Den var fylld med olja och hade vekar som man tände på fredag kväll varpå den fick brinna ut av sig själv.

Peter Freudenthal

Maten och judarna som vandringsfolk

Bibeln berättar om Abraham som från Ur i Kaldéen (Mesopotamien) kom till landet Israel, och om hans ättlingar, som flyttade till Egypten, där de förslavades. Efter dramatiska händelser frigjorde sig israeliterna och återvände efter en fyrtioårig "ökenvandring" till landet Israel. Uppenbarelsen vid Sinai berg och förbundet mellan Herren och hans folk – lett av Mose – grundlade under vandringen det som skulle bli det judiska folkets särart. De lagar som, enligt traditionen, då gavs utgör än idag kärnan i kashrut det vill säga de lagar som reglerar vad judar får och inte får äta.

Babyloniernas erövring av Jerusalem år 587 f v t följd av tvångsförflyttningen av judéerna till Babylonien brukar räknas som startpunkten för det judiska folkets diaspora – exil. Visserligen återvände en del av de babyloniska judéerna till Judéen när det åter blev möjligt, men de föl-

jande århundradena kom i denna region att präglas av täta maktskiften, krig och osäkerhet. När romarna förstörde Jerusalem år 70 e v t, blev exilen judarnas definitiva lott i nästan tvåtusen år framåt. I skuggan av det politiska skeendet utvecklades under flera århundraden (100 fvt – 500 evt) både i Israel och i Babylonien en rik rabbinsk litteratur sprungen ur studiet av Toran. Det var de muntliga traditionerna som så småningom kodifierades i det verk som går under namnet Talmud. I Talmud finner man viktiga avsnitt som avhandlar, fördjupar och förfinar regelverket kring den judiska mathållningen – kosherhållningen/kashrut.

Förlusten av hemlandet ledde till judisk bosättning runtom den då kända världen, vilket även inbegrep Väst – och Centraleuropa. Många blev köpmän och handelsresande. De hade färdigheterna och språkkunskaperna vilket tillät dem att fritt röra sig emellan den kristna och den muslimska världen. Så tidigt som på 600-talet stod dessa köpmän

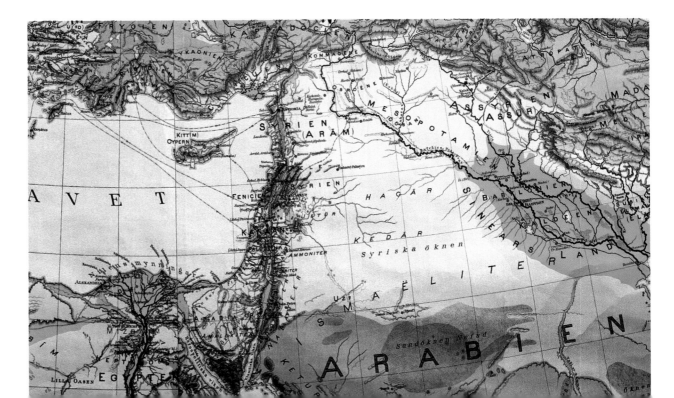

för en betydande del av den handel som bedrevs både till lands (kamelkaravaner) och till sjöss. Många handlade med livsmedel. Men huvudanledningen till den stora mängden influenser i mattraditionerna är trots allt migrationerna, de ständigt återkommande uppbrotten som från och med den babyloniska fångenskapen, blev en realitet för det judiska folket.

Många folk i antikens Medelhavsområden, vid Nilens och Eufrat-Tigris stränder, har på ett eller annat sätt bidragit till det judiska köket. Man kan spekulera över vad olika inslag av kryddor kan peka tillbaka på, hur olika brödsorter från *matse* till *challe* och pirogartade småbakverk anmält sitt inträde, vilka efterrätter som har ett otvetydigt lokalt ursprung, vilka drycker med tydlig proveniens som under årtusendenas lopp fått hedersplats vid det judiska bordet. Men man kan nöja sig med att konstatera att var än uppslaget hämtats och traditionen övertagits, så har lånegodset inordnats i ett sammanhang, tvingats in i ett fast utformat regelsystem och blivit ett med ett redan fullt utbildat kosthåll samt – vilket inte är minst väsentligt – fogats in i den judiska helgkalendern.

Eller som Claudia Roden, själv född i Kairo, skriver om matminnen i sin bok, The Book of Jewish Food (Alfred A. Knopf, New York 1996) "En del av lockelsen i att arbeta med den här boken utgörs av det faktum att det finns så mycket mer kring judisk mat än själva tillagningen och ätandet. Bakom varje recept finns en historia som förtäljer något om traditioner och dagligt liv i en annan tid i byar och städer långt borta. Där finns en romantik och en nostalgi som har att göra med att återkalla en förlorad värld. Det handlar om förfädernas minnen och att återknyta till gamla kulturer och om identitet. Så har det varit sedan biblisk tid. Redan i Andra Moseboken beskrivs judarnas förhärligande av all den mat som de hade tillgång till medan de ännu befann sig i Egypten"

Maten är en länk till vårt förflutna och den hjälper oss att knyta an till vår bakgrund. Så är det i alla immigrantkulturer i likhet med musik, språk, och religion. Maten har dock en särplats för den är ett hantverk, samtidigt som den förmedlar sinnesupplevelser som är lätta att ta med sig och föra vidare.

Sociologer och antropologer säger att kulturen har en "hård kärna", som består av de seder som modifieras långsammast i en assimilationsprocess. Den franska sociologen Dominique Schnapper, expert på frågor om etnicitet och nationalism, skriver: "Det är existensen av denna hårda kärna som förklarar den böjelse för ursprungslandets matvanor som alla invandrare i alla länder manifesterar. Genom denna böjelse, som de för vidare till sina barn, är det på sätt och vis hela världsordningen som kommer till uttryck."

Man kan huvudsakligen urskilja tre spår i de judiska mattraditionerna: den spanska, den levantiska och den tyska. Grovt generaliserat är den svenska judenheten i huvudsak arvtagare till den tyska traditionen. Men då får man komma ihåg att mycket hänt på vägen och att det finns en rad faktorer (läs vandringar) som påverkat maten.

*Ur Britt Levins skrift
En judisk familjs 200 år i Sverige (1987):
"Man kan anta att sabbat och de judiska
högtiderna firades. Vi, Klas och jag, har i
vår ägo två ljusstakar (Möllenborg 1835),
som mycket väl kan ha varit avsedda för
sabbatsljusen. Vi har också en "chanuka-
stake" i silver, mycket listigt konstruerad,
så att man kan byta små silverplattor med
namnen på de olika helgerna samt en
platta, som det står "shabat" på.*

Vägen till Sverige

De flesta av de tidiga judiska invandrarna till Sverige kom från Nordtyskland och Holland, ofta hade de mellanlandat i Danmark. Till Danmark kom de första judiska invandrarna under 1600-talet från Tyskland.

Under 1600-talet fanns det bara enstaka judar i Sverige och de kunde stanna i landet endast under förutsättning att de konverterade till kristendomen. Det så kallade judedopet som ägde rum i Stockholm i närvaro av kungen och drottningen år 1681 är känt och avbildat på ett kopparstick. Den svenska judenhetens födelse brukar räknas från år 1775. Dessförinnan fick judar inte bosätta sig i den lutheranska ortodoxins Sverige. De judiska nykomlingarna kom från Tyskland på direkt inbjudan av myndigheterna, som hoppades att deras ekonomiska begåvning och förbindelser skulle bli till nytta för svenskt näringsliv. De etablerade sig snabbt och kom att dominera den judiska gruppen till slutet av 1800-talet.

Ända till tiden efter andra världskriget hade de också ett avgörande inflytande i Göteborgs-, Karlskrona-, Norrköpings- och Stockholmsförsamlingarnas ledning. Somliga fick det ekonomiskt gott ställt och tillägnade sig en livsstil som i mycket liknade den svenska överklassen. Detta gällde åtminstone i någon mån även mathållningen eller som C. V. Jacobowsky uttrycker sig i skriften Svenskt-Judiskt Herrgårdsliv: "Även om herrskaperna på de judiska godsen icke som sina fäder eller förfäder levde ortodoxt, utan hade i stort sett samma mathållning som andra svenska hem och som på sin höjd undvek svinkött, såsom fallet var hos Lemans på Salaholm, så förekom det säkert en del speciella judiska rätter såsom "gefüllte fisch". Emellanåt finner man i svenska tidningar ett recept på denna delikatess (då kallad "Stinefrids religiösa fisk"), där fisken kokas med selleri och serveras med en sås, gul av mycket saffran.

Dock har majoriteten av de svenska judarna sitt ursprung i Östeuropa. Omfattande flyttningsrörelser har ständigt pågått i länderna kring Östersjön och under 1800-talet var judarna en inte oansenlig del av dem som flyttade. Som ett resultat av den ekonomiska liberalismen och de förbättrade kommunikationerna och även av svårigheterna att upprätthålla kontrollen, avskaffades år 1860 allt passtvång för resor till och från Sverige. Först år 1917 infördes åter pass- och viseringstvång liksom krav på uppehållstillstånd. I övriga Europa rådde också fri rörlighet över gränserna, dock inte i Ryssland.

Vid sekelskiftet (1900-talet) kom en ny judisk invandringsvåg från Östeuropa. Skälen till att utvandra var förföljelser (pogromer), fattigdom samt skräcken att bli inkallad till den ryska armén. De flesta av dessa judiska invandrare kom från små byar, många kom ensamma.

Skeden har graveringen L.M. med både latinska och hebreiska bokstäver. Dessutom finns det hebreiska ordet för "kött" ingraverat vilket tyder på att skeden ingick i den uppsättning av bestick som användes för "köttig" mat. Skeden ingår i arvegods efter Levin Marcus (senare Marcus Levin) f. 1770 i Mecklenburg d. 1834 i Norrköping.

År 1906 infördes anmälningsskyldighet för flyktingar från Ryssland och år 1907 tillsattes en utredning som resulterade i 1913 och 1914 års utlämnings- och utvisningslagar. Svenska myndigheter yrkade på ett bibehållande av viseringstvånget, annars riskerade man, enligt dem, att bli översköljd av judiska invandrare från främst Lettland. Men i realiteten kom endast cirka 3-4000 judar i samband med den här invandringsvågen. Den judiska befolkningen i Sverige ökade från 1165 personer år 1860 till 6469 personer år 1920.

Invandrarna från Östeuropa utgjorde bara en liten rännil i den väldiga judiska migrationsflod som med obändig kraft sökte sig västerut framför allt till USA. Den skapade också de judiska minoriteterna i Latinamerika och Sydafrika och ändrade varaktigt de västeuropeiska judenheternas fysionomi. Många av de nya invandrarna, som i allmänhet var

fattiga, hade nog tänkt fortsätta västerut men blev av olika skäl kvar i Sverige. De slog sig ner i Stockholm (på Söder, de gamla judiska familjerna av tyskt ursprung höll mest till norr om Slussen) och Göteborg (arbetarstadsdelen Haga) men också i Malmö, Lund (stadsdelen Nöden), Kristianstad, Växjö, Kalmar, Oskarshamn, Karlstad, Sundsvall och, för en tid, Östersund. De flesta talade jiddisch och var religiöst traditionella. I Östeuropa hade många varit verksamma i en fortfarande hantverkspräglad textilindustri, och de fortsatte ofta inom samma näring i Sverige. De gamla svenska judarna såg inte alltid med blida ögon på sina nyinvandrade trosfränder, och relationerna mellan de båda grupperna var komplicerade.

I Stockholm, Göteborg och Malmö/Lund liknade dessa bosättningar i någon mån de stora östjudiska "gettona" i New York (Lower East Side), London (East End), Paris ("Pletzl" i stadens östra centrala del) och andra storstäder och man kan dra intressanta paralleller med den kulturella och demografiska utvecklingen där. I Sverige blev antalet judar aldrig så stort att särskilda judiska livsmedelsmarknader och restauranger uppstod eller överlevde. Charkuteriaffären ("Delikatessen") som var ett karaktäristiskt inslag i dessa getton – den mest kända är väl Katz' Delicatessen i New York, som under första världskriget blev ryktbar genom sin reklamslogan "Send a salami to your boy in the Army", också det ett bevis för matens betydelse för människors identitet – saknas hos oss. Men genom familjelivet kom den östjudiska matkulturen ändå hit. Boris Beltzikoff berättar från sin barndom, före och under första världskriget i det så kallade judehuset på Södermalm i Stockholm: "Det fanns gott om roliga och intressanta människor på Klippgatan, med skiftande talanger. Några av fruarna vara skickliga på att brygga vin och andra lagade till ett underbart mjöd – "med" – till påskarna. Och sedan bytte husmödrarna med varann. På den stora vinden fanns det tunnor med surkål, inlagd gurka, deg till det ryska brödet och byteshandeln florerade."

Den svenska invandringspolitiken gentemot judar var under åren mellan 1914 till slutet av andra världskriget synnerligen restriktiv. Vid krigsslutet stod det klart vad som drabbat den europeiska judenheten och synen på Nazityskland ändrades radikalt.

Under 1930-talet kom endast ett litet antal judiska flyktingar, s k kvotflyktingar från tyskockuperade områden till Sverige. Dessutom tilläts cirka 500 barnflyktingar från Tyskland invandra på särskild kvot. År 1939 genomfördes den så kallade utlänningsräkningen i Sverige. Värt att notera om denna räkning är att man i blanketterna, riktade till alla utan svenskt medborgarskap, frågade efter religionstillhörighet och om vederbörande hade en judisk mor eller far.

På grund av den ogina invandringspolitiken blev den tredje judiska invandringsvågen, 1930-talets "flyktingsinvasion" från Tyskland, Österrike och Tjeckoslovakien marginell. "Matmässigt" kom den knappast att lämna några djupare spår efter sig. Men en akademiker, som inte fick tillstånd att arbeta annat än som "piga", gjorde vissa kulinariska insatser av ett visst slag, se sid *186* om Hilde Rohlén-Wohlgemuts tillverkning av vit ost!

Strax före andra världskrigets slut och under de närmast följande åren kom ett relativt stort antal överlevande från döds- och koncentrationslägren till Sverige. De som hade sitt ursprung i västeuropeiska länder återvände för det mesta hem, andra tog sig vidare till Israel, USA och andra länder. En del stannade dock här, och den svenska judenheten fördubblades till att omfatta omkring 14 000 personer.

Nästan alla som stannade i Sverige hörde egentligen hemma i Öst- eller Centraleuropa. Detsamma gällde de judar som kom från Ungern 1956, från Polen 1968 i samband med en våg av svår antisemitisk förföljelse samt från Sovjetunionen och dess efterföljarstater (Ryssland, Ukraina, Vitryssland) under åren närmast före och efter det kommunistiska väldets sammanbrott. I den sistnämnda gruppen finner man intressanta prov på hur matvanor lever kvar som kulturens "hårda kärna". En del av de äldre ryskjudiska invandrarna som kom under slutet av 80-talet kunde litet jiddisch. I övrigt var det, efter sjuttio år av kommunistisk diktatur och förföljelse av judisk religion och kultur, skralt med de judiska kunskaperna. Men även i den gruppen kunde många bjuda på rätter som de betraktade som "judisk" mat.

Till Finland sökte sig judar från och med mitten av 1800-talet. De härstammade huvudsakligen från Ryssland och de delar av Polen och Baltikum som då tillhörde Ryssland. Under Nikolaus I:s regeringstid, 1825-1855, skedde en omfattande tvångsrekrytering av judiska pojkar till ryska armén som innebar en 25-årig obligatorisk tjänstgöring. Tvångsvärvningens syfte var att åstadkomma en judisk masskonvertering till den grekisk-ortodoxa kristendomen. Den politiken resulterade i en demoralisering av de många fattiga och utsatta judiska församlingarna i främst Ukraina och Litauen. Dessa judar hade inte råd att köpa sig fria från den starkt korrumperade militärbyråkratin. Efter tsar Alexander II:s makttillträde år 1855 verkställdes en genomgripande modernisering av den ryska armén. Härigenom frisälldes en stor mängd ryska soldater. I ett slag ställdes de finska myndigheterna inför det

Vera Sundbergs farfar, Salomon Sisefsky kom från Litauen till släktingar i Kalmar 1871. En samovar ingick naturligtvis i hans packning. Han drev en diversehandel på Gotland, i Hangvar. Så småningom återvände han till Kalmar där han öppnade en ny affär och kunde köpa sig ett eget hus. Veras pappa, som sedermera ärvde samovaren, har berättat att den under hans barndom ständigt stod på, varmt te fanns alltid till hands hos farfar och teet skulle drickas ur glas.

FLÄTA   28:-

faktum att landet inom sina gränser hyste en betydande mängd före detta soldater, av vilka ett hundratal var judar. Detta är bakgrunden till den första judiska invandringen till Finland.

Även till Norge ägde en sparsam, huvudsakligen östeuropeisk, judisk invandring rum före och under sekelskiftet 1800-1900.

Östeuropa

På 1100-talet började judar förflytta sig österut huvudsakligen på grund av korsfararnas framfart i det område som idag omfattar Tyskland. I korstågens spår följde många massakrer på den judiska befolkningen. Även de spanska judarna var på flykt. Här var det i inkvisitionens namn man jagade judar och år 1492 förvisades judarna ur Spanien.

Till den östra polska/litauiska regionen började den judiska invandringen troligen under 1100-talet. En del kom söderifrån och hade i bagaget med sig den bysantinsk-judiska traditionen medan de judar som ungefär samtidigt kom västerifrån var präglade av den *ashkenasiska* traditionen. Den senare traditionen kom sedermera att bli den dominerande inom hela regionen.

Det huvudsakliga språket bland judar i Östeuropa var *jiddisch*. Och vad maten beträffar så dominerades den av de traditioner som växte fram i *shteteln* och i städernas judiska kvarter. Den var präglad av enkelhet för den var de fattigas mat. Eftersom en stor del av den östeuropeiska judenheten successivt hade förflyttat sig från väst mot öst kvarstod tydliga influenser från franskt, italienskt och tyskt kök.

Under vardagarna var mathållningen enkel, men till *shabat* gjorde man sitt yttersta för att få fram god och festlig mat. Då kom de gamla tyskinfluerade borgarrätterna fram och det vita challebrödet bakades, söt-sur fisk, fylld fisk, hackad gåslever, soppa med nudlar, köttpajer, oxkött och *kugel* serverades. Tsholenten sattes i ugnen på fredag för att ätas på lördag. Ingen mat lagades under shabat utan allt förbereddes innan shabat började. I de judiska kvarteren och byarna hade en person till uppgift att gå runt och klappa på dörrarna när det var dags att inleda shabat, en så kallad "shabbesklapper".

Östeuropas judiska befolkning åt mycket sötvattenfisk, varvid arter som karp. gädda, abborre, stör och forell blev de mest eftersökta. Vi den fattiges bord serverades oftast sill. Så tidigt som på 1600-talet introducerade judiska handelsmän karpen i Östeuropa. De hade funnit den genom sina handelskontakter längs den så kallade Sidenvägen. Karpen kommer ursprungligen från Kina och är en fisk som tål långa transporter (C. Roden The Book of Jewish Food 1996).

I shtetln var torsdagen den dag man gick till torget för att handla levande fisk. Eftersom även katolikerna enligt sin tradition åt fisk på fredagar var fiskkommersen denna dag mycket livlig.

I början erhöll judar särskilt beskydd i vissa av Polens provinser. Judar bosatta i dessa åtnjöt begränsat självstyre. Så småningom utvecklades i kyrkans hägn en klart antijudisk politik vilket föranledde vidareflyttning till områden i sydöstra Polen och nordvästra Ukraina, även kallat Galicien, samt till Litauen. Adeln anställde judar för att driva kvarnar, ansvara för jordbruk, fiskodlingar (främst gädda och karp) samt för sprittillverkning och skatteindrivning. Det stora flertalet kom dock att leva i stor fattigdom och i ständig rädsla för kosackangrepp. Under 1700-talet förlorade Polen sin suveränitet och delades upp mellan Ryssland, Preussen och Österrike.

Matkulturer möts

Jiddisch var sedan medeltiden det rådande judiska språket i Europa. Ungefär samtidigt utvecklade de spanska judarna judeospanskan, även kallad ladino som kom att bli det förhärskande språket bland judarna i Nordafrika, Grekland och Turkiet. Allt eftersom berikades jiddisch med influenser från de slaviska språken. Precis som med språket blev det med maten. Mathållningen som hittills i mycket varit identisk med den mat som man åt i Tyskland, men influerad av fransk och italiensk mathållning, tog nu intryck av de slaviska köken, speciellt av det polska, ukrainska, slovakiska och bulgariska. Säkerligen kom även de sefardiska judarna som letat sig via Svarta Havsområdet till regionen att påverka mathållningen.

Migrationerna och matinfluenserna har gått hand i hand. Därför vill några av oss ha gefillte fischen söt medan andra vill ha den kryddad med enbart salt och peppar. Den söta

Efter kidush, helgelsebönen, smakar man på vinet vid inledningen av en judisk helgdag. Den stora kidushbägaren är formgiven av Sigvard Bernadotte 1987. Den skapades på initiativ av dåvarande ordföranden för Judiska kvinnoklubben i Stockholm, Margot Friedman. Under Sverigeåret i Amerika 1988 ställdes den ut vid Spertusmuseet i Chicago i en utställning kallad "Seven generations in Sweden". Bägaren bekostades av Simon Brick, inskriptionen lyder "Gåva 1989 till JF i Stockholm till evigt minne av min outsägligt älskade hustru, Jennie Brick, av hennes make, Simon Brick"

versionen sammanfaller med chassidismens utbredningsområde från sydvästra Polen ända bort till Ukraina och stora delar av Östeuropa (dock inte Ungern och delar av Ryssland).

De ashkenasiska mattraditionerna utvecklades i kalla klimat, ofta under små omständigheter. Vanliga ingredienser är hönsfett, lök och vitlök, kål, morötter och potatis liksom sötvattensfisk, särskilt karp och dessutom inlagd sill. De sefardiska mattraditionerna inbegriper mer peppar och äggplanta, zucchini, tomat och ris, krossat vete, saltvattenfisk och olivolja.

Mycket av den europeisk-judiska maten har sitt ursprung i traditioner som växte fram under tiden i Tyskland på 900-talet. Judarna bodde oftast i egna områden, i judiska kvarter eller byar och religionen intog en central roll i vardagen. Bruket att fylla gåshals eller att hacka lever eller att fylla fisk uppstod här under inflytande av den omgärdande tyska kulturen.

Naturligtvis var den judiska matlagningen inte helt identisk med den allmänna tyska maten. Nej, hos judarna fanns redan bruket att äta nudlar, en italiensk influens. Att laga pasta hade man lärt sig av judarna från Sicilien dit pastan kommit som en arabisk influens. Judarna kallade pastan för "grimseli" eller "vermisellish" efter det italienska ordet vermicelli. Här känner den initierade läsaren igen sig. Grimseli eller chremsli är benämningen på en sorts stekta kakor eller plättar – oftast är de tillagade på matsemjöl. På vissa orter var det en benämning på en slags råraka gjord på riven potatis.

Maten, traditionerna och smakerna

Kristendomens grepp om det medeltida Europa hade en genomgripande påverkan på judarnas liv. Med få undantag blev livet hårt vilket ledde till att en stark sammanhållning blev än viktigare. Judar förbjöds att utöva en rad yrken och de fick endast bo på vissa platser. Firandet av helger och högtider som hängde samman med namngivning, *omskärelse*, bröllop och *bar mitsva* bar upp det judiska livet.

Även de fattigas högtider blev en angelägenhet för hela församlingen. Inom gruppen utvecklades ett system av social omsorg som bland annat tog sig uttryck i så kallade ess-togs. En fattig *jeshiva*-student som var sänd att studera på annan ort än hemorten fick sig tilldelat några familjer som en viss dag i veckan tog emot honom på en Ess-tog och lät honom äta med familjen. Annars skulle dessa unga pojkar från fattiga familjer ha svultit. Särskilt viktigt var det att se till att ingen gick utan mat på shabat. Att bjuda hem en främling som man träffar i synagogan under shabat finns än idag som en levande tradition.

En av de rätter som brukar räknas upp bland de typiskt judiska maträtterna är tsholent. Den är en gryta som kan innehålla en eller flera sorters kött, ibland även korv. I grytan finns även korngryn och bönor, potatis och lök. Den innehåller en hel del fett, gärna gåsfett och genom långkoket blir denna varma rätt lördagens huvudmål. Man tror att rätten är besläktad med den franska rätten cassoulet och att namnet uppstått ur de två franska orden "chaud" – varm och "lent"- långsam. Den här förklaringen får faktiskt bäring eftersom man vet att judarna i Langedoc, varifrån maträtten cassoulet ursprungligen kommer, förvisades ur Langedoc år 1394 och att de därefter tog sig till Tyskland.

De judiska grupper som under århundraden bott i arabiska länder, vilka allmänt men något felaktigt kallas för sefardiska judar, förvaltar också en långkoksgrytetradition som oftast kallas för *chamin*. Fritt översatt betyder det "Det varma". Särskilt under vinterhalvåret är och var det viktigt att under lördagen kunna äta varm mat trots att ingen eld gjordes upp.

Under 1800-talet flyttade många judar i Central- och Östeuropa in till städerna och deras liv kom att präglas av den begynnande industrialismen och kapitalismen. Men mattraditionerna levde vidare. Det mörka grova rågbrödet bakades, man lade in gurkor och tillredde hönssoppa. Man använde kummin, dill, surmjölk och vallmofrö. I

vissa regioner sötade man många fler rätter ja, till och med challebrödet, än på andra håll. Den sötade *chreinen*, rödbets- och pepparrotsblandningen till fisken är ju vida känd. Idag kan man på Krakows mest exklusiva krog, som inte är en judisk restaurang, liksom på många andra restauranger i Polen beställa "fisk på judiskt vis". Den serveras med både russin och mandel i den tillhörande gelén som görs på fiskens fond.

I Litauen utvecklades en annan smakriktning, mer baserad på salt och pepparkryddning. Man åt också mer syrad mat, exempelvis *borscht* och surkål. Närmare Balkan var den inlagda sillen viktig (men osötad), man använde mycket korngryn och bovete. Rödbetor utgjorde en viktig ingrediens.

Till områdena vid Kaukasus och till Svarta Havsområdet kom de första judarna troligen redan på 500-talet f v t i samband med den babyloniska exilen. Till Grekland, Bulgarien och Rumänien invandrade judar troligen redan vid tiden för det andra templet. Under tidens gång har olika judiska invandringsvågor strömmat genom dessa områden. Till exempel kan nämnas judisk invandring till Grekland och dess öar från Ungern i slutet av 1300-talet som en följd av förföljelser i samband med en pestepidemi och ankomsten av spanska och portugisiska judar som på 1400-talet flydde inkvisitionen. Många platser i Grekland hade fram till Förintelsen livaktiga judiska församlingar som exempelvis Saloniki och Rhodos. (Se Laura Frajnds minnen sid *152*)

Till Ungern kom judar under tidig medeltid och det finns säkra spår av judisk närvaro i området redan från romartiden. Under 1500-talet då delar av Ungern ingick i det osmanska väldet hade de ungerska judarna tät kontakt med de judiska församlingarna på Balkan och åtnjöt under den perioden relativ frihet. I de delar som tillhörde det Habsburgska riket var en mer antijudisk attityd förhärskande. En betydande del av den judiska befolkningen var koncentrerad till det Österikisk-Ungerska väldet. Vad maten beträffar så var den lövtunna strudeldegen förstås en influens från turkarnas styre i Ungern, liksom de fyllda paprikorna och tomaterna. I Rumänien influerades judarnas mat ännu mer av det turkiska och levantiska köket – äggplanta användes flitigt i matlagningen.

Den nya tiden

I slutet av 1800-talet verkade judarna aktivt för att bli emanciperade i sina respektive hemländer. De som bodde i storstäderna gick i bräschen. I Wien och Budapest fanns stora och starkt assimilerade befolkningsgrupper. Först 1867, efter påtryckningar från Österrike, reformerades den ungerska lagstiftningen vilket kom att gagna den judiska emancipationen i Ungern. Årtalet kan jämföras med 1870 i Sverige då judarna genom grundlagsändring fick fullständiga medborgerliga rättigheter. Maten blev mycket kosmopolitisk i dessa regioner och i och med kafétraditionens etablering kom även en rik flora av olika bakverk att ingå i det judiska köket. De här bakverken ser man numera överallt där judiska bakverk säljs, inte minst i Israel.

När judarna utvandrade till Amerika tog de med sig sina mattraditioner. Den amerikanska "delin" är ett arv från dessa invandrare, liksom Corned Beef on Ryebread eller *bagelmackan* med vitost och rökt lax. Gatuförsäljningen av *pretzels* hör också till detta arv. Få platser är så starkt präglad av judisk matkultur som New York.

Andra världskriget och Förintelsen innebar att hela den värld och den struktur av judiskt liv som funnits i Europa slogs i spillror. De judar som överlevt Förintelsen återvände endast undantagsvis till sina hemländer. Under cirka ett decennium efter krigsslutet sökte sig överlevande till nya bosättningsorter. Ett stort antal vistades under flera år i uppsamlingsläger i framför allt Tyskland. En del hittade överlevande släktingar på andra orter och förenade sig med dem. Många flyttade till Palestina i hopp om att en judisk stat skulle skapas och ungefär lika många tog sig till USA där det redan fanns en etablerad judisk minoritet och i många fall även släktingar till de överlevande.

Till mandatet Palestina, sedermera Israel, kom inte bara överlevande från Europa utan även stora delar av de judiska församlingarna från de kringliggande arabiska grannländerna. De kom som flyktingar eftersom många av arabländerna nu betraktade sina judiska invånare som ovälkomna representanter för den nya judiska staten – en stat vars existens de inte erkände. I Israel har alla de judiska kulinariska mattraditionerna konfronterats med varandra och resulterat i en rejäl "cross over".

Judisk mat i Sverige

Huruvida svenska judars mat influerats av lokala svenska mattraditioner är oklart. Sveriges judiska befolkning är starkt integrerad i majoritetssamhället och skillnaden på mathållningen hos judar i förhållande till andra är knappt urskiljbar. Endast i den mån man håller kosherreglerna kan skillnader skönjas. Det är huvudsakligen till de judiska helgdagarna som den traditionella matlagningen tas fram. Det finns dock en relativ nykomling i det svenskjudiska köket som förtjänar att nämnas, och det är laxen. Den finns ofta med i festliga svenskjudiska sammanhang. Kosher kött är dyrt i Sverige, lax däremot är ganska billigt och den har en prägel av festmat. Därför har laxrecept av olika slag beretts relativt stort utrymme i denna bok.

I den danska bokem "Till bords indenfor murene" (H. Goldschmidt och B. Siesby, Köpenhamn 1993) som berättar om maten i dansk-judiska familjer i Köpenhamn i början av 1900-talet, beskrivs laxen i liknande ordalag. Författarna skriver bland annat stadens kända fiskaffärer. "Då de ortodoxa judarna inte får förtära varken skaldjur eller ål. kom lax, kokt eller rökt, att få representera det allra finaste av havets goda.

Den rökta laxen hörde till de finare lunchborden och den förekom även som förrätt på smörgås vid fiskmiddagar. Hos mormor kunde man diskutera ingående huruvida laxen från firma Mai var finare än den som var köpt från Oscar Fredriksens fiskhandel.

De tidiga invandrarna har skänkt det svenska språket ett ord, som fortfarande används. I Stockholm kan man på många bagerier köpa ett vitt bröd som kallas för "judefläta" och ibland "*bergis*". I Göteborg kan man hitta samma bröd med namnet "barkis". Båda ordformer återfinns i Svenska akademins ordlista och definieras som "avlångt franskbröd med vallmofrön". Det rör sig om försvenskade former av orden "*barkhes*" eller "berkhes", synonymer till ordet challe. I första upplagan (1922) av Svensk etymologisk ordbok meddelar E. Hellquist att

orden används i judiska familjer som invandrat från Tyskland men de var okända bland judar från Österuropa. Detta tycks vara den rådande uppfattningen också bland judiska språkvetare; det finns emellertid etnologiskt material som tyder på att liknande former använts ända in i våra dagar i delar av det östjudiska området.

Majoriteten av Sveriges judar är aschkenaser. Efter staten Israels tillkomst har en omfattande turism lett till att både svenska judar och icke-judar kommit i kontakt med den andra stora grenen av det judiska folket, de orientaliska och *sefardiska* judarna. De flesta kommer från Nordafrika, Irak, Jemen, Iran med flera och har en matkultur som de i mångt och mycket delar med de folk i vars närhet de förut levde. Israeliska invandrare till Sverige är för det mesta sefarder. Därigenom kan svensk-judisk matkultur nu stoltsera med ytterligare ett smakligt tillskott i sin matrepertoar.

MAT OCH IDENTITET

Den katolske prästen säger till sin vän rabbinen:
"Du vet inte vad du går miste om genom att
inte äta skinka. Varför skulle Gud ha skapat
någonting som är så fantastiskt gott om han
inte ville att vi människor skulle njuta av det?
När ska du falla för frestelsen att smaka
på skinka?"

Rabbinen svarar sin vän:
"På ditt bröllop, fader"

Kring intagandet av föda har i alla kulturer en ordning, vissa mönster och ritualer utvecklats. Mathållningen utgör en del av vår identitet. Den bekräftar vår tillhörighet med alla de andra människor som i likhet med oss ingår i en bestämd gemenskap eller ett visst samhälle. Den utgör med andra ord en del av vår sociala identifikation. Mathållningens former bekräftar våra band bakåt, till föräldrar och ursprungsfamilj. Den uttrycker vad och *vem vi är och var vi hör hemma*. Identifikationen med mathållningen blir viktig av den enkla anledningen att den får oss att uppleva *igenkännandets trygghet*. Hur många gånger har vi inte utbrustit. "Åh, vad gott, den här rätten brukade vi ofta äta när jag var liten"!

Vårt förhållningssätt till bordsskick och mat är inte okomplicerat. I Sverige, exempelvis, är det fult att tugga med öppen mun eller att tala med mat i munnen. Att rapa vid matbordet betraktas som ohyfsat. I andra kulturer betraktas detta som en ren artighet eftersom man då visar värden att man ätit sig riktigt mätt. På samma sätt kan det i vissa kulturer vara naturligt att äta köttet av häst medan köttet från detta djur på annat håll ses som totalt oacceptabel föda. Trots att svenskar sedan många år är relativt resvana och har kommit i kontakt med för dem tidigare okända kulturer finns det regler som man kanske aldrig kan rucka på eftersom de är så djupt sammanlänkade med svensk kultur och svenskt sätt att förhålla sig till livet.

Kosherreglerna som kulturbärare

Också inom den judiska kulturen kan vi se att mathållningen och dess regler fyller sådana funktioner. Iakttagandet av kosherreglerna medför en ständig påminnelse om ens tillhörighet. Häri ingår också påminnelsen om ursprungsfamiljen och igenkännandets trygghet. Ytterligare en funktion som kosherreglerna har är att strikt efterlevnad har en begränsande inverkan på det sociala livet. Att äta tillsammans med människor som inte iakttar samma mathållningsregler som en själv kan bli besvärligt. Det är möjligt att rabbinerna på biblisk och talmudisk tid såg detta, "det besvärliga", som en tillgång, som någonting som medverkade till upprätthållandet av en *kulturell gräns* gentemot andra folk, att det bromsade assimilation och att det i största allmänhet kom att tjäna som *socialt kitt* för den judiska gruppen.

Kashrut, shabat och mångfalden av andra helgdagar ger judisk matlagning sin särprägel. En judisk helg bekräftas bland annat genom den mat man äter. Det blir då viktigt att markera skillnaden mellan vardag och helg genom att under helgerna servera riklig och god mat i kontrast till vardagens enklare mathållning. Många av helgerna medför även restriktioner vad gäller utförandet av arbete som exempelvis förbudet att göra upp eld eller att sätta igång en elektrisk apparat. Genom att frångå vardagens triviala kamp för mat och överlevnad helgar man shabat. Liksom Gud avbröt sitt arbete (skapelsen) efter sex dagar och vilade på den sjunde dagen, varvid han helgade den, så ska även människan arbeta i sex dagar och vila på den sjunde.

Maten intar en central plats i den judiska kulturen. Men är det så att maten är mer central inom den judiska kulturen än i andra kulturer eller är denna tes en fördom eller en föreställning utan saklig grund?

Vi har inget entydigt svar, men klart är att kosherhållningen i sig ger maten en viktig position. Maten får en religiös dimension, en plattform, som i sin förlängning tar sig konkreta uttrycksformer i vardagen.

Många av sederna kring en judisk måltid kan lättare förstås om man begrundar att matbordet har kommit att symbolisera offeraltaret i templet i Jerusalem. Där frambars

offergåvor av djur och av de grödor som skördades. Offergåvorna har sedermera, från tiden efter templets förstörelse, ersatts av böner och tacksägelser.

De regler som omgärdar måltiden med den obligatoriska handtvagningen före intagandet av födan (brödet), med därpå följande välsignelser och den obligatoriska tacksägelsebönen som följer på en måltid visar att måltiden i viss mån upphöjts till en religiös akt. Den judiska ritualen i samband med måltiden lär oss att inte äta utan att betänka vad vi äter och utan att skänka en tanke av tacksamhet över att vi har mat att äta. Det går inte an att bara kasta sig över maten.

Die jiddische Mamme

En annan möjlighet är att matens stora betydelse hänger samman med att många judar i perioder och under flera generationer levt i hunger och svår fattigdom. Det finns kanske en "nedärvd" ängslan vad gäller maten. Vi har alla hört talas om den judiska mamman, "Die jiddische Mamme" (jiddisch), som ständigt springer med mat till sina barn för att övertyga sig själv om att de inte går hungriga. Vidare är ju många av de rätter som är så typiska för det östeuropeiska judiska köket så kallad fattigmat det vill säga mat med hackade och malda ingredienser blandade med olika rotfrukter eller med korngryn.

Gästfrihet

Gästfriheten är en viktig komponent i ett judiskt hem. Bibeln visar på flera ställen att man skall öppna sitt hem för främlingen och för den fattige. Exempelvis i 2:a Mosebok, 20: 8 -10 talas det om vikten av att respektera sabbatsdagen genom att avhålla sig från vissa sysslor och att detta även skall gälla "främlingen som är hos dig inom dina portar". Ett annat exempel hittar vi i 1:a Mosebok, 18: 2-8. Avsnittet berättar om hur tre främlingar kommer på besök till Abrahams hus. Vi kan läsa hur Abraham skyndar sig att bjuda dem på vatten eftersom de kommer mitt på dagen under den värsta hettan. Sedan går han till sin hustru Sara och säger "Fort, tag tre mått av det bästa mjölet och baka bröd". Abraham ser därefter till att främlingarna bjuds på en mycket fin måltid. Abraham visste inte vilka de tre främlingarna var men det var uppenbarligen viktigt att bjuda gäster på det bästa man hade.

En följd av kosherreglerna är också den utbredda traditionen att bjuda hem en judisk person som inte är hemmahörande i den by eller den stad som han eller hon av någon anledning råkar befinna sig i. Man känner ett kollektivt ansvar för att kosherreglerna efterföljs, vilket även inbegriper ansvaret för sin nästas välbefinnande. Sålunda bör man bjuda hem en främling på ett mål mat så att denne inte blir tvungen att bryta kosherreglerna för att kunna äta sig mätt.

Kvinnans roll

Vi är tre kvinnor som sammanställt den här boken. Det är ingen slump. Bland judar liksom hos många andra folk har maten främst ingått i kvinnans ansvarsområde. Det är hon som stått framför spisen och förberett shabatmaten eller annan helgmat, men när helgen väl inträtt var enligt Toran kvinnan liksom mannen befriad från vardagens sysslor och göromål.

Dock har en annan dimension tillkommit som inte enbart hänvisat henne "till spisen" det vill säga till den undanskymda plats detta uttryck alluderar till. I och med att ansvaret för mat och kosthållning har fallit på kvinnan har hon även fått uppgiften att se till att kosherreglerna efterlevs. På så sätt har den judiska kvinnan fått kunskap om åtminstone de delar av den judiska lagen som rör kosherhållning. Är man tveksam om en matvara skall betraktas som kosher eller *taref* så skall enligt traditionen en expert tillfrågas, antingen en rabbin eller en person som fått rabbinens fullmakt att handleda i kosherfrågor. Därmed har det uttalade hushållsansvaret höjt kvinnans status.

På jiddisch finns uttrycket "bal-a-boste". Det betyder "husets härskarinna". Men i vardagslag har det även fått betydelsen - en duktig husmor. Bland de judar i Sverige där man fortfarande blandar in en del jiddisch uttryck i vardagsspråket kan man, om man vill förära värdinnan en fin komplimang säga: "Du är allt en riktig 'bal-a-boste'!"

Måltiden är i judisk tradition en samlingspunkt för familjen. I Ordspråksboken, kap 31 finns det en text där man sjunger en idog hustrus lov. I många judiska hem inleder man shabat med att på detta sätt besjunga makan, modern. Sången framförs när man satt sig till bords, innan man uttalat välsignelsen över shabat samt välsignelsen av vinet och brödet. Maken sjunger den själv eller ibland tillsammans med barnen. Sången innehåller 22 verser (bokstavsantalet i det hebreiska alfabetet). Här prisas och hyllas den idoga hustrun, denna kvinna som man i alla lägen kan känna tillit till, hon som låter sina händer arbeta med lust men som också räcker ut sin hand mot den fattige. Sin mun upplåter hon med vishet. "Många idoga kvinnor har funnits, men du, du övergår dem alla" framgår det ur denna sång. Sången avslutas med dessa rader:

"Skönhet är förgänglig och fägring en vindfläkt, men prisas må en hustru som fruktar Herren. Må hon njuta sina gärningars frukt, hennes verk skola prisa henne i portarna."

En "äkta jiddische mame", så beskriver Bertil Neuman sin mor i boken "Något försvann på vägen" (Legenda, 1989) där han berättar hur hans föräldrar kom till Sverige i slutet av 1800-talet och om sin uppväxt i området Nöden i Lund. Han skriver bland annat så här om sin mamma : "....Hon var sparsam också. När hon hackade sillen till *gehackte herring* eller levern till *gehackte leber* gick det undan. Samma fermitet visade hon då hon varje vecka flätade challebrödet till sabbaten. Hon såg till att det inte blev några onödiga kostnader. "... "Mamma fick alla att känna sig välkomna; hon utstrålade värme. Det var inte bara på sabbat eller till Pesach vi hade fullt hus... A jiddische mame – är en ärofull benämning på en professionell heltidssyssla i ett ortodoxt eller traditionellt judiskt hem. Min mor var en äkta jiddische mame."

MATMINNEN LEVER VIDARE

Matminnen är speciella minnen. Vi bär dem med oss hela livet och inte sällan väcker de känslor som glädje eller vemod. Den judiska invandringen till Sverige har i många fall bottnat i uppbrott förorsakade av antisemitism och förföljelse. En stor grupp judiska flyktingar kom till Sverige efter andra världskriget. På hösten 1943 räddades cirka 8 000 danska judar till Sverige. I april och maj år 1945 kom en stor grupp överlevande från koncentrationslägren genom bland annat Röda Korsets och Bernadotte-aktionens försorg. Under juni och juli samma år anlände ytterligare flyktingar via Förenade Nationernas flyktingorganisation. Av alla dessa flyktingar, totalt cirka 20 000 personer, kom knappt hälften att stanna kvar i landet. De flesta av dem, som här gavs en fristad, var unga, ensamma, sjuka och utsvultna. De hade förlorat både familj och hem. I Sverige startade de ett nytt liv.

Under senare delen av 1900-talet har ett flertal sociologer och psykologer intresserat sig för den grupp människor som i gängse språkbruk kallas för överlevande och även för dessas barn, för den s k andra generationen. Man har velat ta reda på hur de överlevande klarat av att leva med de trauman Förintelsen förorsakat och hur mycket av dessa de överlevande överfört till sina barn. Man har funnit att endast ett fåtal berättat för sina barn om sina traumatiska upplevelser och att många av de överlevande haft svårt att tala om livet före Förintelsen (Ref: De överlevandes barn, Helene Epstein, Penguin Books 1988 samt Ett tredje liv, Hedi Fried, Natur och Kultur 2000).

Inför sammanställningen av den här boken har en mängd samtal och intervjuer genomförts med överlevande och med representanter för den andra generationen. Vid dessa samtal fick vi en känsla av att matminnen är lättare att förmedla än andra minnen från tiden före Förintelsen. Utan att göra anspråk på vetenskaplig tillförlitlighet vill vi försiktigt föra fram tesen att just matminnen verkar tillhöra en fredad minneszon. Vårt intryck är att många överlevande med lätthet kan berätta om maten såsom de minns den från tiden *före*. Mer än gärna berättar de om mammas hönssoppa, mormors kakor, fasters kugel, om bröllop som de minns och om andra tilldragelser då det lagades mycket eller speciell mat.

Matminnena är helt enkelt de minnen man kunnat förmedla i motsats till så mycket annat som finns, men som stoppats undan i minnesbagaget. I stort sett allt annat har ju varit omöjligt att återskapa; människorna är borta, ting som symboliserar det gamla hemmet eller hembygden finns inte mer och många av hembygdens samhällen är inte längre igenkänneliga. Dock finns det ytterligare en minnesladdad företeelse som är gemensam för de överlevande, nämligen det faktum att man namngivit sina barn efter förlorade anhöriga. Många av andragenerationens barn bär namnen av nära släktingar som dödades under Förintelsen.

Få av oss som vuxit upp som barn till överlevande har ställt våra föräldrar frågor om vad som hände och hur deras liv gestaltade sig *före*. Men när föräldrarna inte finns kvar, då vill vi ändå veta. Behovet av att upprätthålla banden till det förflutna är stort. Vår kunskap om hur livet tedde sig före katastrofen är fragmentarisk eftersom de flesta av oss aldrig fått oss berättade våra föräldrars historia så att den hänger ihop och kan sättas i ett sammanhang. Kanske var det av hänsyn till våra föräldrar, som vi undvek frågorna – man ville inte väcka den smärta som de något sånär lyckats förtränga. Nu när föräldrageneration är på väg bort vänder vi oss till varandra, särskilt då de judiska helgerna är i antågande och undrar: "Hur bakar du challebröd? Vad serverar ni till pesachhelgens sederafton?" Det känns angeläget att göra rätt och att kunna förklara för sina egna barn vad och varför man gör den ena eller andra maträtten.

Fram till Förintelsen utgjorde de judiska traditionerna i stora delar av Central- och Östeuropa ett normalt inslag i vardagen. De var synliga och märkbara för alla - för observanta judar, för mindre religiösa judar och för icke judar. Ett flertal av den här bokens matminnen är berättade av personer bosatta i Sverige, men födda och uppvuxna i dessa delar av Europa. Den kultur de representerar, de judiska församlingar de en gång tillhört är utplånade.

"Vid en bordskant där jag satt".

Grundad duk, tempera, sydd.
Storlek 33x44,
Lenke Rothman, 1964.

En minnesbild av en helgdagsduk
med svarta korsstygn. Kring
bordet satt föräldrarna med åtta
barn i åldrarna 4-15 år.
Helgdagsduken liksom
familjen försvann i rök, sedan
de 1944 bortförts från staden
Kiskunfélégyháza i Ungern, vilket
antyds av det svarta i bilden.

Endast två av barnen räddades.
Det äldsta av dem,
Lenke Rothman, är sedan 1945
konstnär och författare i Sverige.

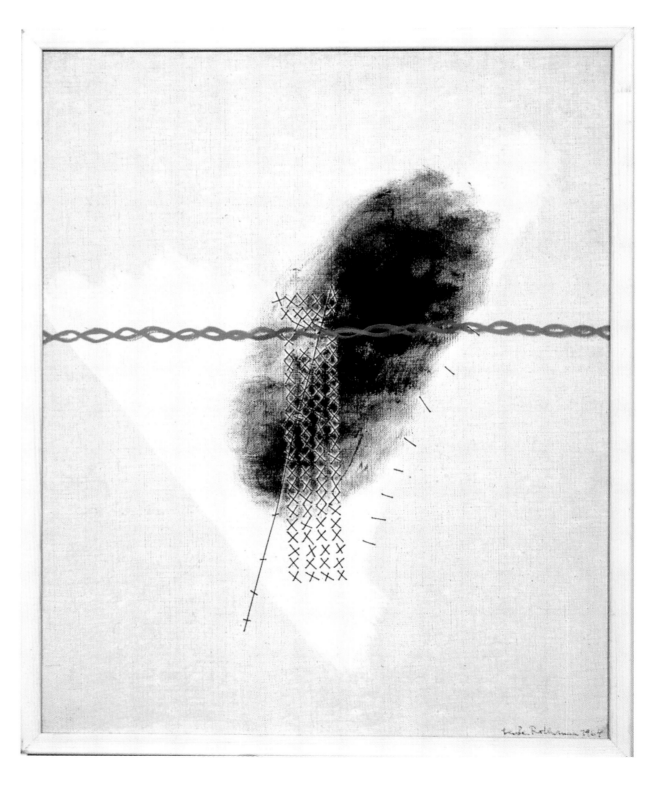

KASHRUT – JUDISK MATHÅLLNING

Begreppet kosher har alltid varit omdiskuterat. Vid sidan om den rent religiösa förklaringsmodellen har genom tiderna även andra förklaringar vuxit fram. Förresten, "den rent religiösa förklaringsmodellen" är ett slarvigt uttryck eftersom detta förutsätter att det inom den judiska världen råder enighet om vad som ingår i "det rent religiösa". Så är icke fallet.

Avsikten är emellertid inte att komma med ett debattinlägg utan att presentera en översikt av kosherbegreppet, dess praktiska konsekvenser samt gängse regler och praxis – en översikt som förhoppningsvis kan tjäna som vägledning för såväl judar som icke-judar och därmed leda till större förståelse för denna specifika typ av mathållning.

Ordet kosher är hebreiska och kan översättas med orden "hel", "obruten", "oskadad", "lämplig" eller "tjänlig". I samband med mat har ordet fått innebörden "beredd på rätt sätt" och är beteckningen på sådan föda som enligt judisk lag och tradition är tillåten. Motsatsen till begreppet kosher är taref (hebreiska), eller treif (jiddisch).

I områden där en betydande del av befolkningen varit och är judisk har ordet kosher kommit att integreras i vardagsspråket och blivit ett begrepp som används och förstås av alla. Så var det exempelvis i Budapest som före kriget hade en mycket stor judisk befolkning och där ordet kosher kom att användas i den överförda betydelsen "sjysst", "OK" eller "rätt". Och så är det även idag i New York där man osökt kan få höra att "That's not kosher!", alltså återigen ett uttryck för att något inte är OK eller sjysst.

I många städer, exempelvis Krakow, där det bodde många judar, eller på orter som fortfarande rymmer en levande judisk kultur, finns det restauranger vars profil är att servera "judisk mat". Förr handlade det oftast om judisk mat enligt östeuropeisk tradition, men numera är det vanligtvis frågan om modern israelisk mat – en av orientalisk tradition starkt influerad matkultur. Men låt er inte förvillas! Trots sin judiska profil behöver dessa restauranger inte vara kosher.

Koshermat ger inte med automatik maten en speciell profil. Ej heller är koshermat en företeelse som kan begränsas till specifika maträtter, utan det är mat, som tillreds av godkända (kosher) ingredienser och där man i sin matlagning följer de regler som kosherhållning föreskriver.

Påbud från bibeln

En del uttolkare menar att Bibelns påbud om vad som är kosher respektive inte kosher hänger samman med vår hälsa, att *kashrut*, kosherhållning, kan ses som en form av friskvård. Andra hävdar att dessa mattraditioner har till syfte att lära människan en viss disciplin och moral, att man skall kunna följa regler och inte betrakta mat som något givet. Åter andra förklaringar ger vid handen att Gud övervägde att inte låta människan döda för födans skull, men att han så småningom medgav vissa eftergifter. Han tillät förtäring av djur med förbehållet att en del villkor först uppfyllts.

Till stöd för den sistnämnda tolkningen om att människan enligt Bibeln uteslutande skulle livnära sig av markens gröda utgör detta citat från Första Mosebok:

1:a Mosebok, 1:29: Gud sade:
> *"Jag ger er alla fröbärande örter på hela jorden och alla träd med frö i sin frukt; detta skall ni ha att äta."*

Emellertid kan vi i *1:a Mosebok, 9:2-4*, det vill säga tidsmässigt senare i bibeltexten, finna följande uppmaning från Herren:
> *"Alla markens djur och alla himlens fåglar skall känna skräck och fruktan för er. Över dem och över allt som krälar på jorden och över alla fiskar i havet ger jag er makt. Allt som lever och rör sig skall vara er föda; allt detta ger jag er så som jag gav er de gröna örterna. Men kött som har liv, det vill säga blod, i sig får ni inte äta."*

Denna text visar på en klar utvidgning av vad som är tillåtet för människan att förtära. Nu inkluderas även föda från djurriket. Ur textens sista mening framgår dock att det inte är helt fritt fram. Blodet förblir nämligen otillåten föda.

Senare i Moseböckerna tillkommer ytterligare begränsningar gällande föda från djurriket. Tillåtna djur specificeras i de kapitel som behandlar matregler, d v s i 3:e Mosebok, kap 9, och 5:e Mosebok, 14:3-21. Också de muntliga traditionerna, sedermera nedtecknade i *Talmud* och i *Shulchan Aruch* har förtydligat reglerna kring mathållningen.

Bibelns budskap

Rabbin Dr *Moshe Edelmann*, ortodox rabbin, ansvarade under flera år för kosherfrågor inom Stockholms Judiska Församling. Så här svarar han på frågan om vad han ser som kosherhållningens centrala budskap:

"Det budskap som kashrut (kosherhållning) förmedlar till oss är att det är viktigt att kunna kontrollera våra begär och finna balans i sättet att tillfredställa dem. Vi får nämligen inte tillåta att de primära behoven brutaliserar oss. Att avliva en levande varelse är en allvarlig och i grunden grym handling. Därför är ett alltid närvarande kontrollsystem nödvändigt."

"Aptiten, lusten att äta, är ett primärt behov, vi måste äta", fortsätter rabbin Edelmann. "Men vi ska göra det med eftertanke och inom vissa givna ramar. Vi ska inte kasta oss över maten utan att se vad det är vi äter. Däreftter skall vi välsigna den. Vi ska inte heller döda för nöjes skull och då vi tar livet av ett djur för födans skull så ska det också ske inom ett kontrollsystem som stödjer oss i vår strävan att inte brutaliseras."

"Kashrut har också en annan viktig social aspekt. Den för in judendomen i hemmet, ja ända in i köket. Detta är värdefullt eftersom köket oftast utgör hemmets mittpunkt", tillägger rabbin Edelmann.

Överrabbin em *Morton Narrowe*, rabbin i Stockholm sedan 60-talet, berättar hur han ser på kashrut: "Att äta kosher påminner oss dagligen om våra rötter. För att avstå från en del förbjudna maträtter måste jag läsa menyn när jag äter på restaurang och handla på ett visst sätt när jag går i livsmedelsaffären – jag måste tänka judiskt i situationer där andra över huvud taget inte behöver reflektera. Således blir jag alltid påmind om min identitet."

Dessutom, fortsätter rabbin Narrowe, är kosherreglerna till för att dana varje judisk man och kvinna till

en bättre människa. "Kashrut ger oss en möjllighet att närma oss ett ideal, en helighet som Gud vill att vi ska eftersträva".

Tillåten och otillåten föda

Alla växter och mineraler är enligt kosherföreskrifterna tillåtna att förtära och tillhör den kategori av födoämnen som kallas *parve*. Begreppet parve innebär att födan är neutral, det vill säga den är varken *fleischig* (jiddisch) – köttig eller *milchig* (jiddisch) mjölkig. Parve mat kan kombineras med antingen en i övrigt köttig eller en i övrigt mjölkig måltid.

Djur som är tillåtna och är kosher beskrivs i *3:e Mosebok, 11:3:*

> "alla som har helt kluvna klövar och som idisslar, dem får ni äta"

Denna regel begränsar de tillåtna djuren till växtätande djur såsom kor, getter, får, d v s boskap. Inget av de tillåtna djuren är rovdjur.

I *3:e Mosebok, 11:13-19* räknas de fjäderfän upp som inte är kosher, bl a en mängd rovfåglar. Kosher fåglar skall dessutom ha simhud mellan tårna. Men säg en regel som inte har undantag? Av hävd är både hönan och kalkonen, trots avsaknad av simhud, klassificerade som tillåtna och är alltså kosher.

Djur som lever i vatten måste ha både fenor och fjäll för att bli klassade som kosher (se *3:e Mosebok, 3:9-12*). Inga kräldjur, inga insekter och inga skaldjur är kosher. Som tidigare nämnts är blod i alla former *taref*.

Att inte blanda kött och mjölk

Att blanda mat som innehåller kött med mat som innehåller mjölk är förbjudet. Bibeln upprepar på tre ställen det påbud som resulterat i traditionen att i ett kosher kök hålla isär mjölk och kött. Satsen *"Du skall inte koka en killing i moderns mjölk"* finns uttalad i 2:a Mosebok, 23:19, 2:a Mosebok, 34:26 samt i 5:e Mosebok,14:21.

Det är högst troligt att man på biblisk tid brukade koka en killing i dess moders mjölk. Förbudet att fortsätta denna tradition tolkas allmänt som ett bud som påbjuder människan att inta en respektfull hållning gentemot livet och mot fortplantningens värde. Detta föranledde en process som så småningom mynnade i ett generellt förbud mot att blanda kött och mjölkprodukter med varandra.

Inom traditionell judendom delas det allmänna förbudet i tre underkategorier:
> man skall inte koka eller på annat sätt bereda kött och mjölk tillsammans
> man skall inte förtära rätter i vilka kött och mjölk är blandade
> man skall inte heller på annat sätt använda sig av eller dra fördel av en produkt vari både kött och mjölk ingår

Ett kosher hushåll

Fundamentet i ett kosher hushåll är att inte blanda kött med mjölk. Man inte bara låter bli att blanda kött eller köttprodukter med mjölk eller mjölkprodukter, man håller sig också med skilda kärl och redskap. Köttiga respektive mjölkiga stekpannor, kastruller, diskbaljor, serviser, med mera hålls isär, förvaras avskilt från varandra och används endast för avsett ändamål.

Inte nog med detta – en person som håller kosher låter också en viss tid förflyta innan hon efter en köttig måltid (oxstek) äter en mjölkig produkt (ostkaka) och vice versa. Vad beträffar tidsrymdens längd så förekommer olika tra-

ditioner, men i regel väntar man längre efter en köttig än efter en mjölkig måltid innan man byter matkategori.

I ett kosher kök brukar kärlen som används till köttmat kallas "fleischig" och kärlen till mjölkmat för milchig. Benämningarna kommer från jiddisch och är gängse i familjer som härstammar från Östeuropa eller från platser där jiddisch har talats. Likaledes kan man få höra frågan *"Är den här kakan milchig?"* Frågeställaren önskar i det här fallet få information om huruvida mjölk, smör eller en annan produkt som härrör sig från mjölk har använts vid baket av kakan. Kanske har frågeställaren just ätit en måltid vari kött ingått och vill då avstå från äta en "milchig" kaka och vänta tills en viss tid förflutit. Man behöver naturligtvis inte använda just dessa ord för att beskriva mjölk- respektive köttmat. I Sverige kan man helt enkelt använda sig av begreppen mjölkig respektive köttig.

Till det som beskrivits ovan kan även tilläggas den tidigare nämnda kategorin parve. Parve mat är neutral mat och omfattar alla grödor som kommer från växtriket, alla mineraler samt ägg och fisk. Sådan mat kan fritt kombineras med antingen köttiga eller mjölkiga produkter.

Är det många som håller kosher?

Man brukar uppskatta antalet judar i Sverige till 20 000. Siffran baserar sig på en uppskattning av antalet personer som identifierar sig som judar. Ett strikt kosher hushåll innebär att man uteslutande köper matvaror som är kosher och att man konsekvent följer kosherreglerna. Det finns naturligtvis stora variationer i hur "kosher" man är. Det finns judar som över huvud taget inte håller kosher och judar som iakttar en del regler, men inte alla. Det är t ex vanligt att man inte äter djur som är taref men i övrigt inte bryr sig om hur djuret är slaktat. På kosherskalan finns många graderingar, men det går inte att bortse ifrån att kashrut är en grundläggande del av det judiska arvet. Historien nedan är belysande:

Peter är jude. I hans barndomshem höll man många av de judiska traditionerna och hushållet var kosher. Peter som är i 45-årsåldern är dock uttalad ateist. Hans fru som inte är judinna säger en dag till en av denna boks författare: "Peter äter inte fläskkött, inte blodpudding och inte skaldjur så jag köper inte hem sådan mat." Hon har känt den här familjen i många år, men detta har aldrig tidigare kommit på tal. När de varit hembjudna till dem har visserligen fisk alltid serverats, men det, trodde hon, var av hänsyn till hennes familjs kosherhållning. Därför blev hon oerhört förvånad när hon fick kunskap om allt det som Peter faktiskt inte äter.

Är kosher hälsosammare?
Det finns personer som påstår att kosherhållning i sig innefattar en hälsoaspekt. Uppenbart är ju att den som är van att kontrollera ingredienserna i livsmedel också på ett annat sätt håller reda på de produkter som konsumeras i hushållet och därför vet varifrån produkterna härstammar.

Därför är den som håller kosher i Sverige i mycket hänvisad till hemlagad mat och undviker därmed många av de artificiella tillsatser som halvfabrikat och färdiglagad mat ofta innehåller.

En orsak till att man möjligen kan hävda att kosher är nyttigare eller framför allt att det var så förr är att kosherreglerna påbjuder en mycket sträng kontroll av djuret efter slakten. Ett sjukt djur kan aldrig förklaras kosher av en *shochet*, slaktaren som efter slakten även skall granska djuret. Det är också absolut förbjudet att förtära ett självdött djur.

Numera är många människor mycket uppmärksamma på vilken föda de äter och vad den innehåller. Denna fokusering har, framför allt i USA, lett till att allt fler börjat intressera sig för kosher mat. Man kan dock konstatera att kosherhållningens religiösa aspekter är av underordnad eller t o m försumbar betydelse för detta nyvaknade intresse.

För den som av religiösa skäl håller kosher är diskussionen om hälsoaspekterna naturligtvis oväsentlig. Orsaken till varför den religiöse juden följer dietlagarna sammanfaller med varför han eller hon följer reglerna om helgandet av shabat; båda är fenomen som påbjuds i Bibeln.

Övrigt om kosher produkter
Eftersom maskar eller insekter inte är kosher så måste den som vill

Slaktknivarna har tillhört Salomon Tarschys. Han kom till Sverige 1898 från Litauen.
Tillhör Judiska museet i Stockholm.

undvika taref föda alltid noggrant kontrollera att frukt och grönsaker är fria från sådant.

Mjölk och mjölkprodukter från kosherdjur är kosher. Ägg från kosher fåglar är kosher. Rom från kosher fiskar är kosher.

Ägg räknas som neutral föda – parve, men endast under förutsättning att ägget är obefruktat. Spår av blod i ett ägg betyder att ägget har befruktats och därmed är ägget inte längre neutralt. Ett befruktat ägg blir bärare av liv (vilket blodspåret bekräftar). Detta innebär att ägget blir förbjuden föda. Det befruktade ägget definieras som icke ätligt. Här ser vi åter hur kashrut kopplar samman vår föda med tanken på liv, livets tillblivelse och i sin förlängning på livets helighet.

Ost

Tillverkning av kosher ost är inte en okomplicerad process. Vid tillverkningen krävs det tillgång till löpe från en kalv (löpe är ett ämne som utsöndras i kalvens magsäck) som slaktats enligt kosherreglerna. Detta är inte enkelt eftersom löpen klassas som en animalisk produkt. Tillverkning av kosher ost med riktig löpe är sålunda en mycket grann-laga uppgift eftersom löpen egentligen inte får blandas med mjölk. Därför har man allt mer övergått till att använda syntetisk löpe vid tillverkning av kosher ost.

Rörelsen Conservative Judaism, även kallad Masorti, har beslutat att klassa all ost som kosher, även sådan som tillverkas med hjälp av animalisk löpe. Man har på detta sätt velat underlätta vardagen för den som håller kosher. Men inom traditionell eller så kallad ortodox judendom är sådana avsteg från grundreglerna inte tillåtna. Detta innebär att all ost som innehåller animalisk löpe enligt den traditionen inte är kosher.

Ända tills för några år sedan var det svårt att i Sverige få tag på ostsorter som inte innehöll animalisk löpe. Kosherhushållen var hänvisade till att äta "vita" ostar, d v s färskostar som man själv förfärdigade. (Se Hilde Rohléns berättelse, sid *184,* se även recept sid *181*) Idag finns det ett stort utbud av läckert smaksatta färskostar i svenska kyldiskar samt ett mindre antal ostar med vegetabilisk löpe.

Fisk

Fisk är kosher under förutsättning att fisken har fjäll och fenor. Nedan ges exempel på vanliga fiskarter som är kosherfiskar:

Abborre	Makrill
Braxen	Mört
Flundra	Nors
Gråsej	Rödspätta
Gädda	S.t Petersfisk
Havsabborre	Sandskädda
Hälleflundra	Sej
Karp	Sill
Kolja	Sjötunga
Kummel	Slätvar
Laxfiskar	Tonfisk
Långa	Vitling

Kosher slakt

Inte vem som helst kan slakta ett djur och sedan hävda att han eller hon följt kosherreglerna. Enligt judisk tradition skall slaktaren vara specialutbildad och bevisligen kunna kashrut. En utbildad och godkänd judisk slaktare kallas *shochet* och har från en rabbin erhållit intyg på sin färdighet. Slaktaren bör dessutom vara en gudfruktig person och leva i enlighet med de religiösa lagarna.

För en jude som iakttar kosherreglerna är tanken på att jaga för nöjes skull inte möjlig. Att döda ett djur för spänningen eller upplevelsen där blir en anomali. I konsekvens med detta kan varken ett skjutet – jagat, eller på annat sätt skadat djur förklaras kosher.

I ljuset av ovanstående tarvar den svenska debatten om kosher slakt en kommentar. Det är nämligen just föreställningen om att kosher slakt är inhumanare än annan slakt som ligger bakom den lag som sedan 1937 förbjuder kosher slakt i Sverige. Under denna tidsperiod var föraktet och rädslan för andra kulturer stor och man får förmoda att förbudet mot kosher slakt kom till under påverkan av dessa stämningar.

Med jämna mellanrum aktualiseras frågan om huruvida svensk lagstiftning skall ändras på denna punkt. Många har hävdat att den är ovärdig ett land som i övrigt iakttar religionsfrihet. Särskilt besynnerlig ter sig debatten när man har kännedom om myndigheternas ställvis bristande kontroll av jakträttigheter och att så få ifrågasätter tjusningen i att jaga t ex älg. Ytterst sällan debatteras älgens dödsångest och den upplevelse av hets som djuret med all sannolikhet upplever under jakten. (Även de långa och många gånger plågsamma transporterna av slaktdjur skulle i humanitetens namn kunna ifrågasättas mer.) Följaktligen finns det kanske fog för att anse att debatten om kosher slakt i högre grad än vad många inser präglas av kulturbetingade fördomar och inte av faktabaserade kunskaper.

Djurplågeri är enligt judisk lag förbjudet. Djuren är en del av Guds skapelse och människan är påbjuden att ta ett ansvar för den värld som Gud skapat. Bibeln förbjuder inte bara grymhet mot djur utan påbjuder också människan att visa barmhärtighet mot dem. I konsekvens med detta skall man på shabat, vilodagen, även låta sina djur vila. Det finns exempelvis påbud om att ett djur som har för tung last skall befrias från den och de djur som ingår i hushållet skall utfordras innan man själv sätter sig till bords.

Sammanfattningsvis är principen för den judiska slaktmetoden, kallad *schechita*, att avlivandet av djuret skall göras mycket snabbt och att djuret skall tillfogas så lite smärta som möjligt. Endast en för detta utbildad schochet, en skriftlärd, gudfruktig och utbildad slaktare, får utföra slakt.

Den israeliske författaren Shai Samuel Agnon fick år 1966 Nobelpriset i litteratur. Nobelkommittén ville tillmötesgå hans önskemål om kosher mat. Chaja Edelmann fick ansvaret för tillagningen av pristagarens måltider

EXPRESSEN ★ Tisdagen den 6 december 1966

Matbekymmer för Agnon
Specialfisk hela veckan

Samuel Josef Agnon, 78, nobel-pristagare i litteratur, äter special-lagad fisk hela veckan, men på No-bel-middagen får han bara grönsaker och glass.

Fisken lagas enligt judisk ritual i ett kök på Norrlandsgatan, hämtas av israeliska ambassadens bil och forslas till Grand hotell, där Agnon med familj bor i sin svit.

Rabbinfrun Haija Edelmann har fått äran laga mat åt ortodoxe juden Agnon.

Redan i går kväll skickades am-bassadbilen med av fru Edelmann bredda natt-mackor till Agnon. Det var bara fisk och ägg på smörgå-sarna och Agnon var förtjust.

Just nu lagar fru Edelmann och hennes medhjälperska Rachel Jang-kler sparrissoppa, kokt lax och grön-saksallad åt nobelpristagaren. Kloc-kan ett serveras ambassadchauffören denna middag på Grand hotell.

Sedan ska Agnon ha sina smör-gåsar klockan 19. Mer äter han inte.

Nobelpristagarens mat lagar fru-arna Edelmann och Jangkler enligt de minutiösa judiska kosher-regler-na. Man får inte förvara kött i ett kärl som någon gång innehållit en mjölkprodukt eller tvärtom. Kött ste-kes aldrig i smör. Man byter kniv, gaffel och tallrik för de olika födoämnena.

Undantag görs för glas som har en så slät yta att inte ens mikrosko-piska matrester kan fastna. På glas man äta allt. Därför äter Agnon sin Nobel-middag på glas.

Agnons specialkomponerade Nobel-matsedel:
Förrätt: avocados.
Huvudrätt: blandade varma grön-saker.
Efterrätt: glass.
Till detta dricker nobelpristagaren

speciella judiska viner. Stadshuskäl-larmästaren har haft åtskilligt hu-vudbry med anskaffandet av dessa viner, som inte kan köpas på Syste-met. Nu lovar man i alla fall att Ag-non ska få vad han vill ha att dric-ka.

Rabbinfru Haija Edelmann, 27, och hennes medhjälperska Rachel Jang-kler förbereder nobelpristagarens första middag i Sverige. Han vill ha fisk varje dag. I dag får han lax.

Köttets beredning efter slakten

Ett nyslaktat djur undersöks alltid noggrant. Man vill kontrollera att djuret inte haft en sjukdom eller på annat sätt tagit skada. Visar det sig att något av djurets organ är angripet av sjukdom klassas djuret som taref – ej brukbart. Även fjäderfän undersöks efter slakt. Endast friska och oskadade djur blir kosherförklarade.

Blodet

Stora delar av blodet och en viss typ av fett måste avlägsnas innan djuret förklaras kosher. Bibeln säger om blodet: (5: e Mosebok, 12:23) "Men håll orubbligt fast vid att inte förtära blodet. Blodet är livet och du får inte äta livet till-sammans med köttet" och (1:a Mosebok, 9:4) "Men kött som har liv, det vill säga blod, i sig får ni inte äta". Dessa citat indikerar att blodet ses som en symbol för liv och som bärare av "själen".

Det gäller att i så hög grad som möjligt avlägsna blodet från köttet. Därför har detaljerade instruktioner utarbetats på hur köttet skall beredas efter slakten.

Dessa återfinns inte i Bibeln, men i Talmud och i andra skrifter. Köt-tet skall blötläggas och saltas. Detta förfaringssätt är så djupt förankrat i den judiska traditionen att man inte kan göra anspråk på att köttet är kosher om nämnda praxis av någon anledning inte följts även om själva slakten utförts av en shochet.

Det kosher kött som konsumenten köper i affärer är i de allra flesta fall redan färdigberett och kan tillagas på en gång. Detta gäller också kosher fjäderfä.

Ägg

Ägg från tillåtna fjäderfän kan som nämnts betraktas som neutral, parve mat. Men innan man använder ägget måste man försäkra sig om att ägget inte innehåller blodfläckar. Har det blodfläckar går det inte att äta, eftersom det då är befruktat och "bär på liv". Vill man kontrollera förekom-sten av blodspår gör man det enklast genom att slå upp det i ett genomskinligt glas.

Kosher hushåll – hur går det till?

I ett kosher hushåll har man två uppsättningar av porslin, bestick, kastruller med mera. Man har en uppsättning mjöl-kiga kärl och en uppsättning köttiga. Hur man håller reda på vad som är köttig respektive mjölkig utrustning varierar. Man kan ha olika slag av porslin eller märka utrustningen med en viss färg. I ett mindre hushåll lär man sig snabbt vad som ska användas till vad. I ett storkök brukar man för enkelhetens skull ha mera robusta och tydliga märkningar. Man eftersträvar även skilda arbetsutrymmen för hantering av köttig respektive mjölkig mat. Detta för att undvika att misstag begås, dvs att man tar fel kärl när man är mitt uppe i matlagningen. Ej heller diskas köttiga och mjölkiga kärl tillsammans.

Föremål gjorda av glas har en särställning i ett kosher hus-håll. Glas kan användas för all slags mat - både köttig och mjölkig. Det är nämligen så att glas genom sin hårdhet i motsats till andra material (metall, keramik, porslin eller plast) varken absorberar fett eller andra ämnen.

Det första man gör när man planerar en kosher måltid är att bestämma om den skall vara köttig eller mjölkig. Det går inte an att under en och samma måltid servera pro-dukter som har sitt ursprung i båda kategorier. Att hålla isär begreppen blir snabbt en vana och planeringen går då helt automatiskt.

Beredning av lever (kashring).
Lever har en helt annan struktur
och yta än vanligt kött.
Oxlever skall snittas på ytan (ett
flertal snitt), sköljas och därefter
saltas. Efter saltningen grillas
den över öppen eld eller i en
grill, varefter den sköljs i kallt
vatten. Nu kan levern ätas eller
ytterligare beredas.
Detta får man räkna med att
göra hemma i sitt eget kök om
det är lever som står på menyn.

Vid institutioner som drivs i judiska församlingars regi, exempelvis skolor, sommarläger eller inom åldringsvården, är det brukligt att hålla maten strikt kosher.

skall kunna delta i måltiden. Så är det naturligtvis även för personer som håller kosher.

Eftersom det är högst individuellt hur kosher man är så är det aldrig fel att fråga och be den tilltänkte gästen om hjälp och råd inför tillagningen av en måltid. Man kan exempelvis fråga "äter du fisk tillagad i vårt kök?" Det är en relevant fråga eftersom den som är strikt kosher inte kan äta en varm måltid tillagad i kastruller som inte är kosher även om alla ingredienser i sig är det. I så fall är det lättare att bjuda på en kall sallad eller annan kallskuren mat. I Sverige är det inte många bland dem som håller kosher som är så noggranna. Det är dock alltid bäst att fråga så undviker man en situation som blir pinsam inte minst för gästen som måste rata det som värdfolket i bästa välmening förberett.

Då den israeliske författaren Shai Samuel Agnon år 1966 fick Nobelpriset tillskrev han Nobelkommittén och informerade den om att han observerade de judiska dietlagarna. Vidare uppgav han att det därför kunde bli svårt för honom att äta maten som serverades under Nobelmiddagen.

Nobelkommittén ville naturligtvis på alla sätt tillmötesgå sin gäst och när man förstått att Shai Agnon var en djupt religiös person gällde det att hitta en lösning på problemet d v s att kunna servera honom en måltid, som var strikt kosher. Man vände sig till Judiska Församlingen i Stockholm för råd. Vid den här tiden fanns det varken kosher restaurang eller kosher catering i Stockholm. Men Chaja Edelmann fanns här, då ung rabbinhustru, dock med mycket bristfälliga kunskaper om svensk matlagningstradition. "Jag skulle laga lax till Nobelpristagaren, men inte visste jag på den tiden hur lax tillagades i Sverige. Oj, vad nervös jag var! Men med hjälp av vänner och bekanta blev det hela ändå ganska lyckat till slut."

Att bjuda hem en gäst som håller kosher

Om du vill bjuda hem en person som du tror håller kosher så ge inte upp vid blotta tanken. Det behöver inte vara svårare eller krångligare än att bjuda en vegetarian på middag. Dra dig inte för att fråga vederbörande "hur kosher han eller hon är". Det är ju så att en person som håller sig till en viss diet alltid uppskattar om värden/värdinnan även kan tillmötesgå hans/hennes önskemål för att även hon/han

DET JUDISKA ÅRET

*J*udar runtom i världen lever efter två kalendrar – den allmänna (gregorianska) och den judiska. I praktiken innebär detta att år 2005 v t (vanlig tideräkning) är år 5765 enligt judisk tideräkning.

Den vanliga tideräkningen baserar sig på jordens kretslopp kring solen, där ett varv tar 365 1/4 dygn i anspråk. Solvarvet är indelat i 12 ungefär lika långa månader.

Den judiska tideräkningen, däremot, följer månens kretslopp kring jorden. Ett månvarv = 29 dygn. Tolv månvarv = 348 dygn. Uppenbart är att diskrepansen mellan ett solvarv och tolv månvarv är stor (17 dygn). I praktiken skulle detta innebära att sukot ibland inföll på våren och shavuot mitt i vintern.

Redan under tidig biblisk tid och i synnerhet efter det att hebréerna givit upp sitt nomadiserande liv och blivit fast bosatta bönder stod det klart för rabbinerna att mån-kalenderns brister måste avhjälpas. Att uppnå en bättre överensstämmelse med jordens rörelser kring solen hade blivit en nödvändighet. Utan modifiering av tideräkningen var det näst intill omöjligt att fira de högtider som var kopplade till specifika årstider, för att inte tala om hur viktig en anpassning av kalendern måste ha tett sig för hebréerna när de skulle bruka jorden. Sålunda beslöt man att mellan två månvarv infoga en s k skottmånad. Skott-månaden (adar 2) infaller med några års mellanrum och alltid under senvintern.

På många platser i Bibeln hänvisar man till årstiderna och till jordbruket. Exempelvis uppmanas Israels barn att fira pesach, påskhögtiden, då kornet mognar och det påpekas att veckofesten, shavuot (eller pingsten), som är de första frukternas fest, skall infalla exakt 50 dagar efter pesach. Sukot, lövhyddofesten, som också brukar betecknas som en skördefest, måste infalla på hösten, o s v.

Ett "judiskt" dygn börjar vid solnedgången – inte vid midnatt. I konsekvens med detta inleds en judisk helgdag i solnedgången och slutar vid mörkrets inbrott. Ursprunget till denna dygnsrytm kan härledas ur skapelseberättelsen där det står "Det blev kväll och det blev morgon. Det var den första dagen." (1:a Mosebok,1:5)

Även i Europa och i Sverige inleddes helgdagarna förr i tiden på det här viset. Se bara på de namn som helgdags-aftnarna bär – *julafton*, *påskafton* eller tänk på lördagskväl-lens helgmålsringning i kyrkan.

De judiska församlingarna i Sverige producerar varje år en judisk kalender för sina medlemmar. Ur kalendern framgår datum för de judiska helgdagarna samt det klockslag när solen under dessa dagar går ner. På så vis vet man när hel-gen börjar och slutar – värdefull information om man vill observera helgens traditioner (ljuständning, havdala mm). I detta sammanhang är det också på sin plats att notera att man i judendomen fäster stor vikt vid att tydligt skilja mellan vardag och helg.

Den judiska kalendern innehåller ett stort antal helg- och minnesdagar och till många av dem har en mängd starka mattraditioner knutits. Det är "mattraditionshelgerna" vi valt att beskriva i bokens avsnitt Helgdagarnas mat. Utöver shabat berättar vi även om nio andra helger.

HELGERNAS MAT

*A*tt markera helgernas begynnelse och slut i relation till vardagen är och har alltid varit av central betydelse inom judendomen. Även om man var fattig och hade det svårt gjorde man sitt yttersta för att kunna uppleva shabats eller helgens "sötma". Således, höll man ett än mer spartanskt hushåll under arbetsveckan för att sedan under shabat kunna servera sådan mat man under övriga dagar var tvungen att försaka. Att duka till fest är ytterligare ett led i att medvetet skilja vardag från helg och ett dukat festbord utgör som vi alla vet själva essensen i de känslor av förväntan och välbehag, som förknippas med en annalkande helg.

Sedan århundraden har shabat tillsammans med de andra helgerna angett både takten och tonen i judisk livsrytm. Så är det nu och än mer påtagligt var det så förr när människorna levde med religionen som ett naturligt inslag i vardagen.

Huvudmåltiderna under en judisk helgdag följer i huvudsak ett och samma mönster. Matbordet brukar liknas vid offeraltaret i templet i Jerusalem, den bibliska judenhetens hjärta. Man inleder med välsignandet av helgen och därefter följer välsignandet av vinet och brödet. Härefter skall alla kring bordet smaka av vinet och ta en bit av det välsignade helgbrödet. Salt är en omistlig del av måltidsritualen och helgbrödet skall helst ätas med salt. *Vinet, brödet och saltet* är något som man alltid dukar fram vid en helgmåltid. Bröden ligger övertäckta tills de välsignats. Den lilla duken som täcker bröden är ofta vackert dekorerad och avsedd att användas för just dessa tillfällen.

Shabat, sabbaten

Sabbaten, på hebreiska kallad shabat, är veckans sista dag och ger det traditionella judiska livet sin rytm. Det är den dag då vardagen bryts och förvandlas till någonting annat – en dag då vi påminns om att vi är fria människor.

Att beskriva shabat som en vilodag blott, är inte helt med sanningen överensstämmande eftersom man inte nödvändigtvis måste tillbringa den sysslolös och stilla. En mer korrekt beskrivning är att shabat är den dag då vi har rätt att vila från

vardagens stress och problem – den dag då vi kan dra ner på takten och njuta av frukten av vårt arbete, då vi har tid att ägna oss åt varandra och tid till att begrunda vårt liv. De som strikt följer shabattraditionerna, men som i övrigt lever ett modernt liv med allt vad det innebär av inrutade scheman och små tidsmarginaler, brukar hävda att shabats stora betydelse ligger just i möjligheten att reflektera över veckan som gått och i att samla kraft inför veckan som kommer.

För många är shabatfirandet det judiska livets hjärtpunkt. I Bibeln har ett av de tio budorden tillägnats helgandet av shabat och dagen beskrivs som skapelseveckans krona.

Vajecholo hashamajim – "Så fullbordades himlen och jorden och allt vad där finns. Den sjunde dagen hade Gud fullbordat sitt verk, och han vilade på den sjunde dagen efter allt han hade gjort. Gud välsignade den sjunde dagen och gjorde den till en helig dag, ty på den dagen vilade Gud sedan han utfört sitt skapelseverk." *1:a Mosebok, 2:1-3.*

Rabbinerna brukar beskriva shabat som "ett palats i tiden" och i 2:a Mosebok, 20:8-10 kan vi läsa följande:

"Tänk på sabbatsdagen, så att du helgar den, sex dagar skall du arbeta och utföra alla dina sysslor men den sjunde dagen är Herrens, din Guds sabbat.

Då skall du inte utföra någon syssla, ej heller din son eller din dotter, ej heller din tjänare eller din tjänarinna, ej heller din dragare, ej heller främlingen som är hos dig inom dina portar."

Utmärkande för shabat är bl. a. budet att inte göra upp eld. Utifrån denna omständighet har en mängd maträt-

Shabat – Menyförslag

Förslag till måltid för fredag kväll – erev shabat, sabbatsafton. Bordet dukas festligt. Challebröd, vin och salt ställs fram på bordet.

FÖRRÄTT
Hackad lever (gehackte leber) / alt. gefillte fisch

SOPPA
Hönssoppa med tunna nudlar eller halkes

HUVUDRÄTT
Ugnsstekt kyckling "Mamma Yonas kyckling"/ alt. oxstek
Klyftpotatis /alt. ris
Grönsallad

DESSERT
Fruktkompott/alt. chokladmousse
Kaffe med kaka, exempelvis mandelbröd (eller annat parve bakverk)

Vid solnedgången på lördag kväll markeras shabats utgång och vardagens inträde med havdala ceremonin, man skiljer helg från vardag.

Saltet spelar en viktig symbolisk roll. Under templets tid saltades allt som bars fram som offergåvor. Enligt de regler som fanns fick man inte beströ offret med annat, endast salt fick användas. Enligt traditionen skulle också de i templet tjänstgörande prästerna få en viss del av de offer som bars fram. Saltet gjorde att offergåvorna, speciellt kött, höll sig längre. Efter templets tid har gudstjänsterna i synagogorna ersatt offerseden men matbordet har kommit att spela en viss symbolisk roll som en ersättning för altaret i templet. Saltet på brödet påminner oss således om templet.

Geskel Saloman (1821-1902) har målat tavlan Välsignelse av Sabbats ljusen.
Tillhör Judiska Församlingen, Stockholm.

ter uppstått. De tillagas innan shabat börjar för att sedan avnjutas både under fredag kväll och under lördagens lunch. Shabatbudet omfattar alla som ingår i ett hushåll t o m husdjuren. Personer som håller dess bud låter bara allvarlig eller hotande fara bryta bestämmelserna. Shabat – den efterlängtade höjdpunkten på veckan kräver en rad förberedelser. Hemmet ska städas, maten införskaffas och måltiderna förberedas. Allt skall vara klart till solned-

Challeduken är broderad av Lina Esterson f. Lapidus, (1874–1972). Linas dotter Karin var hustru till Idy Bornstein, legendarisk kantor och lärare vid Stockholms Judiska Församling.

Vinkaraffens sköld är en dekoration med texten (heb.) "För att hylla shabat och helgdag"

gången på fredag kväll, för då inträder shabat samtidigt som vardagen träder ut.

Det är Bibelns skapelseberättelse som ligger till grund för shabatfirandet som till stor del sker i hemmet: Här tänds shabatljusen vid solnedgången och här samlas hela familjen till fredagskvällens shabatmåltid – kanske veckans enda måltid där alla familjemedlemmar har möjlighet att närvara. Det sistnämnda är av särskild betydelse för de judiska familjer som inte till punkt och pricka följer shabatbuden, men som inte heller vill ge upp traditionen att tydligt markera övergången från vardag till helg. Att bjuda hem gäster till någon av shabatmåltiderna är en annan omhuldad tradition.

Då man samlats kring det dukade bordet läses, eller sjunges, kidush, helgelsebönen över shabat. I samband med detta välsignas vinet och var och en smakar av det. I kidushbönen ingår texter som påminner om shabats innebörd, om skapelsen, om uttåget ur Egypten och befrielsen från slaveriet samt om budet att hålla shabat.

Efter kidushbönens ritualer kommer turen till välsignandet av de två festbröden, challebröden, och alla får en bit av det saltbeströdda brödet. Nu har måltiden börjat! I tur och ordning bärs alla de i förväg tillagade rätterna in. Mellan rätterna sjunger man i det traditionella hemmet sånger – både psalmer och andra mer världsliga sånger – stämningen höjs och känslan av samvaro intensifieras. Man tar god tid på sig och när man äntligen ätit klart sjunger man gemensamt bordsbönen innan man går från bordet.

På lördagen, besöker många synagogans morgongudstjänst. Till den gudstjänsten hör recitation ur veckans Tora-avsnitt följd av rabbinens predikan. Inte sällan är predikan en betraktelse som anknyter till Tora-avsnittet.

Lördagens lunch som följer efter hemkomsten från synagogan utgör shabats andra huvudmåltid. I många hem är den minst lika riklig och väl förberedd som fredagskvällens. Under den varma årstiden består måltiden i det traditionella hemmet av kalla rätter. Under vinterhalvåret däremot serveras ofta någon eller några av de rätter som kan förberedas dagen innan och som kan hållas varma till lördagens lunch.

Även lördagens huvudmåltid inleds med kidush dvs med att man välsignar helgen och vinet. I synagogan brukar man, direkt efter gudstjänsten inbjuda alla gudstjänstbesökare till en gemensam kidush. Då har man i förväg, i anslutning till gudstjänstlokalen, dukat upp kakor och/eller lättare rätter som intas på stående fot. Detta är numera en mycket uppskattad del av samvaron kring lördagsgudstjänsten. Man stannar inte länge men får i alla fall en både informell och festlig avslutning på gudstjänsten! Det är också brukligt att någon som tillhör den trogna synagogkretsen firar en familjehögtid, exempelvis en födelsedag, ett bröllop, en födsel eller en *bar mitsva*

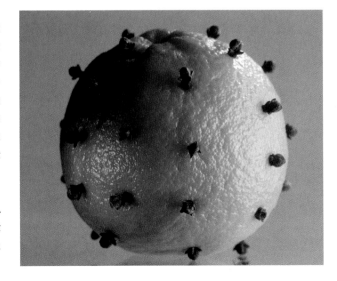

En kryddad väldoftande apelsin eller andra väldoftande kryddor ingår i havdalaceremonin.

Shabatdagen – Menyförslag

Traditionellt äter man shabats, lördagens, huvudmåltid mitt på dagen som en stadig lunch. Den som är traditionell har innan förmiddagens gudstjänst inte ätit en stadig frukost eftersom den som följer de religiösa reglerna inte äter bröd innan man förrättat morgonbön. Därför är aptiten god efter det att man kommer hem från shabatdagens ganska länga morgongudstjänst. Bordet dukas med challebröd, salt och vin.

LUNCHFÖRSLAG FÖR VINTERHALVÅRET

FÖRRÄTT
Eier mit Zwiebel, inlagd gurka, challebröd

HUVUDRÄTT
Tsholent (om tsholenten innehåller rikligt med kött kan steken vid sidan om utelämnas)
Alt. En kugel, exempelvis kugel Jerushalmi
Kall skivad oxstek
Gurksallad

EFTERRÄTT
Fruktsallad
Kaffe med chokladkaka (parve)

LUNCHFÖRSLAG FÖR SOMMARHALVÅRET

FÖRRÄTT
Gehackte herring/sillsallad
(eventuellt med nubbe till)
alt. äggsallad eller kall gaszpachosoppa

HUVUDRÄTT
Kall skivad oxstek
alt. skivor av kall rökt kalkon (färdigköpt)
Potatissallad
Grönsallad

EFTERRÄTT
Kaffe med kaka (parve) ev. med parve glass till

DEN TREDJE MÅLTIDEN – SEUDAT SHLISHIT*

under lördag eftermiddag innan shabat gått ut

Lantbröd och/eller kumminbröd
Kryddad vitost
Tonfiskmousse/Laxpaté
Färsk frukt
Te/Kaffe med kaka

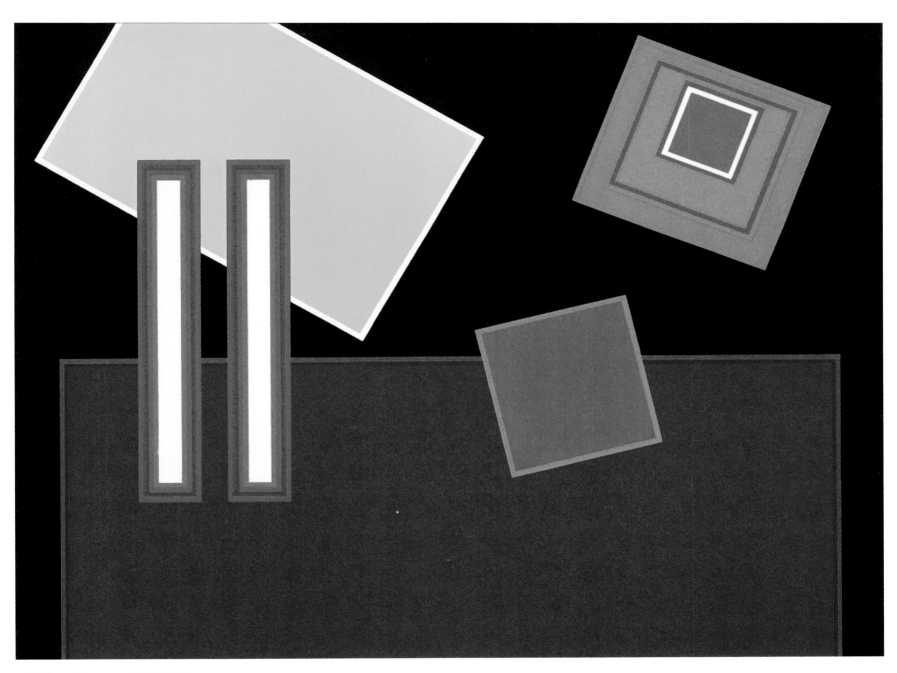

"Shabat Dinner at Debbie's"
Ur serien "Passover CA 5740", Peter Freudenthal, 1981

eller *bat mitsva* (konfirmation) genom att inbjuda alla synagogbesökare till en "*kidush*". På detta sätt kan man på ett enkelt sätt dela sin glädje med många andra.

Rosh Hashana, det judiska nyåret

Det judiska nyåret – rosh hashana infaller på hösten. Det är en tid för stilla glädje och allvarlig eftertanke. Orden rosh hashana betyder början på året eller ordagrant översatt; årets huvuddag, dess första dag.

Det judiska nyåret är inte en historisk helg utan är i likhet med *jom kipur* en andlig helg. Nyårshelgens budskap, uttryckt i de texter och böner som läses i synagogan, är att nyårsdagen ska helgas för att man ska minnas sin egen och jordens historia och påminnas om sina egna individuella möjligheter att välja mellan gott eller ont.

Rosh hashana är trots sitt budskap om självrannsakan inte en ledsam eller tung helg. Att klä sig fint hör till, gärna i vita kläder för att symbolisera det rena och det ljusa i tillvaron och helst firar man nyåret tillsammans med släkt och vänner. Man önskar inte varandra bara en god helg utan man tillönskar också sin nästa att denna må bli inskriven i Livets bok.

Måltiderna under nyårshelgen brukar bestå av rätter som innehåller mycken sötma. Det söta står för önskan om ett gott och sött nytt år.

Rosh hashana – Menyförslag

Bröden, challebröden, brukar vara runda i stället för avlånga till nyåret. I stället för salt sätter man under denna helg fram honung att serveras till brödet. Dessutom pryder några vackra äpplen bordet. Även äpplena skärs upp och delas ut, doppade i honung innan måltidens början.

FÖRRÄTT
Challe med honung och äpplen
Söt gefillte fisch med chrein

SOPPA
Hönsbuljong med kreplach eller tunna nudlar

HUVUDRÄTT
Söt kyckling alt. oxstek med katrinplommonsås
Tzimmes
Pressad potatis

DESSERT
Fruktkompott
Kaffe med honoungskaka

En utbredd tradition är att man på nyårets andra helgaftonskväll, innan välsignelsen av vinet före måltiden, lägger till en särskild välsignelse som heter Shehechiano. För den skull dukar man fram en frukt som man inte ätit på länge, en med nyhetens behag. Den särskilda välsignelsen läses över den nya frukten och välsignelsen är avsedd att ytterligare understryka helgdagens karaktär av helighet och att man står inför att påbörja något nytt. Samma speciella välsignelse läses också i samband med ljuständningen innan jom kipur.

Jom Kipur – Menyförslag

Måltiden som man äter innan jom kipurhelgens fasta är i egentlig mening inte en riktig helgmåltid eftersom helgen inte startat då den intas.

SOPPA

Hönssoppa med nudlar

HUVUDRÄTT

Kokt höna från soppan och ris med currysås/ alt. potatispuré
Sallad på färska grönsaker
Challebröd

DESSERT

Avsluta med te och äppelkaka samt vindruvor

*Efter jom kipur-fastan finns olika traditioner för hur man "bryter" fastan.
En del föredrar en riktig måltid med kött etc. medan andra vill äta något lätt.
Man kan bryta med en enkel "anbeissen", det vill säga en kakbit och något att dricka därtill innan man lite senare intar en riktig måltid.*

Challebröden bakas runda i stället för avlånga och man lägger russin i degen för att de skall bli extra saftiga och söta. Den runda formen symboliserar det långa livet, eller kanske till och med det eviga livet.

Jom kipur, försoningsdagen

Jom kipur, försoningsdagen ägnas helt åt förlåtelse och försoning. Helgen infaller tio dagar efter rosh hashana. Då avgörs för var och en huruvida han eller hon skall bli inskriven i Livets bok. Varje person måste dock först rannsaka sig själv och reflektera över sitt förhållande inte bara till Gud utan också till sina medmänniskor.

Att klara upp konflikter och reda ut missförstånd är något man förväntas göra innan denna helg. Den som åtminstone inte har försökt be om förlåtelse hos de människor han eller hon har sårat och som inte uppriktigt ångrar sina felsteg kan inte heller få Guds förlåtelse.

Jom kipur är en dag för kontemplation. Den är djupt allvarsam och anses av många judar vara den viktigaste helgen under året. Man avhåller sig från att äta och att dricka. Många judar som aldrig annars uppsöker synagogan gör det denna dag. Man ber inte blott om enskild förlåtelse och ett gott liv för sin egen del. De gamla rabbinerna gav en enkel förklaring på varför det är bra att be tillsammans: "Två män bär en börda längre än en man. Tio män bär den ännu längre. Så om alla ber tillsammans blir det lättare att bära allas våra synder."

Jom kipuraftonens gudstjänst inleds med den känslomättade Kol Nidre bönen. I den bönen avsäger man sig alla de löften som man i ren oförsiktighet avgett under året:

> *"Alla de löften, bud och förpliktelser som vi högtidligt lovat och förpliktat oss att hålla från denna försonings-dag till nästa försoningsdag..."*

Synagogan är full denna kvällarnas kväll.

Jom kipurhelgens fasta inleds i solnedgången – helgen har börjat. Man serverar en mättande, men lätt middag som intas strax innan det är dags att tända helgljusen för att sedan gå till aftongudstjänsten. Man brukar se till att denna måltid inte är starkt kryddad för då skulle törsten under den efterföljande fastan bli för svår att uthärda. Många menar att det är bra att avsluta måltiden med vindruvor, eftersom druvor innehåller rikligt med glukos.

När helgen efter ett dygn är över, bryts fastan omedelbart efter att helgen "gått ut", det vill säga vid mörkrets inbrott. Enligt judisk tradition är det bara vuxna, friska personer, som får fasta.

Det finns olika seder för *hur* man bryter fastan. En del sätter sig genast vid middagsbordet och äter ett riktigt mål mat, andra börjar med att dricka te eller kaffe med lätt tilltugg innan man går till bords.

En shofar är ett horn av en bagge. Den används vid den urgamla basunblåsningen som än idag ljuder i världens alla synagogor på rosh hashana och som med sitt speciella ljud manar till eftertanke och begrundan. Shofarblåsningen i synagogan ger gudstjänsten sin alldeles speciella prägel.

Sukot – Menyförslag

Sukothelgen varar i åtta dagar men det är bara de två inledande dagarna och de två avslutande dagarna som är "röda" dagar (heb: jom tov, jiddisch: jontef). De övriga dagarna är s.k "mellandagar", en slags halvhelgdagar.

Vanligen fortsätter man att göra challebröden runda även under sukothelgen och man fortsätter att servera honung och äpplen även under denna helg.

I måltiderna, som traditionellt äts i en sukka, ingår lämpligen säsongens frukter och grönsaker, sukot infaller ju under skördesäsongen. Eftersom kvällarna kan vara kyliga under hösten passar det bra att servera stora värmande grytor i sukkan.

≋

SOPPA
Potatissoppa

HUVUDRÄTT
Gulaschgryta med couscous/
Kåldolmar med ris

DESSERT
Kaffe med fruktpaj, pajen fylld med säsongens frukter

≋

Sukot – Lövhyddofesten

Till hösthelgerna, som börjar med rosh hashana och fortsätter med jom kipur, hör även lövhyddofesten, sukot. Ordet sukot betyder hyddor. Sukot infaller under skördetid. Att bygga sig en liten lövhydda utgör en del av firandet och till detta finns det flera förklaringar. Dels ska lövhyddorna minna oss om de tillfälliga boningar som Israels barn byggde och bodde i under den långa ökenvandringen (efter uttåget ur Egypten) och dels om hur Gud bistod dem under färden. (3:e Mosebok, 23:41-43)

Den andra förklaringen sammanhänger med sukothelgens koppling till biblisk tid. Då byggde man sig tillfälliga hyddor på utkanten av sina fält.

Skördetid var en tid för tacksägelse. En god skörd var förutsättningen för ett gott liv. Ursprunget till helgen "Thanks Giving", som firas i USA kan delvis härledas till sukot.

Under biblisk tid var sukothelgen en viktig helg, kanske den viktigaste av alla helger. Största delen av befolkningen livnärde sig av jorden och var direkt beroende av skörden. Då skörden äntligen var bärgad ville man fira detta. Under templenas tid vallfärdade alla som bara kunde till Jerusalem just under sukotveckan.

Fortfarande firar många judiska familjer sukothelgen med att bygga sig en egen sukka, lövhydda. I Sverige infaller sukot oftast sent på hösten och det kan bli kallt att vistas längre stunder i sukkan. Men trots detta finns det familjer som varje år gör sig besväret att bygga en sukka på sin balkong eller i sin trädgård – problemet med kylan kan idag lösas med en värmefläkt eller infraröd värme! I anslutning till varje synagoga brukar en stor sukka resas som alla församlingsmedlemmar kan besöka. Enligt traditionen bör man så mycket som möjligt vistas i sukkan – helst skall man inta alla helgens måltider i den.

Man brukar lägga ner mycket möda på att smycka sukkan. Särskilt barnen brukar engageras för denna uppgift. Man kan hänga upp höstäpplen och ta in doften av höst och skörd. Det finns också tydliga regler för hur en sukka ska vara beskaffad. Bland annat ska dess tak bestå av blad eller kvistar och inte vara tätare än att man genom bladverket kan skymta stjärnorna på himlen.

Det är en alldeles speciell känsla att i goda vänners lag sitta i en sukka och äta en måltid där äpplen och blad och kvistar sprider en doft av den gångna sommarens mättade aromer.

Andra sukotsymboler, förutom lövhyddan är *lulav* och *etrog*. Etrog är en citrusfrukt, en vacker frukt som liknar en citron. Lulav består av tre sorters kvistar, en palmkvist, tre myrtenkvistar och två pilkvistar. Lulav och etrog symboliserar kroppens viktigaste delar. Etrog står för hjärtat, palmen för ryggraden, myrten för ögat och pilen för munnen. Symboliken är att en god människa tjänar Gud inte bara i ord och känslor utan med hela sin varelse (3:e Mosebok, 23:40).

Under sukot serveras ofta mat som anknyter till årstiden. Det betyder att man äter mycket höstgrönsaker som pumpa och kål. Vanligt är också att man serverar en värmande gryta i sukkan.

Etrog och lulav

Sukotfirande i Hillelskolan.

Chanuka – Menyförslag
(mjölkig måltid)

Chanukahelgen som varar i åtta dagar har inga "röda" dagar, men bär en prägel av glädjehögtid.

Maträtterna förknippade med chanuka är latkes och munkar. Gemensamt för dessa rätter är att de tillagas i olja.

Latkes kan vara tillbehör vid en måltid med kött, som t. ex. till stek, eller utgöra en egen huvudrätt med olika tillbehör.

FÖRRÄTT
Krupnik (svamp – och korngrynssoppa)

HUVUDRÄTT
Latkes med grönsallad, creme fraiche, coleslaw

DESSERT
Kaffe med munkar

Chanuka – invigningsfesten eller ljusets helg

Chanuka betyder invigning. Chanukahelgen firas till minne av att judarna år 165 f v t lyckades återvinna sin religiösa och kulturella frihet från syrierna.

Härskaren av det syriska väldet, Antiokus Epifanes (175 – 163 fvt), fruktade ett egyptiskt angrepp. För att motverka en sådan händelseutveckling ville han ena sitt väldiga rike. Och för att uppnå enighet måste, enligt Antioukus, all annan kulturutövning än den hellenistiska förbjudas. Inom det syriska imperiet ålades därför alla undersåtar att bevisa sin lojalitet gentemot härskaren genom att tillbe den grekiske guden Zeus.

I längden vägrade judarna att finna sig i detta. I månaden kislev (en vintermånad) under ledning av Mattatias och hans son Juda Mackabios, gjorde judarna uppror. Efter tre års strider lyckades judiska soldater återinta templet, rena det och avlägsna avgudabilderna. Nu blev det åter möjligt att i templet tillbe Gud.

Enligt chanukalegenden berättas det att när soldaterna återtagit templet, började de leta efter helig, ren, olja att hälla i den sjuarmade ljusstaken, som man så fort som möjligt ville tända. De hittade olja för en dags förbrukning. Att få fram ny olja skulle ta minst åtta dagar. Trots den uppenbara risken för att ljusen skulle slockna innan man fick fram ny, tändes ljusstaken med den olja som fanns till hands. Till allas förvåning brann "endagsoljan" i åtta dagar, dvs den tid man behövde för att få fram ny olja. Chanukamiraklet var ett faktum och än idag firas chanuka i åtta dagar (25:e kislev – 3:e tevet).

Chanuka, invigningsfesten, kallas även ljusets helg. Den är inte en central helg i den judiska kalendern, men dock en mycket älskad helg. Chanuka liksom pesach (påsk) firas främst i hemmet och är inte knuten till synagogan. Chanuka-helgens viktigaste symbol är den åtta-armade ljusstaken, *chanukian*. Varje kväll i åtta dagar tänder man ljus i chanukian.

Chanuka är en glad tid. Man ger varandra, framför allt barnen, presenter och man leker och spelar spel. Ett särskilt spel som spelas i chanukatider är *dreidel*spelet. Dreidel betyder snurra på jiddisch (sevivon på hebreiska). En dreidel är en fyrsidig snurra. På varje sida av snurran finns en hebreisk bokstav. Bokstaven i sin tur står för ett ord och tillsammans bildar orden en mening: Stort Under Hände Där – Nes Gadol Haja Sham (NGHS) – en anspelning på undret med oljan.

På Chanuka äter man gärna friterad mat (ytterligare en anspelning på undret med tempeloljan) och då alldeles speciellt en rätt som på jiddisch kallas *latkes* – rårakor stekta i olja. Dessutom serveras ett annat måste, nämligen nyfriterade munkar.

Tu bi shvat

Den judiska kalendern står i växelverkan med årstider och växtlighet. Inom ramen för denna växelverkan har trädet sedan lång, lång tid tillbaka kommit att symbolisera själva essensen för liv.

Tu bi shvat kallas även "trädens födelsedag" där enligt traditionen alla träd fyller år samtidigt. Födelsedagen äger rum den tid på våren när saven stiger och träden efter vinterns dvala är på väg att klä sig i sommarskrud.

Som namnet anger skall *Tu bi shvat* infalla i månaden shvat. Prefixet Tu

Chanuka-ljusstake, chanukia, av mässing, formgiven av Klaus Haendler, Stockholm 1985. Tillverkad av Metallslöjden Gusum AB

Vid två helgdagar finns ett litet tillägg till bordsbönen då man tackar för maten, en särskild passus där man tackar för det under "som Du utförde för våra förfäder i forna dagar vid denna tid". Tillägget kallas för "Al hanissim". Detta görs under chanuka- och purimhelgen.

En dreidel är en fyrsidig snurra. På varje sida av snurran finns en hebreisk bokstav. Bokstaven i sin tur står för ett ord och tillsammans bildar orden en mening: Stort Under Hände Där - Nes Gadol Haja Sham (NGHS) - en anspelning på undret med oljan.

= 15 på hebreiska, ringar in helgen till denna månads 15:e dag.

Tu bi shvat är inte omnämnd i Bibeln och den har inte heller någon särskild gudstjänst knuten till sig. Ändå vet man att helgen firats sedan urminnes tider, men hur själva firandet gått till vet man inte så mycket om.

När judarna sedermera drevs ut ur landet Israel, kom många av dem att slå sig ner i områden med betydligt kallare klimat. Plötsligt inföll Tu bi shvat inte längre på

våren utan på vintern eller senvintern det vill säga innan träden slår ut i blom. Men trots denna förskjutning föll "födelsedagen" aldrig i glömska. Istället utvecklades en sed där man firade dagen genom att äta frukter som växte i det forna Israel. Fick man inte tag på sådana frukter nöjde man sig med andra lokala frukter.

Under ideala förhållanden lägger man upp hela 15 olika sorters frukter (den 15:e shvat) på ett dignande fruktfat. Det är också vanligt att baka en fruktkaka – och naturligtvis skall den innehålla så många frukter som möjligt!

Tu bi shvat

Den här helgen är inte en "röd" helgdag men den är ändå en slags bemärkelsedag i den judiska almanackan, allmänt kallad för "trädens nyår". För att påminnas om betydelsen av träden och dess frukter äter man många olika sorters frukter den här dagen.

Frukterna kan serveras bara som de är, blandade på ett stort frukt– fat, exempelvis som efterrätt. Det är också vanligt att man serverar en fruktsallad eller en kompott med många frukter i eller en fruktkaka baserad på flera sorters frukter. I övrigt är det ingen speciell mat som förknippas med den här helgen.

Det finns även en sed att kalla måltiden på tu bi shvat för "lilla sederafton". Man dukar fram en måltid med 15 frukter och illustrerar därmed i likhet med sedermåltiden själva innebörden i helgen.

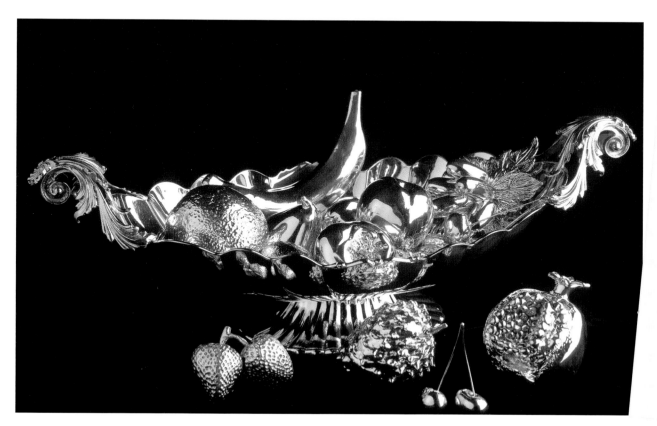

FRUKTKAKA

INGREDIENSER

4 ägg

2 ½ dl vetemjöl

1 tsk bakpulver

1 tsk salt

2 dl socker

1 tsk vaniljsocker

3-4 hg urkärnade katrinplommon,

fikon.suckat, pommerans, ev skurna

torkade aprikoser, samt 1 hg grovt

hackade hasselnötter eller mandlar

Margarin samt skorpsmulor till

bakformen

> GÖR SÅ HÄR

1   Blanda i en stor skål mjöl, bakpulver, salt, socker, vaniljsocker

2   Lägg i all frukt och nötterna och rör om väl

3   Vispa upp äggen väl och rör ned i fruktblandningen (smeten blir ganska tjock)

4   Häll smeten i en smord och bröad form (1,5 liters långform). Grädda i 150grader i 60 minuter. Låt kakan stå kvar och svalna sedan ugnen stängts av

Purim

Purim är en helg som går i glädjens tecken och som genom tiderna har firats med maskerader och gyckelspel. Det är troligt att fastlagstidens medeltida kristna tradition med karnevaler och skådespel kommit att influera det judiska purimfirandet (fastlagen sammanfaller tidsmässigt med purim) även om helgerna i övrigt inte liknar varandra. Purim är inte en "röd" dag varför man tillika med firandet även kan utföra alla vardagens sysslor.

Purim firas till minne av de persiska judarnas mirakulösa räddning från förintelse. Enligt historien ägde detta rum på 400-talet fvt och det faktum att de förskonades från döden och den onde Haman berodde på den judiska kvinnan Esters modiga ingripande, vilket också utförligt skildras i Ester bok. Esters bok är den enda bok i Bibeln där Guds namn inte omnämns. Man brukar förklara detta med att referera till 5:e Mosebok, 31:18 där Gud tillrättavisar Israel med följande ord: "... skall jag dölja mitt ansikte för dem". På hebreiska låter det som namnet Ester (*Haster astir panaj*).

När man i synagogan läser Esters bok hör det till att alla synagogbesökare väsnas varje gång namnet på den onde Haman uttalas. För att uppnå maximalt oljud utrustas barnen med harskramlor vilket brukar leda till en uppsluppen stämning i synagogan.

I Öst- och Mellaneuropa brukade man framföra så kallade purimspel i vilka man med förkärlek gycklade med de inflytelserika och styrande inom den egna församlingen. Även i Sverige fanns judiska teatersällskap som satte upp purimspel. Här kan nämnas Judiska Dramatiska Amatörsällskapet i Stockholm – aktivt i början och under mitten av 1900-talet.

Under purim förekommer rikliga gästabud och man brukar säga att det vid detta tillfälle är tillåtet att till och med dricka sig aningen berusad!

Purim – Menyförslag

Purimhelgen är en utpräglad glädjehelg. Uppsluppna fester och maskerader tillhör firandet. Egentligen finns det bara en rätt som är helt typisk för helgen, nämligen homentashen (jidd.) eller oznei haman (heb.). Det är en kaka som har en karaktäristisk trekantig form fylld med en vallmoblandning eller sylt. På många platser fanns traditionen att också servera kreplach till måltiden på purim, kanske för att kreplach är en rätt med fyllning som till utseendet påminner om homentashen.

En viktig tradition på purim är att ge bort en matgåva till vänner och bekanta. Traditionen härrör sig från tider då det fanns fattiga personer inom församlingen som utan sådana gåvor inte hade möjlighet att glädja sig under purimhelgen. Idag ger man bort något gott oavsett om mottagaren är i nöd eller inte. Traditionen kallas "mishloach manot" (heb. betyder ung. "att skicka en portion", jidd.: "shelach-mones").

FÖRRÄTT
Gehackte herring med snaps
Challebröd

SOPPA
Tomatsoppa

HUVUDRÄTT
Tvåfärgad köttfärslimpa
Pressad potatis med brun sås
Inlagda gurkor och waldorfsallad
Vin till maten

DESSERT
Kaffe med hamentashen

Purimfirandet
är förknippat
med skicket att
skänka varandra
matgåvor. Det var
viktigt att även
fattiga människor
skulle kunna
glädja sig denna
helg. Traditionen
med matgåvor
kvarstår, även
om hjälpbehovet,
åtminstone här i
Sverige, inte längre
är av någon större
betydelse.

Pesach, den judiska påsken

En gång i tiden var det judiska folket, hebréerna, slavar. I Bibeln berättas det att hebréerna mot alla odds, men med Guds hjälp, befriades från slaveriet. Erfarenheterna från slaveriet lärde hebréerna någonting mycket väsentligt – för att förbli människa måste man vara fri.

Våren är en tid då nya grödor spirar. Den utgör ett löfte om oanade möjligheter, goda skördar och kommande välstånd. Under pesachhögtiden firar judar både frihetens och vårens ankomst.

Redan under den tid då hebréerna fortfarande livnärde sig som herdar, alltså långt innan de begav sig till Egypten, firade man vårens ankomst. Våren ansågs infalla den natt i månaden nisan då månen var full – d v s den 15:e nisan. Då anrättade man en festmåltid med lamm. Många århundraden senare när det judiska folket slagit sig ner i Kanaans land, lämnat sin nomadiserande tillvaro och börjat bruka jorden, fick vårens ankomst en ännu viktigare roll.

Under en tid av torka och hungersnöd sökte hebréerna sig till Egyptens land där de till en början blev väl emottagna, men där de så småningom kom att förslavas. Bibeln berättar att Gud inte tillät att hans folk förblev slavar. Genom att sända de tio plågorna till Egypten tvingade Gud farao att låta judarna lämna landet – och bli fria. Den tionde och sista plågan, den som innebar de förstföddas död, inträffade just den natten då den traditionella vårfesten skulle firas. Judarna märkte sina dörrposter med blodet från offerlamm för att dödsängeln skulle förstå att "gå förbi" deras hus. På hebreiska betyder pasach "gick förbi". Samma ord återfinns i den svenska benämningen påsk och kommer via grekiskans paska. Bibeln berättar vidare att natten då man skulle lämna Egypten fick man så bråttom att degen till brödet som skulle gräddas dagen därpå inte hann jäsa – brödet förblev "osyrat".

På fyra ställen i Bibeln återfinns Guds påbud till det judiska folket att fira pesach: "Den dagen skall du säga till din son: Detta sker till minne av det som Herren gjorde för mig: när jag drog ut ur Egypten" (2:a Mosebok,13:8). Boken som man läser ur under sedermåltiden, inledningsmåltiden under pesachhelgen, heter Hagada och innehåller berättelsen om uttåget ur Egypten – om färden från slaveri till frihet.

Eftersom pesach är en familjehögtid där barnen intar en central plats är det viktigt att alla som deltar i sedermåltiden förstår vad som sägs. Därför finns Hagadan översatt till nästan alla språk som judar talar eller har talat. Den första Hagadan skrevs redan innan Makkabéerupproret år 168 fvt och är nästan identisk med den som brukas idag.

Innan helgens början städar man hemmet och gör sig av med allt vanligt bröd (allt "syrat" bröd) liksom all annan mat som innehåller jäst eller som på annat sätt är syrat. Hemmet skall vara fritt från *chamets*, en benämning på syrade/jästa livsmedel. I traditionella hem används särskild köksutrustning och särskilt porslin under pesach – allt för att markera hur speciell denna högtid är. På kvällen samlas man till det festdukade sederbordet. Alla vid bordet har sin Hagada och sin vinbägare. Den person som leder berättelsen om uttåget intar hedersplatsen. Mitt på bordet står det stora sederfatet. Där ligger sederaftonens alla symboler – en konkret illustration till Hagadan.

Pesach – Menyförslag

Under sederkvällens gång har alla kring bordet fått smaka av det som dukats fram på sederfatet: matzebrödet, grönsakerna, de bittra örterna och "murbruket" - charoset. När man väl kommit till själva måltiden hör det till traditionen att inleda denna med ett kokt ägg som doppas i saltvatten.

Sederkvällen

Hårdkokt ägg med saltvatten
Gefillte fisch
Hönssoppa med kneidel
Lammstek / alt. ungnsstekt kyckling
Kokt potatis
Grönsallad
Chokladmousse

Lunch eller middag

Borscht /Gehackte leber (hackad lever)
Oxstek / Kall skivad stek eller annat kallskuret kött
Potatiskugel / Potatissallad
Coleslaw / Gurksallad
Kaffe / tea med krimsel /pesachkaka

Pesachhelgens första afton kallas seder. "Seder" betyder ordning. Den här kvällen följer man den ordning som Hagadan anger. Man läser ur Hagadan och i bestämd ordning nämner och pekar man på de olika symbolerna som dukats fram på sederfatet. Alla får smaka på grönsakerna, de bittra örterna och charoset – "murbruket"och naturligtvis på matsabrödet. Då huvuddelen av historien om själva slaveriet och befrielsen berättats är det dags för festmåltiden. Festmåltiden inleds ofta med att man bjuder på ägg. Måltiden är en riklig måltid, som avnjutes både länge och väl innan det är dags för *afikoman*, bordsbönen och kvällens avslutande psalmer och texter. Sederaftonen är en festlig och mycket annorlunda kväll.

Pesach firas i en vecka. Under den veckan avstår man från att äta syrat bröd och annan syrad mat. Ur detta faktum har en rad rätter utan jästa ingredienser utvecklats och blivit traditionell pesachmat (se sid *251*).

Sederfatets symboler:

- **Ett ben, gärna av lamm, hos många lite bränt: en påminnelse om pesach-offret**
- **Ett ägg: symboliserar templets religiösa helgoffer. Ägget är också en symbol för pånyttfödelse**
- **Bittra örter: symboliserar slaveriets bitterhet**
- **Någon grönsak: symboliserar markens och vårens gröda**
- **En blandning av malda nötter, äpplen och vin: symboliserar murbruk d v s det tunga slavarbetet.**
- **På bordet finns också matsa, det osyrade brödet, frihetens bröd.**

I Sven B Eks etnologiska stadstudie från 1971 om livet i stadsdelen Nöden i Lund under början av 1900-talet framkommer vid intervjuer att av de judiska högtiderna har de icke-judiska invånarna främst uppmärksammat den judiska påsken.

En av de intervjuade minns att de svenska barnen ofta gjorde tjänster som att tända i spisen hos de judiska familjerna på sabbaten. Han berättar: "När sen påsken kom fick vi osyrat bröd. Det var en sorts mycket sprött och tunt bröd som vi tyckte mycket om. Vi lönades på så sätt."En annan talesman omtalar: "Mor berättade att jag som liten pojke ibland kom in och sa: Mor jag skulle gärna varit jude nu vid deras påsk. De hade så gott påskadricka och bröd med sylt på. Jag fick alltid smaka och tyckte att det var läckerheter."

Framför allt är det vid judarnas osyrade bröd som meddelarna har dröjt, skriver Sven B Ek i avsnittet Den judiska kosten och "svenskarna".

Jom ha'atsmaut – Menyförslag

Jom ha'atzmaut, Israels självständighetsdag, är en ung bemärkelsedag i den judiska almanackan. Tillkomsten av staten Israel år 1948 var en omvälvande händelse för världens judar efter 2000 år i förskingringen. Tillkomsten av Israel betydde för de flesta judar att landet åter kom att få betydelsen av ett kulturellt och andligt centrum för det judiska livet.

I Israel har judar från alla världens hörn bosatt sig. Ett spännande möte har uppstått mellan de sefardiska och de europeiska, ashkenasiska mattraditionerna. Härtill kommer inflytandet från dels den arabiska befolkningen i Israel men också från de stora immigrantgrupperna av judar med ursprung i arabiska länder. Det är framför allt rätterna med rötter i Mellanöstern som idag förknippas med Jom ha'atsmaut.

≂

BUFFET
pita
falafel
hommous
tehina
auberginesallad
oliver
picklesgrönsaker
grönsakssallad på tomat, gurka, lök
olivolja, citronsaft,
peppar, salt

≂

Jom ha'atsmaut

Förintelsen framstår idag som den allt överskuggande katastrofen i judarnas historia. Grundandet av en judisk stat, blott tre år efter Förintelsen, inledde dock en ny epok för världens judar, vilket utan tvekan har givit judarna en ny självkänsla och framtidstro.

Under 2 000 år har judar i världen, varhelst de bott, manifesterat sin längtan att återvända till landet Israel genom att i bön alltid vända sig i riktning mot Sion. I november 1947 antog FN förslaget om att dela Palestinamandatet i två stater – i en judisk och en arabisk stat (Israel och Jordanien). När sålunda de brittiska styrkorna den 14:e maj 1948, det vill säga den 5:e dagen i månaden ijar, lämnade mandatet, utropade David Ben Gurion – Israels första premiärminister – staten Israel. Alltsedan dess högtidlighåller israeler och också judar i diasporan denna dag – den 5:e ijar – som Israels självständighetsdag. Helgen kallas Jom ha'atsmaut.

I Israel har under de drygt 50 år som landet existerat judar från jordens alla hörn funnit sin hemvist. Här har en mängd olika lokala traditioner mötts och stötts mot varandra. Och vad maten beträffar har Israel blivit en regelrätt smältdegel.

Israelisk mat är starkt influerad av Mellanösterns matkulturer. Rätter som hommous, äggplantsallader, tehina, filodegsrullar med mera förekommer ofta i kombination med rätter med ursprung i Östeuropa. I Israel har det judiska matbordet blivit mångkulturellt. Även judar som inte är bosatta i Israel, men som reser dit på besök har tagit bestående intryck av alla dessa smaker och blandningar.

Vill man fira Israels tillblivelse med en festmåltid är denna ofta präglad av en skön "kulturröra". Hommous, pitabröd och andra Mellanöstern-specialiteter har hittat hit och myndigt tagit plats även på det svensk-judiska festbordet.

Hommous med tehina.

Shavuot – Menyförslag

Som framgår av texten om Shavuot har den här helgens bakgrund flera bottnar. Den är en riktig helg, en "röd" helg. Det betyder att helgen inleds med en festlig måltid på helgaftonen. Förutom ljus, challebröd, vin och salt sätter man gärna blommor på bordet och i hemmet. Blommorna pekar på betydelsen av markens gröda och om skördetiden.

Maten präglas av att man avstår från att äta kött, vissa har traditionen att äta en mjölkig måltid endast första kvällen, andra äter inte kött alls under shavuot. De maträtter som speciellt förknippas med helgen är därför mjölkiga rätter och bakverk. Det mest typiska är ostkakan och blintzes, vitostfyllda pannkakor.

FÖRRÄTT
Auberginesallad med pickles

SOPPA
Gurksoppa

HUVUDRÄTT
Stekta fiskbullar eller ugnsbakad lax
Kokt färskpotatis
Örtsås
Grönsallad på bladsallad med dressing
smaksatt med citron

EFTERRÄTT
Blintzes
Alternativ: Kaffe med ostkaka

Shavuot

Shavuot-helgen infaller sju veckor efter pesach (påsken). Ordet shavuot betyder "veckor". Också denna helg knyter an till årstidsväxling och jordbruk, men har dessutom ytterligare en religiös innebörd. Det var nämligen under shavuot som Gud på Sinai berg gav Mose Toran och det var där det judiska folket förband sig att följa hans lagar. Pesach står för vår och frihet och shavuot för sommar och mognad. Det handlar alltså om vår som övergår i sommar, men också om identitet och frihet som befästs i lagstiftning.

Shavuot infaller på försommaren – den 6:e dagen i månaden sivan. Eftersom både pesach och påsk räknas fram på samma sätt (första nymånen efter vårdagsjämning och 7 veckor efter påsk) sammanfaller shavuot nästan alltid med den kristna pingsten.

Shavuot markerar slutet på årets första skördeperiod (kornskörden) och inledningen av den andra (vetet). Kornskör-den påbörjades vid påsktiden och avslutades till shavuot. När detta var gjort var det på biblisk tid brukligt att vallfärda till Jerusalem. Med sig hade man årstidens första frukter att offras åt Gud. Utifrån *Mishnas* beskrivning av hur dessa vallfärder kunde gå till kan man sluta sig till att böndernas ankomst till Jerusalem var upptakten till en verklig folkfest.

Shavuothelgen är en "röd" dag i den judiska kalendern. Man går till synagogan för att delta i en festgudstjänst. Man smyckar synagogan med nyutslagen grönska. Helgens texter innefattar bland annat de tio budorden och historien om Ruth. I Ruths bok berättas det om skördetider men också om hur Ruth, en moabitisk kvinna, tar till sig tron på en Gud och därför väljer att efterleva Torans bud.

Enligt gammal tradition äter man inte kött på shavuothelgens första dag. Seden har flera bottnar. En är att det inte går att fira att man givits Guds lagar, genom att äta levande varelser skapade av Gud. En annan förklaring säger att judarna då de gavs Toran stod i begrepp att ta i besittning landet som "flöt av mjölk och honung". Genom att äta så kallad mjölkmat vårdar man detta minne. Ännu en förklaring ger vid handen att Gud vill att man genom Torans bud skall eftersträva en "helighet" och den "vita" maten skall erinra om detta.

Traditionen att inte äta kött under åtminstone en av shavuot-helgens dagar efterlevs både av ashkenaser och sefarder. Ashkenaser brukar tillreda maträtter och kakor som innehåller ost, vanligen vitost. Bland shavuothelgens rätter intar ostkakan en hedersplats. "Cheesecake" som har blivit välkänd även i Sverige är numera en populär "importvara" från det judiska USA.

SOPPOR

*I*det traditionella ashkenasiska köket inleddes en måltid alltid med soppa, såsom brukligt var i större delen av Central- och Sydeuropa. Det var också vanligt att hönan eller köttet som fungerat som soppans huvudingrediens sedan blev basen i nästa rätt – huvudrätten.

Hönssoppan intar en central roll i det ashkenasiska köket. Måltiden på "A goldene Joich" (jiddisch), den gyllene soppan, blev den första ett nyvigt par skulle inta tillsammans. Det var också det första man gav till en nyförlöst kvinna. Den guldgula soppan skulle bringa tur och ge styrka. Man kan med fog utse hönssoppan till det ashkenasiska kökets flaggskepp!

Även i det sefardiska köket förekommer höns- och köttsoppa även om dessa inte tillmätts samma betydelse som i det ashkenasiska. Soppor baserade på yoghurt har däremot sitt ursprung i den sefardiska traditionen.

HÖNSSOPPA

INGREDIENSER FÖR 10 PERSONER

1 mellanstor höna (cirka 1 ½- 2 kg)

vatten så att det täcker hönan

4 - 5 morötter, skalade

persilja

3 -4 palsternackor, skalade, delade

½ sellerirot, skalad, skuren i 4-5 delar

2-3 blekselleri stjälkar

1-2 buljongtärningar eller 2 msk
buljongpulver (kan uteslutas)

1 purjolök rensad, skuren i 2-3 delar

1- 2 tsk salt

peppar

> **GÖR SÅ HÄR**

1   Rensa och skölj hönan. Dela hönan i två eller fyra delar. Lägg den i en stor
kastrull och fyll på med vatten tills det täcker hönan

2   Koka upp och ta bort skummet och det extra fettet som flyter på ytan

3   Rensa och skala grönsakerna. De kan skäras efter smak i större eller
mindre bitar

4   Tillsätt grönsakerna, buljongtärningar och kryddor och låt det hela koka
upp

5   Sänk värmen och låt soppan puttra långsamt i cirka 2-3 timmar

*Soppan kan serveras med eller utan de kokta grönsakerna, gärna
med kokta tunna nudlar.*
Under pesachhelgen serveras soppan med matsekneidel.

INGREDIENSER

½ höna

½ kg bog eller högrev, gärna med ben

1 liten purjolök

½ grön paprika

några stjälkar blekselleri (gärna med blad)

4-5 morötter

1 stor palsternacka

persilja

vitlök

svartpeppar

salt

Ev. aningen grönsaksbuljong eller köttbuljong för att ytterligare för- stärka smaken

HÖNSSOPPA / KÖTTSOPPA
variation

> GÖR SÅ HÄR

1   Lägg höna och kött i botten på en 4-literskastrull och täck med vatten

2   Koka upp och skumma av

3   Tillsätt kryddorna och låt småkoka i en timme

4   Tillsätt grönsakerna som skurits i bitar (inte för små) och låt allt koka vidare i minst en timme till

5   Smaka av och moderera eventuellt kryddningen och tillsätt möjligen 1-2 msk buljongpulver. Om pulver tillsatts så låt småkoka i minst 20 minuter till innan serveringen. Ta innan serveringen bort det mesta av det fett som lagt sig på ytan

Vissa serverar soppan klar utan grönsaker, andra serverar med grönsaker i.

Min pappas familj kom år 1880 till Sverige från Marienpol i Polen. Pappa var då 4 år gammal. Min mammas familj, släkten Olshanski, kom via Norge till Sverige år 1869, där min morfar Rafael blivit borgare i Trondheim. Mamma föddes i Malmö, men växte upp i Oskarshamn.

Min farfar var en mycket from man. Efter sitt aktiva liv satt han dag ut och dag in och studerade judiska skrifter. Morfar däremot minns jag som en mer utåtriktad person. Han startade ett mycket framgångsrikt bärgnings- och rederibolag (detta bolag tog bl a upp kanoner från regalskeppet Riksnyckeln som gick under utanför Dalarö år 1629. Kanonerna finns nu på Sjöhistoriska museet).

Men även morfar var mycket judiskt medveten och familjen höll kosher. Så länge det fanns en kosheraffär i Stockholm höll även vi kosher. När affären (Karl Larsson på Regeringsgatan) slog igen blev det litet av varje, dock aldrig griskött, men väl vanligt icke kosherslaktat nötkött. Kosher höns och gäss däremot beställdes genom firma Oleanski i Lund.

Fredagsmaten och påskmaten var traditionellt judisk. Till shabat åt vi alltid hönssoppa med halkes. I övrigt bestod den traditionella maten så som jag minns den av shmaltz med gribenes, kneidlach, latkes (vid chanukahelgen) och kugels. Till påsk gjordes chremslach till våra icke-judiska kompisars stora förtjusning. Hit hörde också gefillte fisch och gehackte leber.

I stort sett var den dagliga kosten både traditionellt judisk och assimilerad. Jag uppskattade inte alltid den judiska maten - den var ibland allt för fet. Men undantag fanns ju. Jag tyckte och tycker mycket om, hönssoppa med halkes och naturligtvis gehackte leber och gefillte fisch. Finns det någon som inte tycker om dessa rätter?

På 60-talet var jag en gång på tjänsteresa i Israel. Vid ett restaurangbesök frågade jag efter gefillte fisch och gehackte leber som jag då inte hade ätit på flera år. Mina israeliska värdar var mäkta förvånade över denne märkliga svensk som efterfrågade sådan mat på en bättre restaurang!

Ivar Müller

INGREDIENSER FÖR 6-8 PERSONER

3 ägg

4 dl mjöl

1 tsk olja

1 nypa salt

1 msk vatten

HALKES
Sopptillbehör

Till den klassiska hönssoppan hör servering av något tillbehör såsom nudlar eller så kallade sopp-mandlar eller kreplach. Ivar Müller beskriver hur soppan i hans barndomshem serverades med halkes. Halkes är en slags nudlar, klimp, som man lätt gör själv.

> **GÖR SÅ HÄR**

1   Koka upp vatten i en 3-4 liters kastrull, lägg 1 tsk salt i vattnet

2   Rör ihop alla ingredienser i en skål, det ska bli en ganska klibbig smet

3   Ta en stor skärbräda och placera hälften av degen på den

4   Då vattnet kokar, skär med en vass kniv ner små bitar av degen i det kokande vattnet och låt halkes koka i cirka tio minuter tills de ser lätta och ljusa ut, de flyter upp till ytan då de börjar bli klara

5   Häll upp halkes i en hålslev och skölj dem väl med kallt vatten så att de inte klibbar ihop

Servera till klar hönssoppa

FISKSOPPA
Fiskarens fisksoppa, ungersk halászlé, parve

En fisksoppa kan se ut på olika sätt, man kan göra soppa på en eller flera sorters fisk. Det är aldrig fel att spä ut en kraftig fisksoppa med lite grädde i slutet av tillredningen men vill man ha en parve fisksoppa så avstår man från detta. Tänk på att fisk inte behöver lång koktid, bara några minuter. Därför lägger man i fisken sist då fonden eller buljongen som fisken ska koka i redan är klar.

INGREDIENSER FÖR 8 PERSONER

1 ½ - 2 kg fisk av flera sorter, exempelvis kolja, abborre, torsk, gös

2 purjolökar

1 burk krossade tomater, ca 400 gr

2-3 msk margarin eller 2 msk olja

1 vitlöksklyfta krossad

salt

vitpeppar

1 msk rött paprikapulver

1- 1 ¼ liter vatten

1 msk pulver grönsaksbuljong

2 dl vitt vin

1 stor gul lök

2 morötter, slantade

2 stora potatisar skurna i små tärningar

1- 2 lagerblad

1 tsk mejram

1 tsk rosmarin

hackad dill till serveringen

> GÖR SÅ HÄR

1   Rensa, filea, skölj och skär fisken (om inte fiskhandlaren gjort det)

2   Smält matfettet i en mindre kastrull eller häll oljan i en mindre kastrull

3   Skär purjolöken i ganska tunna skivor, fräs purjolöken i fettet, tills den blivit mjuk

4   Rör i de krossade tomaterna

5   Lägg ben, fenor, skinn och huvud i en stor gryta och häll på vatten och eventuellt vin samt tillsätt grönsaksbuljong och salta

6   Låt koka upp och skumma därefter av

7   Lägg i löken skuren i två delar, morot, potatis, lagerblad, vitpeppar, mejram, rosmarin och paprikapulver

8   Låt koka i 15 minuter

9   Fiska upp fiskdelarna (ben, skinn och huvud samt lökhalvorna)

10   Tillsätt purjolöks- och tomatröran

11   Låt småkoka i 10 minuter till

12   Häll därefter i fiskbitarna som skurits i lagom stora portionsbitar och låt soppan sjuda i 8-10 minuter

13   Smaka av, tillsätt ev. mer salt och rör i rikligt med hackad dill före servering

GAZPACHO
parve

Det här är en enkel snabbvariant av gazpacho, den behöver ingen kokning

INGREDIENSER FÖR 6 PERSONER

3 burkar (400 gr / burk) krossad tomat

1 medelstor gul lök eller 3 färsklökar inklusive skaften

1 grön paprika

1 gul eller röd paprika

1 liten slanggurka

2 skivor vitt osötat bröd

2 msk olivolja

½ tsk ättika

1 dl vatten

1 msk socker

persilja

salt

peppar

en pressad vitlöksklyfta, ev. två vitlöksklyftor

Det går bra att skära ned även andra grönsaker, ta vad som finns hemma!

forts.sid 80

INGREDIENSER FÖR 6 PERSONER

1 litet vitkålshuvud

3 kokta rödbetor

3 morötter

2 goda äpplen

1-2 tsk ättika

1 msk socker

salt

buljongpulver, vegetariskt, 1-2 tsk

1 ½ liter vatten

en nypa idealmjöl till efterredning (ev. crème fraîche)

BORSCHT
parve eller mjölkig

> **GÖR SÅ HÄR**

1 Skär vitkålen i större bitar och tag bort stocken

2 Kör kålen med den grövre grönsakskniven i matberedare (eller strimla kålen för hand)

3 Koka i lättsaltat vatten i cirka en timme

4 Tag undan en del av kålen (ev. för djupfrysning) och behåll endast så mycket som behövs till några portioner soppa

5 Lägg i rivna rödbetor, morötter och skalade strimlade äpplen

6 Koka i 5 minuter

7 Smaksätt med socker, ättika, parve grönsaksbuljongpulver, samt lite idealmjöl för bättre konsistens

Så här kan soppan ätas och då är den parve, d v s den kan ätas i samband med en köttig eller mjölkig måltid. Den kan med fördel varieras på följande sätt men då blir den mjölkig:

Toppa soppan i varje tallrik med en stor klick crème fraiche .

> GÖR SÅ HÄR

1 Ta en stor skål och häll upp de krossade tomaterna
2 Lägg i brödskivorna och låt dem bli mjuka och blöta. Ta en gaffel och mosa brödskivorna i tomaterna och blanda om
3 Skär alla grönsaker i mycket små bitar, hacka löken smått. Lägg alla grönsakerna i tomatkrosset
4 Rör ned olivolja, ättika, vatten och krydda, med salt, socker, peppar, smaka av. Låt helst stå i kylskåp i minst en timme före servering

Serveras med ett gott bröd till

POTATISSOPPA
krämig, cirka 20 portioner, parve eller mjölkig

INGREDIENSER FÖR 6 PERSONER
½ kg potatis, skivad
1 liten purjolök, skivad
2 morötter, i tunna skivor
1 stjälk selleri
¼ grön eller röd paprika, skivad
2 msk mjöl
2 tsk salt
1 krm vitpeppar
1 tsk paprikapulver
1 ½ dl hackad persilja varav ½ dl sparas till serveringen
½ dl hackad gräslök till serveringen (ej nödvändigt)
Eventuellt 2 dl crème fraîche till serveringen (ej nödvändigt)
1 ½ liter vatten
1 dl grädde / om soppan ska vara parve så byt till sojamjölk eller annan vegetarisk grädd- eller mjölkersättning (ej nödvändigt, soppan är även god som den är)

> GÖR SÅ HÄR

1 Värm oljan i en kastrull
2 Lägg i purjolöken, låt den brynas lätt i 4-5 minuter
3 Lägg till mjöl, rör om väl
4 Rör i paprikapulvret
5 Häll på vattnet, lägg i potatisen, sellerin, paprikan och morötterna, persiljan samt salta och peppra
6 Låt allt koka upp och sänk sedan värmen och låt småkoka i cirka ½ timme. Rör om då och då för att inget ska bränna fast i botten
7 Då potatisen och de övriga grönsakerna känns mjuka, stäng av plattan och tillsätt eventuellt grädden /eller mjölkersättningen
Strö över fint hackad persilja och gräslök före servering och servera eventuellt med en klick crème fraîche i varje tallrik.

TOMATSOPPA
parve, mjölkig om man tillsätter grädde

INGREDIENSER 4-6 PERSONER
2 msk vegetarisk olja
2 stora vitlöksklyftor, pressade
2-3 msk hackad färsk eller frusen basilika
2 burkar, 400 gr /burk, passerade tomater
4 dl grönsaksbuljong
salt
peppar
1 msk socker (kan uteslutas)

> GÖR SÅ HÄR

1 Hetta upp oljan i en kastrull på medelvärme
2 Lägg till vitlök och basilika, låt puttra i 2 minuter, rör om hela tiden
3 Blanda i de passerade tomaterna och grönsakbuljongen
4 Koka upp, låt koka på låg värme i 45 minuter
5 Smaka av med salt och peppar och ev. socker
6 Tillsätt ev. grädde för att få en mjukare smak – obs att soppan blir mjölkig

"Not bad for five o'clock" är ett av mammas många kloka uttryck som etsat sig fast i mitt minne och som nästan blivit ett levnadssätt för mig och min familj. Det har varit vägledande vad gäller mitt förhållande till matlagning och till familjens och hushållets många krav.

Mamma hade en trevlig butik utanför Philadelphia, USA där hon sålde lite exklusivare barnkläder. Hemhjälp hade vi - en underbar kvinna från Texas - men det var mamma som handlade och lagade maten. Hon brukade komma hem från arbetet vid femtiden, och klockan sex var maten klar - alltid gott, snyggt - t o m aningen konstnärligt serverat. "Not bad for five o'clock" sa hon med ett leende när vi satte oss till bords. Det låg en hel livsfilosofi bakom orden: detta att maten och städningen visserligen var viktigt men inget man skulle ägna för mycket tid åt. Snabbt skulle det gå i köket/huset; matlagning är lätt, ingenting att grubbla över, ingenting att diskutera, ja, helt enkelt någonting man måste kunna.

När jag gifte mig med Morton blev jag automatiskt en "rebbetsin", jiddisch för rabbinhustru. Det är en traditionstyngd roll, knuten till en mängd förväntningar, som inte alltid varit lätta att uppfylla - att vara judiskt kunnig (ja, det är jag, någotsånär), att ha ett öppet och gästvänligt hem (mycket gärna), att vara församlingsmedlemmar behjälpliga när så behövs (jag hinner aldrig). Nu ett antal år senare förstår jag att många av dessa förväntningar även kretsar kring maten - gott och kosher och rikligt ska det vara. Och, med mammas ord inristade i mitt medvetande, snyggt, smakligt och inte för komplicerat.

Under mina snart trettiosex år i Stockholm har det blivit många shabatluncher med tonfisksallad jämte sill och potatis och grönsallad och till efterrätt banankaka och glass. Pasta med olika såser till vardags har inte heller varit ovanligt. Däremellan har jag också stekt köttbullar eller bjudit på kyckling med barbeque-sås (Peter Freudenthals favorit) - ofta till shabat.

Ibland (vad hade mamma sagt...) har jag hittat underbara (lättlagade) recept ur den fina kokbok "From Manna till Mousse" som jag fick av Debbie Gerber då hon år 1974 kom till Sverige. Jag tittar också i The Settlement Cookbook, en gammal amerikansk klassiker som jag antar var en sorts introduktion till "det moderna köket" för generationer av nya amerikaner på 30-och 40-talet (se mitt banankaksrecept nedan). Gehackte leber och tsimmes och höns och mycket annat som anses vara traditionell judisk mat har dock inte varit vanligt förekommande hemma hos oss (inte heller hos mamma: "för fett", brukade hon säga), med undantag av hönssoppa med matsebullar som våra nu vuxna barn och gudbarn alltid älskat.

Judith Narrowe

GURKSOPPA
mjölkig

> GÖR SÅ HÄR

1 Skär gurkorna i tunna skivor och lägg i en skål

2 Tillsätt olja, dill, vitlök och salt

3 Låt stå över natten i kylskåpet

4 Tillsätt nästa dag 1 liter mild yoghurt och 2 dl gräddfil

5 Serveras kall

INGREDIENSER FÖR 6 PERSONER

1 kg gurka

2 msk olja

1 dl hackad färsk dill, finhackad

3 vitlöksklyftor, finhackade

1 tsk salt

1 liter yoghurt, gärna av sorten matlagningsyoghurt

2 dl gräddfil

INGREDIENSER FÖR 4 PERSONER

3 dl tunt skivade morötter

2 dl skivad selleri

1 msk vegetabilisk olja

2 dl hackad lök

5 dl skivade färska champinjoner

3 msk vetemjöl

7 dl vatten

1 ½ dl korngryn, sköljda

svartpeppar, malen

salt

Jag är född i Kanada. Sommaren 1991 var jag i USA och jobbade på ett judiskt sommarläger och där träffade jag Daniel från Sverige. Min familj är ursprungligen från Ryssland och kom för några generationer sedan till Kanada.
Soppreceptet kommer från Daniels mormor som är från Polen.

Roberta Stocki

CHAMPINJON-/KORNGRYNSSOPPA
"Krupnik", parve

> **GÖR SÅ HÄR**

1 Fräs lök i lite olja tills den mjuknat

2 Rör i mjölet och låt koka under omrörning i en minut

3 Tillsätt vatten

4 Låt koka upp och tillsätt sedan resten av ingredienserna, även champinjonerna

5 Låt sjuda på medelstark värme under lock i cirka 45 min, tills korngrynen är helt mjuka

KÖTT OCH FÅGEL

*D*et finns Bibeltolkningar som hävdar att Guds ursprungliga avsikt var att inte låta människan döda för födans skull, men att detta visade sig vara omöjligt för människan att efterleva. Istället erbjuder Bibelns lagar en kompromiss och ur denna kompromiss finner vi upphovet till kosherreglerna.

Första Mosebok ger stöd för den ursprungliga avsikten: "Och Gud sade: Se, jag ger er alla fröbärande örter på hela jorden och alla träd med fröbärande trädfrukt. Detta skall Ni ha till föda." 1:a Mosebok 1:29

Men i 1:a Mosebok, 9:2-4 , det vill säga kronologiskt senare i Bibeltexten, finns en annan uppmaning: "Och må frukten......för Er komma över alla djur på jorden och alla fåglar under himlen. Jämte allt som krälar på marken och alla fiskar i havet må de vara givna i Er hand.....som jag har gett Er gröna örter, så ger jag Er allt detta. Kött som har i sig sin själ, det är sitt blod, skall Ni dock inte äta."

Detta är en klar utvidgning av vad som är tillåtet att förtära och inkluderar nu även föda från djurriket. Ännu senare i Moseböckerna tillkommer ytterligare begränsningar avseende föda från djurriket varvid man specificerar vilka djur som är tillåtna respektive otillåtna.

Fågel klassas som kött, fisk som parve. Det sägs att rabbinerna för länge sedan beslöt hänföra fågel till kategorin kött för att underlätta för dem som inte hade tillgång till "rött" kött att tillreda helgernas festmåltider. Det tyder på att kött tidigt blev festmat inom den judiska traditionen. På ett liknande sätt kan man även tolka sedvänjan att avstå från kött under de nio dagarna man minns Jerusalems belägring förutom under en av dessa nio dagar – nämligen på shabat.

O X S T E K

INGREDIENSER

1 ½ kg nötkött med ben av t. ex innanlår eller motsvarande 1 kg nötkött utan ben

2 medelstora gula lökar

2 stora morötter

olja till stekning

2 tsk salt

1 tsk paprikapulver

2 vitlöksklyftor eller vitlökspulver

> G Ö R   S Å   H Ä R

1 Häll olja, knappt en halv dl, i en tjockbottnad gryta och bryn hela köttbiten runt om

2 Skär varje lök i fyra klyftor och morötterna i ungefär 3 cm tjocka skivor, lägg grönsakerna i köttgrytan

3 Mosa vitlöksklyftorna med saltet och paprikapulvret och fördela över hela steken

4 Sänk värmen och sätt lock på grytan, låt köttet stå och koka så i 1 ½ - 2 timmar

Serveras varm eller kall. Om steken ska serveras kall så vänta med att skära upp tills den kallnat.
För en sås med sky som bas se recept Rostbiff.

Oxstek med katrinplommonsås

Gör som ovan men lägg med

200 gr katrinplommon

Ytterligare 2 morötter

Ytterligare 1 stor gullök skuren i 4 klyftor

Och låt detta koka med i grytan

R O S T B I F F

INGREDIENSER

2 kg rostbiff

salt

grovmalen peppar

rosépeppar

2 vitlöksklyftor

2 msk olivolja

olja till stekning

> G Ö R   S Å   H Ä R

1 Häll litet olja i botten på en tjockbottnad gryta

2 Lägg i steken och stek den på ganska hög värme så att den får färg och stekyta runt om

3 Pensla steken med olivoljan

4 Pressa vitlöksklyftorna med en knivsudd på skärbräda och smörj steken runt om med den pressade vitlöken

5 Salta och peppra steken runt om

6 Lägg lock på grytan och låt den stå i 100° i 1 ½ timme om steken önskas rosa. För att få den mer genomstekt låt den stå i 180° i 2 timmar eller mer

Om steken ska serveras som kalla rostbiffskivor, vänta med att skära upp steken tills den kallnat. Steken kan även serveras varm och då kan den med fördel serveras med en sås gjord på skyn, se sid 150

INGREDIENSER TILL SÅS PÅ STEKSKY

2 msk vegetariskt margarin

1 msk mjöl

1 dl buljong

2 dl vatten

soja

salt

finmalen svartpeppar

skyn från steken

> G Ö R   S Å   H Ä R

1 Smält margarinet i en kastrull

2 Tillsätt mjölet i det smälta margarinet (gör en redning), rör snabbt ihop det och

3 Tillsätt buljong under omrörning

4 Tillsätt vattnet

5 Rör ned sojan och smaka av med salt och peppar

SALTKÖTT

Saltköttet, på jiddisch pickelfleisch, hör till det traditionella judiska östeuropeiska köket. Förr var saltningen ett sätt att göra köttet mer hållbart. Saltkött på rågbröd är en del av den mat som judarna tog med sig när de invandrade till USA i början av förra seklet. Idag tillhör saltkött Delicatessen-butikernas absoluta specialiteter. Numera är det sällsynt att man saltar in köttet själv, i allmänhet köper man det redan saltat, färdigt för kokning.

Salt kött är oxbringa som behandlats på följande sätt:

För 2 kg oxbringa görs en MARINAD som består av:

2-4 pressade vitlöksklyftor

2 lagerblad

1 tsk krossade pepparkorn

½ dl socker

½ dl salt

2 tsk saltpeter (sodiumnitrat, vilket ger köttet dess rosa färg)

Köttbiten pickas väl runt om med en gaffel. Allt blandas och köttet smörjs väl in med blandningen. Därefter läggs köttet i ett kärl och täcks med vatten samt ett lock eller en tallrik med tyngd läggs ovanpå. Låt kärlet stå i kylskåp i minst fyra dygn varefter köttet måste lakas ur i rent vattenbad i några timmar och vattenbadet måste bytas tre-fyra gånger.

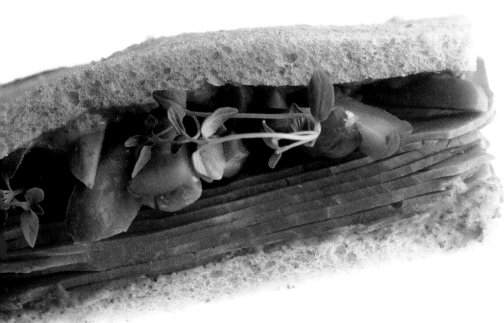

ATT KOKA SALTKÖTT

1 Placera köttbiten i en stor kastrull och täck den med vatten

2 Lägg till två gula lökar, 3 morötter, ev. två lagerblad och ev. tio enbär

3 Skumma när det kokat upp, och låt därefter småkoka, obs inte på hög värme, under lock i fyra timmar eller tills dess att köttet är lätt att sticka hål i med en kniv

En 2–3 kg stor saltstek räcker till cirka 15 personer.
Kan serveras varm eller kall.

KALVSTEK

INGREDIENSER
1 kg benfritt kalvkött, t. ex. innanlår eller ytterlår eller 1 ½ kg kalvkött med ben t.ex.
fransyska eller bog eller rygg
olja eller vegetariskt margarin till stekning
2 tsk salt
vitpeppar
1 gul lök

> **GÖR SÅ HÄR**
1   Häll knappt en halv dl olja eller lägg 3 msk vegetariskt margarin i en tjockbottnad
    gryta
2   Stek köttet runt om så att en brynt stekyta uppstår
3   Salta och peppra
4   Lägg i löken delad i 4 bitar och häll på ½ dl vatten
5   Sänk värmen och lägg på locket. Låt koka i 1 ½ timme. Vänd steken efter halva
    tiden

KALVSYLTA
-Noga-P'tscha-Galle

Sylta, Noga, P'tscha... Kärt barn har många namn.
Antingen älskar man eller hatar man denna rätt, något mittemellan finns inte!

INGREDIENSER
2 kg kalvben, fötter eller lägg (helst delade i mindre delar så att de blir hanterliga i en
vanlig kastrull)
½ kg kalvkött eller oxkött (exempelvis av bringa)
4 stora gula lökar
1 stor vitlök
1 morot
6-7 lagerblad
malen vitpeppar
hela vit-, krydd- och svartpepparkorn

> **GÖR SÅ HÄR**
1   Skala och skiva lök, vitlök och morot
2   Lägg samtliga ingredienser i en stor kastrull och tillsätt vatten så att de täcks
3   Koka upp och låt sedan småkoka i fyra timmar, eller tills köttet är helt mjukt.
    Tillsätt vatten efter behov, så att det inte kokar torrt
4   Låt köttet svalna, plocka bort pepparkornen och lagerbladen och hacka sedan
    köttet i småbitar, eller kör det hastigt i en matberedare
5   Fyll aluminiumformar med köttmassan och vätskan, låt svalna och lägg därefter
    att stelna i kylskåpet
6   Rätten går även att djupfrysa. Tinas i kylskåp 2-3 dygn
7   Servera gärna med inlagda rödbetor eller chrein (se sid *131*)

ÖRTMARINERADE LAMMKOTLETTER

> **GÖR SÅ HÄR**

1   Blanda samman alla ingredienser till en marinad i en kraftig plastpåse eller djup skål. Lägg i kotletterna så att de är helt omslutna av marinaden

2   Låt stå i ca 8-10 timmar

3   Då kotletterna dragit i marinaden, sätt ugnen på 250°

4   Lägg ut kotletterna på en plåt och steka dem i ugnen cirka 4 minuter på vardera sidan. Obs: kotletterna torkar lätt ut om de steks längre!

Servera gärna med cous-cous-sallad (se sid 168) och vitlökskräm (se sid 149)

INGREDIENSER FÖR 12 PERSONER

24 dubbla lammkotletter

½ dl hackad färsk timjan

½ dl hackad färsk basilika

½ dl hackad färsk koriander

2-3 dl svarta och/eller gröna oliver

1 pressad citron

3-4 vitlöksklyftor

eventuellt aningen salt

svartpeppar

2 dl olivolja (eller matolja)

Om man inte har tillgång till färska örter kan man byta ut dem mot torkade

KÖTT MED MOROTSTSIMMES

INGREDIENSER FÖR 4-6 PERS
2-3 kg morötter
500 gr högrev
1-2 dl sirap
salt
peppar

> **GÖR SÅ HÄR**
1   Skala och skiva morötterna i ½-1 cm tjocka skivor
2   Skär köttet i grytbitar (3 x 3 cm)
3   Varva ner samtliga ingredienser i en gryta och koka på svag värme i ca 2 timmar eller tills köttet är helt mjukt

Tsimmes kan även tillredas utan kött i. Då blir rätten en god sidorätt till köttet.

Vi befann oss i gettot i vår lilla stad Beled i Ungern. Jag var knappt femton år gammal. Med mig hade jag, mamma, mina två bröder och min morfar. I ett slag hade jag blivit den äldsta hemmavarande dottern. Jag som alltid varit lillflickan kände nu ett ansvar gentemot mamma. Mamma var ledsen och ägnade mycket tid åt att be. Det var mitt i sommaren och shavuothelgen nalkades. Vi hade ont om mat. Utegångsförbud gällde för judarna i gettot. Endast en liten stund varje morgon fick männen lämna gettot för att gå till synagogan.

Jag fick en idé. Jag skulle skaffa mat till Shavuot. I närheten av de flerfamiljshus där gettot var inrymt fanns några bondgårdar. Jag kände till familjerna och visste vilka man kunde lita på. Morgonen före shavuot smög jag mig ut i ottan och begav mig till en av gårdarna. Jag tog med mig en stor korg. På en av gårdarna köpte jag stor fet gås. Gåsen lade jag i korgen med en handduk över sig varefter jag vandrade tillbaka till gettot.

I ingången till gettot upptäcktes jag av en gendarm som knuffade in mig på kontoret där man genast började skrika på mig. Vad trodde jag egentligen – att ta sig sådana friheter! Det här skulle leda till påföljder, upplyste man mig om. De ville absolut veta vem som sålt gåsen eftersom det var förbjudet att överhuvudtaget ha någonting med judar att göra. Jag ville dock inte avslöja familjen som sålt den så jag sa´ att jag inte visste vad de hette. Jag insåg situationens allvar och sa till gendarmerna att de kunde behålla gåsen. De skrek åt mig att det inte var gåsen de ville ha

utan mig. Jag tog ändå upp gåsen ur korgen och ställde den på gendarmens skrivbord. Den skrämda gåsen satte genast en stor bajskorv på skrivbordet, mitt på de papper i vilka han skulle rapportera denna incident. Gendarmen blev naturligtvis helt vansinnig men det hela slutade trots allt med att han skrek åt mig att ta gåsen och försvinna.

När jag återvände till mamma med gåsen var hon fullständigt ifrån sig. Några män hade nämligen sett mig bli bortförd av vakterna varför hon var övertygad om att jag inte skulle komma levande därifrån. Men där stod jag livslevande och gåsen hade jag med mig.

Det var inte lätt att hitta någon som kunde slakta gåsen i gettot, men det gick. Därefter bad min mamma mig att ta gåsen till morfar för granskning. Morfar var en from och lärd man. Han skulle kontrollera att gåsen var felfri och därmed kosher. Han synade den och fann fläckar på gåsens lever – den var inte kosher. Och då kunde vi inte tillaga den. Döm om min besvikelse och sorg. Den går helt enkelt inte att beskriva!

Inte var det mycket vi hade att äta den shavuothelgen.

I cirka tre veckor vistades vi i gettot. Därefter transporterades vi till Auschwitz. Jag och mina systrar överlevde kriget. Genom Röda Korset kom vi till Sverige. Även min pappa överlevde. Vi återförenades här.

        Ester Lebovits

I mitt föräldrahem var maten på jom tovim, de
judiska helgdagarna, mycket viktig. År 1913 kom
min mamma som ung flicka till Sverige. Hon här-
stammar från Karchowka i Ukraina. Hon reste i
sällskap med sin äldre syster som tillsammans med
sina två små barn skulle till Sverige för att möta
sin make som flytt från den svåra, ryska militär-
tjänstgöringen. Min mamma skickades med som hjälp
på den långa och svåra resan som min moster stod
i begrepp att företa. Många gånger har jag fått
höra historien om hur de äntligen ankom med båt
till Skeppsbron i Stockholm. Min mamma blev kvar i
Sverige och sina föräldrar återsåg de två systrar-
na aldrig. Familjen hemma i Karchowka gick under i
svält och andra umbäranden.

Mathållningen i mitt barndomshem var mycket påver-
kad av rysk-judisk tradition. Kreplach var en
mycket populär rätt i vårt hem och lagades ofta.
Jag minns att vi alltid åt kreplach på rosh has-
hana, nyårshelgen och efter fastan på jom kipur.
Även till purim bjöds det på kreplach.

     Fanny Rosenberg

INGREDIENSER FÖR 8 PERSONER

DEGEN

½ kg vetemjöl

5 ägg

1 msk olja

1 tsk salt

peppar

FYLLNINGEN

1 kg kokt oxkött

1 dl, ca, köttsoppa om man har, annars vatten

salt, peppar

(red:s förslag: ev. kan en liten gullök finhackas, stekas och läggas med i köttblandningen)

KREPLACH

> **GÖR SÅ HÄR**

1   Arbeta ihop mjöl, ägg, olja och salt till en mjuk och smidig deg. Låt vila ca 1 tim

2   Blanda kött, köttsoppa/vatten, salt och peppar och ev. stekt lök i en matberedare till en jämn smet

3   Kavla ut degen tunt och skär ut små fyrkanter, cirka 5 x 5 cm.

4   Lägg en klick köttfyllning på varje fyrkant och knip ihop kanterna till en trekant

5   Vik upp de båda ändarna längst ut och fäst ihop dem ordentligt

6   Koka i saltat vatten 10-15 minuter

7   När man skall äta kreplach kan man värma dem i köttsoppan eller steka dem i en stekpanna i ugnen så de blir knaprigt bruna.

KÖTTFYLLDA CIGARRER

INGREDIENSER FÖR CA 20 PERSONER

DEGEN , EN SK FILODEG

8 dl vetemjöl

6 dl vatten

½ tsk salt

FYLLNINGEN

400 gr kalvfärs eller oxfärs

4 lagerblad

2 pressade eller finhackade
vitlöksklyftor

2 msk finhackade färska korianderblad
eller persilja

2 msk vinäger

1 ½ tsk cayennepeppar

1 dryg tsk spiskummin

svartpeppar och salt

TILL RULLNINGEN

en lätt vispad äggvita

olja till fritering

> **G Ö R   S Å   H Ä R**

1   Rör ihop degens samtliga ingredienser och låt vila ett par timmar

2   Koka upp 2 liter vatten med några lagerblad

4   Tag köttfärsen och gör fyra bollar som får sjuda i vattnet tills köttet är genomkokt

5   Tag upp dem och låt dem svalna

6   Blanda köttet och alla kryddorna i en matberedare

7   Smaka av blandningen och forma sedan små cigarrformade rullar av färsen

8   Sätt spisen på låg värme

9   Häll lite olja i en teflonpanna

10 Ta ca 1 msk av degen och bred ut så tunt som möjligt till en hinna i stekpannan. Obs den blir klar inom 30 sekunder! Lyft upp och lägg emellan handdukar enligt nedan. Det är svårt att få dem tillräckligt tunna eftersom smeten fäster så fort. (De färdiga degplattorna är ömtåliga. Ett tips är att man lägger ut en aningen fuktad kökshandduk på bakbordet, lägger ut plattorna på denna och täcker med en torr handduk. Ovanpå denna lägger man ytterligare en handduk som är aningen fuktad)

11 Placera köttrullarna på varje filodegplattas ena kortsida

12 Pensla runt om med lätt uppvispad äggvita

13 Vik över långsidorna och rulla degen till cigarrer

14 Fritera cigarrerna i god het olja tills de fått en vacker färg

Min pappa är född i Marocko men hamnade vid unga år i Sverige där han träffade min mamma. Sådan är min bakgrund: en judisk far från Marocko och en svensk mor, som dock konverterat. Pappas del av mitt ursprung, den judisk-marockanska traditionen var närvarande främst genom hans berättelser, som mer handlade om familjen, det dagliga livet och festerna än om religionen. Framför allt tänker jag på fredagskvällarna som vi alltid gjorde till en speciell stund. Mamma lärde sig det orientaliska Medelhavskökets finesser och pappa var inte sämre på att komma ihåg och improvisera kring min farmors och mina fastrars gamla recept. Den kryddstarka, färgglada och – åtminstone på sjuttiotalet – väldigt osvenska maten blev på så sätt också ett betydande band till mitt ursprung.

En av de viktigaste av högtiderna, den judiska påsken (pesach), kom jag framför allt att förknippa med den goda maten, mycket folk och för en liten pojke kanske alltför lång läsning om judarnas uttåg ur Egypten! Samtidigt lät jag mig nyfiket bjudas på de bittra örterna, det osyrade brödet och alla de små tillbehör som cirkulerade kring bordet för att påminna om de svåra umbäranden under exodus, utvandringen.

Just den här marockanska feststrätten brukade komma till min familj på ett lite märkligt sätt och jag har starka minnen av den förväntansfyllda spänningen inför dess ankomst. Cigarrerna tillagades av min faster i Israel och fraktades hem i kylväska för att omedelbart avnjutas. Vi dukade upp för festmåltid, förberedde färggranna sallader, rörde samman hommous och lade upp pitabröden. De små, frasiga, gyllene rullarna, med sitt kryddstarka välsmakande innehåll, brukade vi doppa i tahina direkt på tallriken. I själva verket åt vi oss nästan alltid mätta på cigarrerna – att sätta i sig tio på rad var inget större problem för någon i familjen – ej heller för mig.

Patrick Amsellem

TVÅFÄRGAD KÖTTFÄRSLIMPA

INGREDIENSER FÖR CA 8 PERSONER

½ kg köttfärs

½ kg kycklingfärs

4 ägg

2 tjocka skivor torrt vitt matbröd

2 msk skorpmjöl eller matsemjöl

1 msk salt

2 krm finmalet svartpeppar

2 krm vitlökspulver

4 krm lökpulver

olja till penslingen av bakplåtspappret

KÖTTFÄRSEN

1 Lägg en av de torra brödskivorna i en skål med ljummet vatten så att brödskivan blir mjuk

2 Blanda färsen väl med 2 ägg

3 Pressa ur det mesta av vattnet från brödskivan och blanda ner den i köttfärssmeten

4 Rör i ½ msk salt, 1 krm svartpeppar, 1 krm vitlökspulver, 2 krm lökpulver, allt blandas väl

5 Bre ut en stor bit, cirka 40 x 40 cm av ugnsfolie och ovanför denna ett stort ark bakplåtspapper på en bakplåt, pensla pappret med olja

6 Bred ut köttfärsen på bakplåtspapperet så att det bildar en kvadrat med cirka 1 ½ cm - 2 cm tjocklek, ungefär 20 cm x 20 cm stor

KYCKLINGFÄRSEN

1 Lägg den kvarvarande brödbiten i en skål med ljummet vatten, låt den dra åt sig av vattnet

2 Blanda färsen väl med 2 ägg

3 Pressa ur det mesta av vattnet ur brödet och blanda ner det i kycklingfärssmeten

4 Rör ner 2 msk skorpmjöl eller matsemjöl i kycklingfärssmeten

5 Rör ner kryddorna

6 Blanda allt väl

7 Lägg kycklingfärsen i mitten över köttfärsen

8 Rulla försiktigt ihop bakplåtspappret till en rulle så att kycklingfärsen hamnar i mitten och köttfärsen bildar en ram runt kycklingfärsen. Vik ihop pappret längs med kanten så att det stängs till, rulla nu in det köttfyllda pappret i folien och stäng till väl i ändarna. Se till att foliens skarv ligger nedåt på plåten.

9 Sätt in plåten i ugnens mitt, grädda i en timme i 200°

Vänta med att skära upp tills färsen svalnat i sin "förpackning". Passar att serveras kall, gärna med en potatissallad till.

KÅLDOMAR I TOMATSÅS

INGREDIENSER FÖR 8 PERSONER
KÅLDOLMARNA
2 stora vitkålshuvuden
3 msk olja
1 kg köttfärs
1 gul lök, finhackad
inte riktigt färdigkokt ris på ½ dl risgryn
2 ägg
salt
peppar

SÅSEN
2 gula lökar, skivade
4 burkar passerade tomater
½ dl farinsocker
3 msk citronsaft
salt och peppar

> **GÖR SÅ HÄR**

1   Förväll kålhuvudena i vatten tills de mjuknat något så att bladen lätt kan dras av, cirka 5 minuter
2   Ta bort bladen och låt dem svalna
3   Blanda köttfärs med hackad lök, ris, ägg, salt och peppar
4   Ta kålbladen en och en och "packa in" 1 eller 2 matskedar av köttfärsblandningen i vart och ett av bladen genom att vika in kanterna runt fyllningen och rulla dem så att fyllningen blir "inpackad" (när vitkålen är färsk sommartid är det lättare att arbeta med vitkålsbladen som då är tunna och smidiga)
5   Blanda tomaterna tillsammans med sockret, citronsaften och salt och peppar samt de skivade lökarna
6   Lägg kåldolmarna i en stor kastrull med skarven neråt och häll sedan tomatsåsen ovanpå
7   Koka upp och sänk därefter genast värmen, låt kåldolmarna med såsen småkoka långsamt i cirka 1 ½ timme med lock

KÅLDOLMAR, BRYNTA

INGREDIENSER
1 vitkålshuvud
1 kg köttfärs
½ dl matris, kokt
1 riven lök
2 ägg
½ dl skorpmjöl
1 buljongtärning
salt och ev lite socker
peppar
lite vatten
parve margarin till stekning

> **GÖR SÅ HÄR**

1   Förväll vitkålsbladen i några minuter. Låt dem svalna
2   Blanda samtliga ingredienser, utom tomatpurén och buljongtärningen i köttfärsblandningen
3   Koka riset och blanda ner i köttfärsen
4   Klicka blandningen i vitkålsbladen och vik ihop, långsidorna först, sedan kortsidorna.
5   Bryn dolmarna i margarin i stekpanna
6   Koka upp lite vatten och en buljongtärning (cirka 1-1½ dl)
7   Blanda i tomatpuré efter smak
8   Lägg i kåldomarna (vätskan skall täcka dem)
9   Koka tills kålen är mjuk
10 Krydda såsen efter smak

Min familjehistoria är, sedd ur ett svensk-judiskt perspektiv, rätt
annorlunda. Jag är nämligen född i Bombay i Indien. Min mammas familj
kom i början av 1900-talet till Indien från Bagdad. De tillhörde den
grupp indiska judar som kallas "Bagdadi Jews". Bagdadi Jews invand-
rade relativt sent till Indien, i mitten på 1700-talet och härstammar
från Irak, Syrien och Jemen samt från områdena mellan Eufrat och Tig-
ris. De kom som en följd av den snabbt växande handeln i området.

I Indien finns det tre olika judiska grupper, the Bagdadi Jews, Bene
Israel, den äldsta judiska gruppen i Indien, som troligen invandrade
så tidigt som på 500-talet före vår tideräkning samt the Cochin Jews
of Carala. Carala är en provins i sydvästra Indien. Även denna grupp
har en historia i Indien som sträcker sig mycket långt tillbaka i
tiden. Efter flera seklers liv i relativ isolering kom så nya judiska
invandrare under 1700-talet till Cochin. De kom från Spanien, Portu-
gal, Irak, Persien, Jemen och Tyskland och integrerades så småningom
med den lokala judiska gruppen i Cochin-provinsen.

Min pappa är också från Bombay men kommer inte från en judisk familj.
När jag var två år gammal flyttade mina föräldrar till England och
när jag fyllt 18 år flyttade jag till Israel. Där bodde min moster -
Auntie Irene. Det är hon som lärde mig laga "Potato Chops" efter min
mormors recept.

I Israel träffade jag min blivande man. Han har samma indisk-judis-
ka bakgrund som jag själv. Då vi träffades hade han redan vistats i
Sverige en tid och år 1986 bestämde vi oss för att prova på livet i
Sverige. Min man hade fått arbete här - för ett år - trodde vi då.
Men så kom barnen, vi trivdes och blev kvar. Jag arbetar som lärare
vid judiska högstadiet på Vasa Real i Stockholm och därigenom är vi
rätt så väl förankrade i Stockholms judiska liv och känner oss bofas-
ta här.

    Ricky David

INDISK-JUDISKA "KROPPKAKOR"
Potato chops

1 kg potatis

250 gr köttfärs

1 dl olja

2 dl gröna ärtor

2 tsk salt

1 krm chilipeppar

1 tsk koriander

1 tsk spiskummin

1 äggula

1 helt ägg

ströbröd eller matsemjöl, cirka 2 dl

> **GÖR SÅ HÄR**

1   Koka potatisen (oskalad)

2   Förbered under tiden fyllningen: Stek köttfärsen i 2 msk olja, mosa färsen i den heta pannan så att den blir finfördelad. Krydda med 1 tsk salt och chilipulver och låt därefter färsen puttra tills köttet är genomkokt. Lägg i ärtorna i slutet av koktiden

3   Låt oljan rinna av genom att ställa stekpannan något lutande. Håll kvar köttet i den övre delen av stekpannan

4   Skala den kokta potatisen

5   Mosa potatisen med äggulan, 1 tsk salt, koriander, spiskummin samt oljan som runnit av köttfärsen. Blanda väl

6   Forma bollar stora som en pingpongboll. Platta till en boll i handflatan (olja eventuellt in handflatan en aning först)

7   Lägg fyllning i mitten av den tillplattade potatisbollen och kläm till potatisdegen runt om fyllningen

8   Doppa varje "kaka" i ett uppvispat ägg, därefter i ströbröd eller matsemjöl

9   Stek i den resterande oljan, eventuellt behövs lite mer olja till stekningen, i cirka tre minuter på varje sida

MAMMA YONAS GULASCH

Gulasch är egentligen en ungersk köttgryta men min mamma som är från Jemen lagar gulasch på det här sättet.

Rachel Levi-Larsson

> GÖR SÅ HÄR

1 Skär grytbitarna i små bitar

2 Stek köttet så att det blir ordentligt brynt

3 Tillsätt alla kryddor

4 Pressa vitlöksklyftorna, hacka lökarna och blanda med köttet

5 Vispa ner tomatpurén i 2 dl vatten

6 Placera köttet i en tjockbottnad gryta och täck med tomatvattnet

7 Koka upp

8 Då köttet kokat upp – sätt på ett lock och låt puttra (koka långsamt) i 1 ½ - 2 timmar tills köttet blivit helt mjukt. Obs. tillsätt ev. mer vatten så att köttet hela tiden är täckt

Serveras med ris, gärna jasminris.
Ett gott bröd av mörk osötad sort passar bra som tilltugg till den goda såsen.

INGREDIENSER FÖR 8 PERSONER

1 ½ kg grytbitar av nötkött

½ dl olja

1 tsk salt

¼ tsk svartpeppar

¼ tsk cayennepeppar

4 vitlöksklyftor

2 stora gula lökar

4 msk tomatpuré

2-3 dl vatten

Jag föddes 1947 i Tripoli i Libyen. År 1949 kom jag till
Israel med min familj, som då bestod av min mamma och pappa
och ytterligare en syster. Så småningom blev vi nio syskon,
sju flickor och två pojkar. De judiska traditionerna, så som
de hållits i århundraden i Tripoli, har alltid varit viktiga
i vår familj. Alla de judiska helgerna uppmärksammades. Min
mamma lagade mycket mat, dels var vi många i familjen och
dels hade vi mycket gäster. Det var inte som i Sverige där
man långt i förväg bjuder in vännerna, nej det var mera öppet
hus och den som kom fick mat.

Så träffade jag min man Lennart som är svensk jude med ashke-
nasiska traditioner. Vi bosatte oss i Sverige och jag anpas-
sade mig till de traditioner som fanns i Lennarts familj.
Jag har till och med lärt mig en del uttryck på jiddisch! Men
varje år medan våra tre barn var små åkte vi till pesachhel-
gen hem till mina föräldrar. Därför är mina barn uppvuxna med
min familjs sefardiska traditioner vad gäller just pesach.

Vissa maträtter lagar jag efter mammas recept. Lennarts och
våra barns favorit nr 1 är mofrum, en kötträtt som min mamma
brukade göra till shabat. I mitt barndomshem var detta ofta
fredagskvällens huvudrätt som alltid föregicks av en kött-
soppa till förrätt.

Det är ingen snabbmat men väl värd besväret!

    Mirjam Robinsson

MOFRUM

> **GÖR SÅ HÄR**

1 Blanda köttfärs, ägg, lök, spiskummin, vatten, salt och peppar och låt vila i en timme

2 Skala potatisarna och låt dem ligga i salt vatten i ½ tim

3 Skiva potatisen i ca 2 cm tjocka skivor och gör en liten grop i varje skiva där köttfärsröran skall placeras

4 Lägg vetemjöl på en tallrik

5 Blanda tomatpurén med 1 dl vatten i en djup tallrik

6 Hetta upp olja i en stekpanna

7 Tag hälften av potatisskivorna en och en, lägg på köttfärs, doppa i vetemjöl och därefter i tomatpuré-vattenblandningen

8 Stek på båda sidor, även köttfärssidan

9 Lägg, efter stekningen, alla potatis-med-köttfärsbitar i en stor, tjockbottnad gryta tätt, tätt

10 Fyll luckor mellan bitarna med potatisbitar utan fyllning

11 Lägg även i köttbullar gjorda av eventuell överbliven fyllning

12 Fyll på med vatten blandat med lite tomatpuré så att rätten blir till hälften täckt med vatten

13 Koka under lock ca 15 minuter, ta sedan bort locket och låt vätskan koka bort i ytterligare 30-40 minuter

14 Droppa gärna lite citronsaft ovanpå

Serveras med cous-cous.

INGREDIENSER FÖR 6 PERSONER

1 kg köttfärs

4 ägg

1 stor finhackad lök

1 tsk spiskummin

1 dl varmt vatten

20 medelstora potatisar

lite vetemjöl

3/4 dl tomatpuré

salt och peppar

olja till stekning

ORIENTALISKA KÖTTBULLAR, KEFTA

INGREDIENSER FÖR 6 PERSONER

knappt 1 kg nötfärs

1 gul lök

4 klyftor vitlök

ca 7 kvistar persilja, helst storbladig

½ msk salt

2 ägg

ströbröd (kan ersättas med matsemjöl)

olja till stekning

SÅSEN

1 ½ stor gul lök

1 stor röd paprika

4 klyftor vitlök

7-6 myntablad, hackade

3 msk tomatpuré

1 tsk salt (smaka av)

1 kryddmått mald svartpeppar

4 hela kanelstänger

4 dl vatten

> **GÖR SÅ HÄR**

1. Finhacka löken
2. Pressa vitlöksklyftorna
3. Blanda alla ingredienserna
4. Forma små köttbullar och stek dem i stekpanna

> **GÖR SÅ HÄR**

1. Strimla löken
2. Strimla paprikan
3. Skiva vitlöksklyftorna
4. Stek lök, paprika och vitlöksskivor
5. Tillsätt de hackade myntabladen sedan det övriga stekt en stund
6. Rör ihop tomatpurén med salt och svartpeppar samt tillsätt 4 dl vatten
7. Tillsätt kanelstängerna
8. Låt köttbullarna puttra i såsen i ca ½ timme. Rör om ibland

År 1948 lämnade mina föräldrar Libyen och emigrerade till Israel. Min mamma kom tillsammans med sin familj. Hon var bara 11 år då. Jag är född i Israel.

Jag träffade Anita, min blivande fru, i Natanja år 1985. Hon hade jobbat som volontär på en kibbutz och sedan på ett hotell i Natanja. År 1989 gifte vi oss i den lilla synagogan på Söder i Stockholm.

När Anita och jag gift oss, åkte vi tillbaka till Israel och vistades där under drygt ett år. I Israel fick jag jobb på en cateringfirma. Jag har alltid gillat att fixa mat, redan som liten pojke tyckte jag om att stå i köket.

När jag gjorde min militärtjänstgöring i den israeliska armén utbildades jag till militärkock. Mitt första arbete i Sverige var på ett daghem. Jag lagade maten. I några år arbetade jag på Stockholm Kosher Deli, en butik som serverade lätta kosher luncher och som sålde kosher kött och andra kosher matprodukter. Där lagade jag också cateringmat. Nu arbetar jag på judiska sjuk- och pensionärshemmet som kock. Eftersom jag är noga med att bara äta kosher mat själv, föredrar jag att tillreda koshermat.

Allra bäst är det att göra sådan mat som jag åt i mitt barndomshem, det vill säga mat av medelhavskaraktär med alla dess härliga kryddor ock dofter. Jag har märkt att även många svenskar numera verkligen uppskattar det köket.

Cous-cous är en rätt som min mamma ofta serverade. Hennes cous-cous hade alltid den rätta konsistensen – den får inte vara klibbig!

Chessi Sasi

Ingen doft kan framkalla en sådan hemkänsla hos mig som doften av kycklingflott, denna det östeuropeisk-judiska cuisinets stora delikatess. Den slår emot mig så fort jag kommer ut ur hissen in i trappuppgången utanför min farmors lägenhet, den perforerar hela våningsplanet. Vid det här laget har jag känt den så många gånger att jag oftast kan urskilja om det är höna eller kyckling på bara flottlukten. Den här gången är det kyckling, hönan är så svår att få tag på nuförtiden har farmor berättat och är inte längre prisvärd.

Farmor har dukat upp med hembakat bröd, egen inlagd sill och gehackte leiber garnerad med hackat ägg. Det gäller att ta det försiktigt även om farmor prackar på "ess, ess mein kind!", för jag vet att minst soppa (kanske lockshen mit joech, kanske grönsakssoppa med gryn, eller kanske, kanske borscht) och en, eller möjligen två varmrätter till står och puttrar på plattorna. Efter soppan är de flesta gästerna egentligen stadigt mätta (att avstå från en andra servering anses vara en stor skymf), men kampanjen "våga vägra förstoppning" har aldrig fått något vidare genomslag runt bordet hos min farmor.

När kycklingen precis ska serveras uppstår den trängande frågan som för ett ögonblick uppfyller hela mitt huvud – vad har hänt med flottet? När jag var liten ville jag alltid att farmor skulle steka det till en aptitretande snack, gribbenes, som jag och min bror kunde slåss om fördelningen av, men nu ligger min förhoppning på annat håll. Jag tittar ned på serveringsfatet? nej? besvikelse. Så ställer farmor fram en tallrik framför mig och jag drar en suck av lättnad. Där ligger den. Det ser ut som någon sorts urdjur. Två vingar, men inget huvud och inga ben, bara en tjock klump till kropp. Farmors pièce de résistance, meygele?

Blanda riven lök med mjöl och kycklingflott, rör ihop till en grå sörja, tag kycklingens vingar (höns är att föredraga på grund av det starkare skinnet) och sy ihop dessa så att en ficka bildas av skinnet. Fyll fickan med den grå sörjan och sy ihop. Koka i kycklingbuljong i ett antal timmar. Grå sörja tillverkad av kycklingflott i formen av något som ser ut som att det inspirerats av Jurrasic Park filmerna, kokad i timmar – för mig är detta höjden av judisk kokkonst.

Så här gör Farmor meygele:
• Rengör hönan noggrant – hon sköljer med varmt vatten och putsar den.
• Skär loss vingarna, se till att få med stora bitar av skinnet runt omkring, det får inte bli några sprickor eller hål i skinnet, för då läcker fyllningen ut vid kokning.
• Sy ihop de bägge vingarna med små stygn så att en ficka bildas av skinnet mellan dem.
• Blanda 3 msk vetemjöl, en halv gul lök (finhackad) och 1 msk kyckling eller hönsflott (om detta inte finns, kan annat fett användas, men det blir inte alls samma sak!). Rör ihop till ett gojs, salta och peppra.
• Fyll fickan med gojset och sy igen. Koka i kyckling/hönsbuljong tills det är klart, enligt farmor 30 minuter för kyckling, längre för höna.

Men vad jag vet brukar hon koka mycket längre, eftersom hon låter buljongen stå och puttra med höna och grönsaker ett bra tag på spisen. Farmor rekommenderar starkt att man använder höna istället för kyckling eftersom skinnet är mycket kraftigare på höns.

Jonathan Metzger

GRYTA PÅ FÄRSKA GRÖNA BÖNOR

Den här grytan blir godast på sommaren när det finns färska gröna bönor.
Laura Frajnd

> **GÖR SÅ HÄR**

1 Snoppa bönorna, dra bort trådarna, skölj dem. Långa bönor kan delas

2 Hacka löken och lägg en tredjedel i botten på en tjockbottnad kastrull med lite olja i botten

3 Varva de krossade tomaterna med bönor och lök och eventuellt med köttet som skurits i portionsstora bitar

4 Tillsätt salt. Obs. rör inte i bönorna, skaka hellre grytan något efter halva koktiden, för att bönorna inte ska gå sönder

5 Koka upp det hela och låt det sedan småputtra i minst en timme, gärna längre beroende på vilket kött som ingår. Tillsätt vatten om det ser torrt ut.

INGREDIENSER

1 kg gröna färska bönor /eller frysta

2 burkar krossade tomater

2 stora gula lökar

salt

eventuellt ½ kg högrev eller bog / alternativt ½ kg kycklingdelar, t. ex vingar

om inget kött används så tillsätt lite buljong till de krossade tomaterna (1 buljongtärning)

INGREDIENSER 4 PORTIONER

1 stor kyckling

1 grön paprika

1 stor tomat

1 lök

lite salt

MARINAD

1-2 pressade vitlöksklyftor

1 tsk grillkrydda

1 krm paprikapulver av den starka sorten

1 dl olja

1 krm gurkmeja

Jag är född i Israel och jag blev svensk genom att jag träffade min man, Erik, då han var på turistresa i Israel. Jag kom till Sverige 1991. Mina föräldrar är födda i Jemen och kom till Israel i början av 50-talet. Jag älskar mat som är starkt kryddad. Erik har fått lära sig att äta mer kryddad mat än han tidigare var van vid – ändå avstår jag numera från mycket stark kryddning för hans och barnens skull. Av min mamma, Yona, har jag lärt mig att laga den här kycklingrätten.

Rachel Levi-Larsson

MAMMA YONAS KYCKLING

> **GÖR SÅ HÄR**

1   Skölj kycklingen i vatten, rensa och ta bort skinnet

2   Blanda ingredienserna till marinaden i en stor skål

3   Skär kycklingen i portionsbitar och lägg dem i marinaden, låt stå i minst en timme

4   Lägg kycklingen i en ugnssäker form, skär grönsakerna i skivor och lägg dem på kycklingen

5   Placera i mitten av ugnen och grädda i 200 ° i ca 1 timme

Serveras med stekt potatis eller ris samt en grönsallad

SÖT KYCKLING

Denna söta kycklingrätt gör sig utmärkt till rosh hashana, nyåret.

> GÖR SÅ HÄR

1 Rengör kycklingdelarna och lägg i en ugnsform

2 Blanda löksoppspulvret med sylten och dressingen

3 Fördela blandningen över kycklingen

4 Stek i 1 ½ tim i 200 ° ugnsvärme, kycklingen blir mörkt brun till färgen

5 Servera med ris eller potatis

INGREDIENSER

8-10 kycklingbitar, portionsstora

½ dl löksoppepulver (alternativ: ½ dl kycklingbuljongpulver blandat med en stekt stor hackad gul lök)

1 ¼ dl aprikossylt

2 ½ dl s k fransk dressing (bestående av 2 dl majonnäs, ½ dl ketchup, 1 msk senap)

smaka av med cirka ½ tsk salt samt lite svartpeppar

Min syster kom till Sverige med de s k Vita bussarna. Hon var mycket
sjuk och jag reste till Sverige för att ta henne till Wien där jag
hamnat efter kriget. Vid den tidpunkten var jag 20 år gammal. Efter
en tid i Wien, ville hon återvända till Sverige och då gjorde jag
henne sällskap för att se till att hon kom väl fram. Väl i Sverige
insjuknade hon åter. Jag bestämde mig för att stanna tillsvidare. Ja,
så hamnade jag i Sverige.

Både min syster och jag kom att bilda familj ganska sent i livet.
Under min tid som ungkarl var jag aldrig intresserad av matlagning,
min syster lagade mat åt oss båda. Jag har alltid levt ett traditio-
nellt judiskt liv och varit noga med att hålla alla judiska helgdagar
och shabat.

Min fru Kati, må hon vila i frid, gick bort alldeles för tidigt. Hon
var en fantastiskt duktig husmor och kock. Under de år då hon var
sjuk började jag så smått laga mat. Våra två barn var då i de lägre
tonåren. De var vana vid att få god mat, men min frus krafter tröt
och hon orkade allt mindre. Till en början följde jag helt min hust-
rus instruktioner men så småningom blev jag allt mer intresserad och
gick t o m och köpte mig några kokböcker. Nu är min son och min dot-
ter vuxna och det är en stor glädje för mig då de kommer hem till
helgerna - jag har också två barnbarn. Då lagar jag mycket mat.

Numera är jag en djärvare kock och experimenterar en hel del. Jag gör
om olika recept så att de passar min smak. Det är också en utmaning
för mig att hitta bra rätter som jag kan förbereda till shabat. Jag
driver ett eget företag så jag kan inte ägna hela fredagen åt mat-
lagning, men tycker om att bjuda in gäster till shabat. Jag har till
exempel komponerat en köttfärspaj som passar bra att äta till lunch
på lördagen då jag kommer hem från synagogan. Jag kan tillaga pajen
i förväg och frysa den i portionsförpackningar. Jag tillagar också en
rätt på rullade kycklingfiléer som jag tycker mycket om.

        Mikael Elias

RULLAD KYCKLINGFILÉ

> **GÖR SÅ HÄR**

1   Banka ut kycklingfiléerna så att de blir platta och släta

2   Bred rulladfyllning på varje filé

3   Rulla ihop varje filé till en liten rulle

4   Vänd varje rulle i mjöl, därefter i två uppvispade ägg och därefter åter i mjöl

5   Fritera rullarna i olja tills de ser gyllenbruna och frasiga ut, obs fritera inte på för hög värme, då kan filéerna bli brända

INGREDIENSER 6 PERSONER
(beräknat på ca två rullader per person)

10 kycklingfiléer

4 msk mjöl + mjöl att doppa rulladerna i före stekningen

2 ägg

olja till stekning

FYLLNING TILL RULLADERNA
Gör en smet av

4 msk mjöl

2 msk olja

2 msk soja

1 krm salt

peppar

harissa eller annan något stark, gärna orientalisk, kryddblandning

SCHMALTZ MED GRIBBELACH
"Gribenes"

Ta till vara överblivet skinn och fett när du rensar
höns. Man kan frysa in och spara tills man har
tillräckligt för att göra schmaltz.

INGREDIENSER
300 g hönsskinn
hönsfett
2 lökar, skivade

> GÖR SÅ HÄR

1 Ta ca 300 g skinn och skär det i mindre bitar
   (cirka 2 x 2 cm stora)

2 Lägg bitarna i en het stekpanna (helst av
   gjutjärn) tillsammans med hönsfett

3 Tillsätt 2 skivade lökar och stek alltsammans
   tills skinnbitarna har blivit knapriga och bruna
   och löken är mörk och likaledes knaprig

4 Häll av det flytande fettet, schmaltzen, i en
   glasburk och låt det kallna och stelna. Bred
   schmaltzen på en brödskiva, helst challebröd,
   salta lätt och avnjut tillsammans med
   gribbelach!

Vad vore judisk mat utan schmaltz?

Ordet schmaltz används både på jiddisch och på hebreiska. En riktigt läs-
kig tvålopera kallar man för "schmaltz" och att "schmaltza" för sin lärare
betyder att man smörar för densamme. I mitt barndomshem, där vi höll
kosher, hade vi t.ex smörknivar i en av kökslådorna och i den lådan där vi
förvarade knivar för "köttigt" bruk, hade vi schmaltz-knivarna.

Inte alla är vana vid schmaltz. För några år sedan hade mina föräld-
rar inbjudit en icke-judisk middagsgäst, en norrlänning, till det judis-
ka nyåret, rosh hashana. Bland annat serverades schmaltz med gribbelach.
Artig gäst som han var tog han för sig och frågade sedan vad det var. Jag
kommer aldrig att glömma hans min av förvåning och förfäran när han för-
stod att han ätit stekt hönsskinn.

När man köper färska höns i Israel, där jag numera bor, brukar kötthand-
laren kasta bort en stor del av skinnet. En gång bad min man att även få
skinnet. Javisst sa handlaren, du ska ge det till hunden? Nej, sa min man,
vi äter det. Enligt uppgift ledde detta till en upprepning av vår norr-
ländske väns reaktion.

Detta till trots finns det många schmaltz-älskare. När mina svärföräld-
rar för första gången kom till oss på shabat hade jag gjort schmaltz. Min
svärfar fick nästan tårar i ögonen. Det var första gången sedan kriget som
han ätit schmaltz med gribbelach och det påminde honom om hans barndomshem
i Polen.

Jag har av min mamma lärt mig att älska schmaltz. Hon är född i Polen och
överlevde Förintelsen tillsammans med sin familj.

     Noomi Berlinger

Jag växte upp i Carei Mare eller Nagykároly som det också
hette på ungerska. Det ligger i Rumänien, i Transsylvanien.
Min familj var ungersktalande judar bosatta i Rumänien. Åren
före kriget arbetade jag hemma som sömmerska. Jag behövde
aldrig laga mat då min mamma som var en mycket duktig husmor
gärna gjorde det. Men jag hade ett intresse för matlagning
och noterade allt som min mamma gjorde i köket. Det har jag
haft stor nytta och glädje av när jag sedan fick eget hus-
håll.

Vi var en stor familj, åtta döttrar och en son. Som av ett
under överlevde jag och fem av mina systrar umbärandena
under kriget. Vi kom till Malmö den 1 maj 1945. Det första
året rehabiliterades jag på olika platser i Sverige. Det var
svårt att komma tillbaka till ett normalt liv. Vi fick ing-
en svenskundervisning och efter det första året började jag
arbeta på en konfektionsfabrik i Uppsala. Det tog ytterliga-
re några år innan jag var i sådant skick att jag orkade bör-
ja laga riktig mat. Jag har i alla tider endast lagat sådan
mat som jag minns hemifrån - det jag kallar för judisk mat.

Min mamma gjorde gehackte leber endast på kycklinglever, då
får man nämligen en något mildare leversmak. Att blanda ox-
och kycklinglever har jag lärt mig senare. Till i stort sett
alla helgdagar och ofta även till shabat ser jag till att
det finns gehackte leber på middagsbordet.

    Chana Lazar

GEHACKTE LEBER
hackad lever

> GÖR SÅ HÄR

1   Kashra levern (se sid *39*)

2   Hacka löken och stek den lätt tills den fått aningen färg och mjuknat. Låt svalna

3   Mal lever plus lök plus äggen i köttkvarn

4   Blanda väl

5   Salta och peppra efter smak

6   Om smeten känns för hård, tillsätt lite olja och blanda om igen

7   Separera gula från vita på de två dekorationsäggen och dekorera

Servera som förrätt med inlagd gurka eller saltgurka till färska challebulkes.

INGREDIENSER

500 gr nötlever

500 gr kycklinglever

2 gula lökar

8 hårdkokta ägg

+ ev. 2 hårdkokta ägg till garnering

olja till stekning och ev. till slutblandningen

salt

peppar

Jag fyllde 13 år 1951 och blev bar mitsva. Min bar mitsvafest hölls på restaurang Ritus på Karduansmakargatan 4, som vid den tiden var Stockholms enda kosher-restaurang.

Restaurangen öppnades någon gång i slutet av 1940-talet, troligen år -47 eller -48 och drevs av en viss herr Tovman från Malmö. På menyn stod alla de traditionella östjudiska rätterna. Stället frekventerades även av gäster som inte var judar eftersom maten både var välsmakande och omsorgsfullt tillagad. Allt var strikt kosher. På lördagar och på judiska helgdagar var restaurangen stängd.

Min far hade en pälsfirma och tillsammans med några andra judiska företagare, bland annat i skrotbranschen, sponsrade de herr Tovman när han skulle öppna restaurangen. Ofta bjöd de sina affärsbekanta på mat där. Stället var populärt inte enbart för matens skull utan också för att det på Ritus aldrig var ont om sprit. Motbokssystemet var ju i bruk ända till 1955 men Ritus judiska restaurangkunder drack mycket måttligt så deras spritlager tog sällan slut. Herr Tovman var en stor och stark karl och hände det sig att någon mot förmodan blev överförfriskad så förpassades han snabbt ut ur restaurangen! Tyvärr lades restaurangrörelsen ned i slutet av 1950-talet.

Jag minns mycket väl att det serverades stora fat med "aufschnitt", uppskuret, på min bar mitsva. Det var saltkött, tunga, olika korvar och så förstås gehackte leber.

Rolf Birnik

Jag är född år 1921 i Warszawa. Som liten var jag tvåspråkig, jag talade jiddisch hemma och polska i skolan.

Min mamma arbetade som sömmerska hemma och ofta satt hon och sydde till långt inpå nätterna. Liksom många andra under min uppväxttid var min pappa under långa perioder arbetslös och det var ont om pengar. På något sätt lyckades min mamma ändå hålla svälten borta.

Om lördagarna, till shabat, gjorde min mamma en gryta med tsholent. På fredagen lämnades grytan till kvarterets bagare som ställde grytan i sin stora ugn. Alla familjer gick med sina tsholentgrytor till bagaren för ingen hade ugn hemma. Var och en märkte sin gryta med en nummeretikett. På lördagen vid lunchdags kom alla för att hämta sin tsholent. I allmänhet var det barnen som hämtade tsholentgrytan. Hos oss föll den uppgiften ofta på mig för min bror försökte alltid smita undan. Han tyckte det var flickgöra! Det kunde bli lite rörigt när alla ungefär samtidigt skulle hämta sina grytor och så en lördag fick jag med mig fel gryta hem. På den här tiden var det viktigt att kunna prestera en riktigt fet tsholent. När vi lyfte på grytlocket

såg vi att vi fått någon annan familjs tsholent! Den här var mycket fetare och innehöll mer kött än vad vår fattiga tsholent brukade ha. Men nu var det för sent att byta och vi kunde därför njuta av en rikare familjs härliga tsholentgryta!

Grannfrun som bodde en våning ovanför oss hade det gott ställt och hennes tsholentgryta var alltid stor och tung. Hon klagade jämt på att den var så tung att bära. Min mamma skojade och sade att en del klagar på att grytan är för tung, andra för att den är för lätt!

Jag, min man och våra två vuxna barn kom år 1970 till Sverige från Polen. Vid den här tidpunkten grasserade i Polen åter igen den öppna antisemitismen. Min man blev avskedad från sitt arbete och min dotter hade svårt att slutföra sina studier vid universitetet. Vi började ett nytt liv i Sverige. Jag har hållit fast vid många av de traditionella maträtterna jag alltid lagat även om jag också lärt mig mycket nytt. Tsholent gör jag fortfarande, fast nu blir den av hälsoskäl mager.

Estera Katz

TSHOLENT

INGREDIENSER FÖR 10 PORTIONER

1 ½ kg (exkl ben) märgpipa eller högrev

märgben (be charkuteristen att såga benet i 3-4 tunnare bitar)

300 gr, eller mer, bönor - stora vita, ej den platta sorten, (läggs helst i blöt kvällen innan)

400 gr korngryn

ca ½ kg potatis

3 stora gula lökar

3-4 vitlöksklyftor

salt

peppar

lite olja

ca 1 liter kött- eller hönsbuljong

ev. fylld kyckling- eller hönshals (se separat recept sid *122*)

> GÖR SÅ HÄR

1 Häll aningen olja i botten på en stor järngryta

2 Lägg i ben, märgben samt lite av köttet

3 Lägg därefter i hälften av löken skuren i klyftor

4 Lägg därefter i hälften av bönorna, samt hälften av korngrynen

5 Lägg ovanpå detta köttet

6 Varva därefter med resten av bönorna, löken, korngryn

7 Lägg i vitlöksklyftorna

8 Överst läggs korngryn tillsammans med potatisarna (skalade men hela) och om man vill lägga med en fylld hals så placeras den överst i grytan

9 Häll över buljongen så att allt är täckt

10 Salta och peppra

11 Ställ in i ugnen på 150°. Låt stå i ca 6 timmar. Kontrollera då och då att tsholenten inte blivit torr, häll i så fall på mer av buljongen eller möjligen vatten. Om det kokar för hastigt så sänk värmen. Tsholenten får inte torka ut! Om du lagt med en fylld hals så bör den vändas ett par gånger så att den blir jämnt stekt.

Red:s kommentar: Det finns ett antal varierande sätt att laga tsholent, recepten något beroende på från vilken ort de härstammar. Man kan variera med exempe bönor i stället för vita eller med mer eller mindre potatis. Det går alldeles utmärkt i lite rökt kött eller korv av kabanosstyp, det ger grytan en intressant smakbrytning.

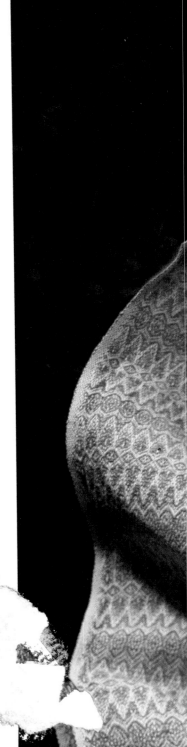

UGNSSTEKT KALKON

INGREDIENSER FÖR 15 PERSONER

1 kalkon, cirka 7 kg
vitpeppar
paprikapulver
vitlökspulver
salt

TILL FYLLNINGEN

5-6 selleristjälkar, skivade
1 stor hackad gullök
2 dl matsemjöl eller skorpmjöl
2 dl buljong , varav 1 dl sparas till att ösa kalkonen med
1 dl hackad persilja
1 dl riven morot
½ tsk peppar
½ tsk paprikapulver
½ tsk vitlökspulver
1 tsk buljongpulver

> GÖR SÅ HÄR

1 Värm ugnen till 200°
2 Skölj kalkonen väl
3 Blanda alla ingredienserna till fyllningen och stoppa in fyllningen i kalkonens buk (som är rensad). Stäng eventuellt till runt öppningen med hjälp av några tandpetare
4 Krydda kalkonen runt om med salt, vitpeppar, paprikapulver och vitlökspulver
5 Lägg kalkonen på sidan på en ugnsplåt med kanter (olja plåten en aning), stek i cirka en och en halv timme, vänd kalkonen över på andra sidan och stek den i ytterligare en och en halv timme. Ös kalkonen med buljong då och då så att den inte torkar ut

FYLLD HALS

I den gamla tidens hushåll tog man tillvara på så mycket som möjligt av hönan eller gåsen. Halsen kunde fyllas med en fyllning och bli lika delikat som en fylld kishke (tarm). Fyllningen görs så här:

Vetemjöl och skorpmjöl, hälften av var, blandas med gås-, ank- eller hönsflott, salt, peppar och, om man önskar litet fastare fyllning, kan man blanda i ett litet ägg.

Blanda ihop fyllningens ingredienser till en smet. Fyll halsen med smeten så att det blir som en korv. Bind ihop halsändarna med en bit sytråd.
Lägg överst i tsholentgrytan och låt den koka med i grytan. Bryn den eventuellt knaprig i en stekpanna efteråt.

FISK

I judisk folklore, speciellt i den sefardiska världen, är fisken symbolen för rikedom och vällevnad. Texten i 1:a Mosebok, 1: 20-22 brukar tolkas som Guds välsignelse av fiskarna i havet:

"Och Gud sade: Må vattnet frambringa ett vimmel av levande varelser. Må också fåglar flyga över jorden under himmelens fäste. Och Gud skapade de stora havsdjuren och hela det stim av levande varelser som vattnet vimlar av, efter deras arter, likaså alla bevingade fåglar, efter deras arter. Och Gud såg att det var gott. Och Gud välsignade dem och sade: Var fruktsamma och föröka er, och uppfyll vattnet i haven..."

Det fanns också en föreställnig om att fisken är utom nåbarhet för det så kallade onda ögat eftersom den lever i vattnet och därför skyddas från dess onda blick. Fisken har onekligen en särskild ställning både inom den sefardiska och den europeisk-judiska traditionen. Inom den europeisk-judiska traditionen hävdas bl a att förtäring av fisk leder till ett skarpt intellekt. Flera judiska vitsar vittnar om den tron. Här är en sådan: Två fattiga judiska män sitter på tåget mellan Pinsk och Minsk. En av dem äter sin matsäck som består av små rökta fiskar som han packar upp ur ett paket av tidningspapper. Han äter allt utom huvudena. Den andre mannen som betraktat honom frågar varför han lämnar huvudena. "Jag har redan ätit så många i mina dar, nu tänkte jag att någon annan kunde behöva dem. Vill ni ha dem, ni får dem billigt. Man blir mycket intelligent av att äta fiskhuvud". "Jag köper dem". Mannen äter upp dem, ganska äcklad och starkt grimaserande. Då han ätit den sista funderar han en stund. Sedan säger han: "Ni har nog lurat mig genom att sälja den här smörjan till mig." Han som sålde fiskhuvudena svarar "Ser ni, det har redan gjort effekt!"

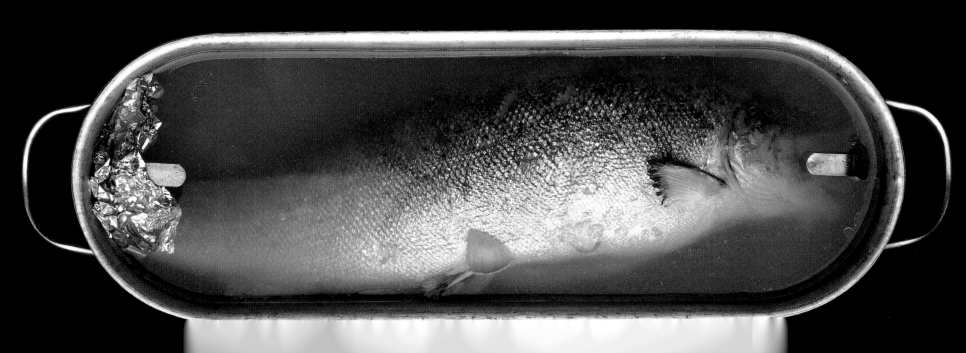

INGREDIENSER FÖR 8 PERSONER

1 gädda (1,2-1,5 kg)

2 små franskbröd

2 rödlökar

2 ägg

1 selleri

¼ dl olja

persilja

dill

gräslök

vitpeppar

salt

ev. skorpsmulor till avredningen

FAMILJEN BENSOWS FISKBULLAR
parve

> GÖR SÅ HÄR

1 Rensa fisken och spara skrovet

2 Koka en fond på skrovet, sellerin (skuren i bitar), samt salt och lite vitpeppar

3 Fiskköttet males tillsammans med 2 uppblötta franskbröd och 2 rödlökar

4 Färsen blandas med 2 ägg och kryddas med salt och peppar

5 Tillsätt ¼ dl olja

6 Forma färsen till bullar

7 Avred buljongen med skorpsmulor (sellerin får ligga kvar) och koka bullarna i såsen. (De kan också stekas om man vill)

8 Rikligt med hackad persilja, dill och gräslök strös över

Släktnamnet Bensow togs av min far-
fars farfar, Jacob Josef Wolf, 1770 i
Sempelburg, Västpreussen. Namnet Ben-
sow betyder egentligen "Vargens son" –
modifierad översättning från hebreiska.
Nämnde Wolf hade en son, Jacob Wolf
Bensow, född i Danzig 1799. Han utbil-
dade sig till krätsvaskare, en slags
guldsmed. År 1828 flyttade han till
Stockholm där han gifte sig med Jeanet-
te Goldschmidt.

Min farfar, Magnus Eugen föddes 1830
i Stockholm som tredje barn till Jacob
Wolf. Han drev en kortvarubutik i Gamla
stan. Han gifte sig med Minna Moschkow-
ski, född i Memel.

Mina farföräldrar hade 8 barn av vilka
min far Albin var den näst yngste. Han
var född år 1873 i Stockholm och gift
med Margarethe, född 1884 i Berlin.
I mitt föräldrahem rådde en enastående
sammanhållning och harmoni.

Ofta firade vi "Schabbes" hos släk-
tingar, antingen med kaffe och smör-
gås eller ibland med middag, då ofta
de nedan beskrivna fiskbullarna ser-
verades.

Mina föräldrar var inte ortodoxa men
– liksom jag själv – djupt troende. Vi
höll inte strikt kosher, men exempelvis
fläsk förekom aldrig. Fredagarna tän-
des alltid sabbatsljusen och en nybakad
doftande challe hörde till. Sederaf-
tonens firande hörde också till tradi-
tionerna och det är ganska många gånger
som jag såsom varande yngsta manliga
deltagare fick läsa "Manischtano".

Vi gick ofta i synagogan, givetvis på
de stora helgdagarna, men särskilt min
far och jag gick mycket ofta på både
fredags- och lördagsgudstjänsterna. När
jag gick i Religionskolan varje fre-
dagseftermiddag brukade min far och jag
efteråt träffas i synagogan. Den under-
bara liturgin, ledd av kantor Saul och
sedermera kantor Rosenblüth, bidrog
till stor del att förhöja den högtid-
liga och fridfulla sabbatskänslan.

Det är underbara minnen, präglade av en
inbördes kärlek och sammanhållning som
satt sina spår i sinnet, desto mer vär-
defull på den tiden om man betänker att
det ägde rum under de onda åren före
och under det senaste världskriget.

Karl-Magnus Bensow

GEFILLTE FISCH

parve

Denna gefillte fisch är en helt fylld fisk där allt innanför fiskens skinn är fiskfärs. Det finns variationer i tillagningssätten av gefillte fisch. Som alternativ till den helt fyllda fisken finns den delvis fyllda fisken, där en del av köttet är kvar, kompletterad med fiskfärs. En annan variant är att man av själva färsen gör fiskbullar och serverar endast dessa i fiskens fond som när den är avkyld blir gelé. Även så kallas rätten för gefillte fisch.

I det ashkenasisk-judiska köket är gefillte fisch den mest kända fest- och helgrätten.

Det finns en evig och klassisk diskussion om huruvida gefillte fisch ska vara sötad eller inte. Generellt kan sägas att de som har sin bakgrund i Polen gör denna rätt mer sockrad än de som har sitt ursprung i Rumänien, Ungern eller Ryssland.

> GÖR SÅ HÄR

1 Be fiskhandlaren fjälla braxen men i övrigt lämna den hel. Möjligen kan han via analöppningen rensa bort en del av tarmarna

2 Skär bort huvudet. Gå in med en kniv bakom huvudets sida (bakom gälen), in under skinnet och arbeta dig successivt bakåt. Fisken skall flås helt. Tag hjälp av en kniv eller en kycklingsax för att lossa skinnet där det sitter hårt fast. Det är ett grannlaga arbete, det gäller att få av fiskskinnet utan att det går håll på det!

3 Rensa bort och spara så mycket som möjligt av köttet som skilts från benen. Kasta tarmar, mage, galla etc. Spara ryggraden och de stora benen till fonden

INGREDIENSER FÖR 12 PERSONER

en braxen, ca 2kg

knappt ½ kg gösfilé

knappt ½ kg torskfilé

5 stora lökar

3 ägg

salt

socker

vitpeppar

4-5 morötter

några skivor torrt vitt bröd

1 msk olja

4   Mal det bortrensade fiskköttet (eller kör i matberedare, men en kvarn är att föredra för den rätta konsistensen), även filéerna från gös och torsk. Mal ner det torra brödet plus ½ hackad lök. Blanda färsen med 3 ägg, smaka av med 1 msk salt och 1 kryddmått vitpeppar samt 1 msk socker

5   Smaka av och känn efter om kryddningen passar din smak. Tillsätt eventuellt 1 msk olja. Den som föredrar fisken enligt polsk tradition vill nog tillsätta mer socker

6   Koka en fond av fiskens ben och fenor samt braxens huvud, smaksatt med 2 msk socker, två kryddmått vitpeppar, och en ½ msk salt (ev lite mer efter avsmakning). Låt 3 lökar (en hackad och två skalade och klyftade) samt 3 skivade morötter koka med

7   Fyll fiskskinnet med färsen. Den färs som blir över rullas till bullar

8   Lägg försiktigt ner den fyllda fisken i fiskkastrullen, lägg fiskfärsbullarna runt om

9   Häll på den avsilade fonden så att fisken är täckt till hälften, plus nya skivade morötter (två stycken) och en stor hackad lök

10   Låt koka långsamt i 45 minuter

GEFILLTE FISCH, FISKFÄRSBULLAR
parve

> **GÖR SÅ HÄR**

1 Mal fisken och blanda ner skorpmjölet, äggen, salt, peppar, samt 3 malda lökar och en mald morot

2 Smaka av fiskfärsen och tillsätt salt och oljan

3 Skiva 3 lökar och skär 4 morötter i slantar, skiva purjolöken samt skär sellerin i bitar och lägg dem i botten på en kastrull

4 Fyll på med kallt vatten upp till halva kastrullen

5 Tillsätt fiskbuljongtärningarna

6 Salta och peppra

7 Rulla fiskfärsen till bullar och lägg i kastrullen

8 Låt koka upp och sänk sedan värmen

9 Koka på svag värme i ca ½ timme

Till fiskbullarna serveras chrein.

INGREDIENSER FÖR CA 12-16 PERSONER

1,5 kg filéad gädda

0,5 kg hällefilé

1 kg kolja el. torskfilé

1 dl skorpmjöl (alt. matsemjöl)

4 ägg

5 msk salt

1 msk vitpeppar

3 stora lökar (att malas)

3 stora lökar (att skivas ner i buljongen)

1 stor morot (att malas)

4 stora morötter (att skivas och kokas i fonden)

1 purjolök

1 selleri

2 fiskbuljongtärningar

2 msk olja

Min mammas familjs historia i Sverige började år 1792. Då kom David Hirsch från Strelitz i Mecklenburg till Stockholm. Han började som anställd tobaksarbetare hos Elias Magnus, även han ursprungligen från Strelitz.

Efter ett år i Sverige erhöll David Hirsch ett s k skyddsbrev så att han kunde starta eget företag och började då handla med nipper, skospännen och tobaksvaror. Han blev spännmakare. Efter ytterligare några år startade han ett katunstryckeri och år 1807 var firma David Hirsch och söner störst i sin bransch i Stockholm med sextiotalet arbetare.

David Hirsch hade fem söner och familjen Hirsch kom därför att växa till en ganska stor familj. Två av David Hirschs sonsonsöner, Oscar Hirsch och Isaak Hirsch tillhörde kring förra sekelskiftet de mest välkända stockholmarna. De byggde och ägde fastigheter och deltog i stadens utbyggnad. Båda ägnade sig åt filantropi och Oscar och hans son Axel tog initiativet till en rad sociala institutioner. De var sekulariserade, inte religiösa eller traditionsbundna och det finns inga tecken på att de höll sig till traditionsenlig judisk mat. Men de var medlemmar i den judiska församlingen och höll på så sätt kontakten med sitt ursprung. Familjen Hirsch privatumgänge var också i hög grad judiskt.

Då jag nyligen frågade min mamma om hon har några minnen av judiska mattraditioner från sin barndom berättade hon att på påskbordet i hennes barndomshem – bland skinka och liknande – brukade det finnas matsebröd. Hon fortsatte att servera matsebröd till påsk också när jag var liten.

Dessutom brukade man i hennes hem göra något som kallades "judekakor" – småkakor med uddar, kanel och mandel.

Mamma berättade också att hon som barn ibland fick Gefüllte fisch på middagar hos släktingar.

Olle Wästberg

CHREIN

INGREDIENSER

1 pepparrot, riven
2-3 rödbetor, kokta i lättsaltat vatten
1 tsk socker
2 tsk ättika
1 krm salt

> **GÖR SÅ HÄR**

1 Rör ihop den rivna pepparroten med ½ dl av rödbetsvattnet
2 Riv en av rödbetorna och blanda i pepparroten med saften
3 Blanda i socker, ättika och salt

Denna blandning blir ganska stark.
Önskas svagare chrein kan man blanda i mer rödbeta.

GEFILLTE FISCH
skivad fylld fisk, parve

INGREDIENSER FÖR CA 10 PERSONER

1 karp el. braxen à 1 ½ - 2 kg

1 gul lök

1 skiva franskbröd (eller matse om fisken tillagas till pesach)

3 ägg

salt

vitpeppar

1 selleri

1 palsternacka

1 morot

3 tsk vegetabiliskt gelatinpulver (d.v.s. kosher gelatin – om man har tillgång till det, kan dock uteslutas)

1 nypa saffran

> **GÖR SÅ HÄR**

1 Fjälla och rensa fisken. Lever och fett tillvaratages, gälarna i huvudet avlägsnas

2 Skär fisken i 2-3 cm tjocka skivor

3 Ta ut fiskköttet ur skivorna med hjälp av en vass kniv, mal och blanda köttet med den hackade löken

5 Blanda uppblött och urkramat franskbröd (eller matse) med levern, fettet, äggen, salt och peppar samt fiskköttet

6 Fyll i de tidigare urgröpta fiskskivorna med färsen och släta till ytan med kniv

7 Skala och skiva sellerin, palsternackan, moroten och löken

8 Lägg fiskhuvudet, de fyllda fiskbitarna, sellerin, palsternackan, moroten och löken i en kastrull med kallt vatten som precis täcker fisken

9 Tillsätt 5-6 vitpepparkorn, samt salt efter smak

10 Koka på låg värme i ca 1 timme

11 Fyll på med kallt vatten 3-4 ggr under koktiden så att fisken inte kokar torr

12 Tillsätt en liten nypa saffran uppblött i fiskspadet för att ge fisken en ljusgul färg samt ev. en aning gelatin (obs att det måste vara vegetabilisk gelatin som är kosher om rätten ska vara kosher!)

13 Låt fisken svalna och lägg sedan upp skivorna på ett fat

14 Häll över spadet och garnera med morotskivorna, låt kallna.

Jag är född år 1924 och uppvuxen i byn Rosavlia i Maramurus-
Sighet, i Rumänien. Jag kom till Sverige år 1945 med Röda Kor-
set. Jag hade överlevt koncentrationslägren. Hela min familj,
mamma, pappa och mina fem syskon mördades i Auschwitz våren
1944.

Jag hörde till dem som vid ankomsten till Sverige var
relativt frisk och hade bråttom att börja leva ett så normalt
liv som möjligt efter allt det ofattbara som vi varit med om.
Min första bostadsort i Sverige blev Rönninge utanför Stock-
holm. Där bodde jag i en fastighet som Judiska Församlingen
ställt till förfogande för judiska flyktingar.

Här träffade jag min blivande man, Markus. Där i Rönninge
fanns en ung kvinna, några år äldre än jag och hon kunde laga
mat. Hemma hos oss var det alltid min farmor som tillredde
gefillte fisch. Den gefillte fisch som min nya vännina lagade
påminde mycket om den gefillte fisch jag fått i mitt hem. Hon
lärde mig att tillaga fisken enligt konstens alla regler. Jag
gör den dock något mindre söt än vad hon gjorde. Min väninna
kom från Polen och gjorde den sötare än vad jag var van vid.

Första gången jag helt själv skulle laga gefillte fisch
gick fiskskinnet sönder. Jag tog helt enkelt nål och tråd och
sydde ihop det! Det hade min man mycket roligt åt. Men han
älskade min gefillte fisch och det gör också våra barn och
deras makar... Under många år brukade jag också laga gefillte
fisch till WIZOs årliga basar där man till mångas förtjusning
serverar och säljer alla slags delikatesser från det judiska
köket. Åh, vad roligt det var!

Margit Tesler

Jag är född 1912 och uppvuxen i Stockholm. Min mamma föddes i Stuttgart, mormor kom från en ort i Elsass-Lottringen i Frankrike. Pappa kom år 1875 som 5-åring från Ryssland. Vid den här tiden ägde flera pogromer rum i Ryssland och detta var nog orsaken till att familjen sökte sig hit.

Innan jag gifte mig hette jag Myhlén i efternamn. Mitt barndomshem var judiskt men inte särskilt traditionellt. Mamma hade en plats i synagogan och vi gick dit på de stora helgdagarna. Min bror och jag blev konfirmerade i Stockholms Stora synagoga hos rabbin Ehrenpreis. Min bror blev också bar mitsva där.

I skolan, Wallinska skolan, fick jag ibland utstå antisemitiska utfall från kamraterna. Mamma sade då "Glöm inte din bakgrund och skäms aldrig för den!". Min man, Bertil, var inte av judisk börd. Vi levde ett mycket lyckligt liv tillsammans och vi fick två döttrar. De har inte fått en direkt judisk fostran men de har lärt sig att aldrig dölja sin härkomst och att vara stolta över den.

Min man byggde upp ett stort internationellt företag. Ofta anordnades representationsmiddagar i vårt hem. Det hände då att jag bjöd på judiska specialiteter såsom gehackte leber och gefillte fisch. De rönte alltid stor uppskattning, inte minst hos min man. Dessa maträtter lärde jag mig att laga av min goda vän, Omi Wald, som på 30-talet kom till Sverige från Polen.

Den gefillte fisch som jag gjorde efter Omis recept var skivad och hade en fyllning i mitten på varje skiva. Det är en både elegant och välsmakande rätt.

    Carmen Regnér

Det är klart att man kan smaka sig till var "kocken" har sina rötter. För min del har jag tagit starkt intryck av min ryska bakgrund. Min pappa kom först från S:t Petersburg, sedan kom mamma med mina två bröder år 1917 och jag är "händelsevis" född i Stockholm år 1918.

Blandningen av ryskt och judiskt har följt mig hela livet.

Mycket av den ryska maten bygger på enkla ingredienser, som man har "förbättrat". Man gjorde "gefillte" och "gehackte" och fick fram typiskt judiska delikatesser, som liksom det judiska folket, spritts över hela världen.

På de judiska restaurangerna både i Paris, London och New York kan man få sig serverat "gehackte herring". Just gehackte herring har blivit en av mina specialiteter.

Det är en god förrätt som kan serveras både till vardags och fest.

Min köksmaskin står beredd med stora kniven och jag mal ner ingredienserna – först löken, sedan äpplet och sist sillen.

När allt malts ner låter jag maskinen gå lite grand till för att sillen ska få en slät konsistens, varefter den avsmakas. Kanske behövs ännu en knivsudd salt? Uppläggning på ett lågt fat, sedan in i kylskåpet så att det hela får en mer fast form.

Till serveringen dekoreras fatet med ett hårdkokt hackat ägg som läggs över sillen i aptitliga ränder samt några dillkvistar. Dags att servera – kanske med nubbe till!

Anna Rock

GEHACKTE HERRING
parve

> **GÖR SÅ HÄR**

1 Skala och kärna ur äpplet

2 Mixa samtliga ingredienser till slät konsistens i matberedare: först löken, sedan äpplet, sist sillen och det övriga

3 Lägg upp på ett lågt fat och ställ i kylen en stund för fastare konsistens

4 Till serveringen dekoreras fatet med ett hårdkokt hackat ägg som läggs över sillen i aptitliga ränder – gulan separerad från vitan så att det blir gula och vita ränder. Några dillkvistar kan användas som dekoration

INGREDIENSER FÖR 4-6 PERSONER

3-4 sillfiléer (konserverade sillfiléer för inläggning) saltas ur över natten (d v s läggs i kallt vatten)

1 stor gul lök

1 saftigt aromatiskt äpple (Jona Gold passar bra)

1 ½ msk strösocker

1 kapsylhatt ättikssprit

1 tsk senap

1 ½ msk fin jungfruolja

TILL SERVERINGEN:

Ett hårdkokt ägg

Lite dill

År 1938, bara ett par dagar före Kristallnatten, kom jag från Berlin till Stockholm där min fästman väntade på mig. Genom sitt arbete var han placerad i Stockholm. Min mor och min far hade något tidigare rest till Palestina där min äldsta syster bodde. De blev kvar där och räddades på så vis undan Förintelsen. Min mor var född i Leipzig år 1879 och min far år 1866 i Österrike. Min man och jag byggde vårt hem i Stockholm.

Många av de recept som min mamma hade har jag hållit fast vid. Än idag lagar jag varje fredag köttsoppa, som jag äter tillsammans med min dotter Eva och mitt barnbarn Gideon.

Jag lärde mig laga mat av min mor. Min mor gifte sig år 1902 i Tyskland och hon höll ett kosher hushåll. Min mors sillsallad var speciellt god. Den serverades ofta och alltid till hennes födelsedag. Då kom min mors väninna och efter första tuggan utbrast hon: "Du, Paula hur lagar du denna underbara sillsallad?" Vi tre systrar väntade alltid på den frågan, vi visste att den skulle komma. Varje år – om och om igen – talade mamma om hur den var tillagad. Vi hade naturligtvis smakat på väninnans sillsallad och visste att den aldrig blev lika god som mammas. Väninnan glömde nämligen regelmässigt att lägga i kapris, nötter och äpplen!

Edith Steinhagen

INGREDIENSER FÖR 4 PERSONER

2 st hela sillfiléer

3 msk kapris

1 dl hackade nötter, helst valnötter

1 lök

1 äpple

2 sorters gurka, saltgruka och

smörgåsgurka

3 msk majonnäs

SILLSALLAD
parve

> GÖR SÅ HÄR

1 Alla ingredienserna, skalas, skäres och hackas fint och blandas därefter samman

2 Kan serveras som förrätt eller som huvudrätt med kokt potatis

Mina farföräldrar kom år 1901 från Riga till Saratov i Ryssland. Min farfar var nyutexaminerad läkare från universitetet i Dorpat (Tartu). Han öppnade en läkarpraktik i Saratov. Vad som fick honom och farmor att lämna Riga är jag inte helt på det klara med, men det hette att farmor som kom från en välbärgad familj inte borde ha gift sig med en fattig läkarstudent.

Jag minns farföräldrarnas mathållning som en blandning av det judiska, ryska och europeiska köket. Familjen var inte så noga med kosherreglerna. I min barndom samlades familjen alltid på söndagarna hos farmor och farfar för att tillsammans äta middag. Hade sovjetregimen inte omöjliggjort en lördagssamling (lördagar arbetade man) så hade middagen troligen ägt rum på lördagar - nu blev det istället på söndagar.

Min familj lämnade Ryssland på grund de starka antisemitiska strömningar som i perestrojkans spår kom att prägla det ryska samhällsklimatet. Vid tiden för kommunismens fall fick ett antal tidigare förbjudna rörelser och ideologier fritt spelrum. Detta gällde även ultranationella och antisemitiska rörelser. I Sverige har vi helt andra möjligheter att leva judiskt än vad jag hade under min uppväxt i Sovjetunionen.

Söndagsmiddagarna hemma hos farmor var bastanta. Måltiden bestod alltid av minst fyra rätter. Först var det förrätt, följd av en soppa. Sedan kom huvudrätten och till slut en dessert. Här är exempel på några av farmors förrätter:

Salt sill som serverades med lökringar och pyttesmå kalla kokta potatisar.

Sillfarsmak - en sorts sillsallad

Leverpastej gjord på kalvlever, stekt lök och smaksatt med madeira

Rostat bröd med svart kaviar eller laxrom

(svart kaviar var inte dyrare än annan fiskmat)

"Ikra", en sorts ratatouille av auberginer, tomater och lök, smaksatt med salt och lite socker.

Soppan serverades ur en skål med två handtag. Ofta var det rödbetssoppa gjord på kött- eller kalvbuljong och smaksatt med citronsaft. Till soppan fick man som regel små ostpinnar, degstänger bakade och beströdda med riven ost. Ibland serverades hönsbuljong med förlorade ägg, frikadeller eller små rostade brödtärningar i.

En annan mycket god soppa var den s k soljankan, en rysk fisksoppa med passerad lök, hackad tomat och hackad saltgurka. Förutom soljankan dukade man även upp fiskbitar, oliver, citron och kapris på bordet. Ibland varierade man med "rasstegaj". Rasstegaj betyder "uppknäppt" och är namnet på små öppna fiskpiroger.

Huvudrätten var ofta kalvkött. Jag kommer ihåg mannen som farmor köpte kalvköttet av. Han var även fiskare och fågeljägare. Han hette Maxim Petrovich. Han var sällan nykter men hade ändå ständigt nya kvinnor för han levde gott på sin kalvuppfödning och sin jakt.

Var det inte kalvstek till huvudrätt så var det fyllda lövbiffar eller köttfärslimpa. Det fanns också en sorts kött som kallades sött och surt kött tillrett med morot och katrinplommon.

Någon gång kunde huvudrätten bestå av fisk. Då serverades en vit sås till tillagad på fiskbuljong, mjöl, vitt vin och smaksatt med citronskal, dill och hackad pickles.

Piroger var vanliga som tilltugg, fyllda med till exempel kött, ägghack, fisk med ris eller svamp. De kunde också göras söta. Då fyllde man dem med bär eller aprikos, plommon etc. Vi fick ibland gefillte fisch och den tillagades på gädda. Gädda betraktades i Ryssland som en skräpfisk. Det var nästan bara judar som åt den och då oftast i en fylld variant.

Sergej Stern

SILLFARSMAK – EN SILLSALLAD
mjölkig/parve om smöret ersätts med veg. margarin

INGREDIENSER
1 kg inlagd sill
200 g smör eller veg. margarin
4 medelstora lökar
4 äpplen

> ### GÖR SÅ HÄR
1   Mal alltsammans i en kvarn eller kör i mixer till en jämn massa
2   Till dekoration hade man i mitt hem tranbär, citronskivor och granatäppelkärnor berättar Sergej Stern

Serveras som förrätt.

INBAKAD LAX
mjölkig

INGREDIENSER
smördeg. Enklast är att använda färdigköpta frysta smördegsplattor *
en varmrökt urbenad lax där även skinnet tagits bort
hela spenatblad, färka eller frusna, cirka 300 gr
lite smör till att bryna spenat och lök
1 hackad gul lök
salt
muskot
1 ägg till pensling

> ### GÖR SÅ HÄR
1   Om man använder färsk spenat måste den förvällas innan man bryner den. Bryn spenaten lätt i lite smör tillsammans med den hackade löken. Tillsätt salt, peppar och riven muskot
2   Kavla ut smördegen, till en lax är 4 degplattor lagom mängd
3   Lägg den ena laxsidan på den utkavlade degen
4   Lägg spenat ovanpå laxsidan och lägg därefter den andra sidan ovanpå så att laxsidorna ligger mot varandra med spenaten emellan
5   Vik om smördegen om laxen, gör ett paket, stäng till
6   Pensla med ägg

Kan förberedas så här långt dagen innan och förvaras i kylskåp.

7   Stick med en nål eller en gaffel flera små hål i degen innan det hela sätts i ugnen. Detta görs för att ångan skall hitta en väg ut
8   Låt stå i ugnen i 225° tills degen fått fin färg, lägg därefter över en bit folie och låt den stå kvar i ugnen ytterligare 10 - 15 minuter till för att laxen skall bli riktigt genomvarm.

Serveras varm eller ljummen med kokt potatis och en sås. Serveras laxen riktigt varm kan en hollandaissås vara god till. En annan lämplig sås är en sauce verte (gräddfil med spenat och örtkryddor) eller en sås av gräddfil smaksatt med pepparrot.
*Observera att inte alla färdigköpta smördegsplattor är kosher.

LAXPATÉ
mjölkig

I det här receptet ingår gelatin. Obervera att vanligt gelatin inte är kosher eftersom det är tillverkat av animaliskt benmjöl. Det är inte helt lätt att få tag på vegatabiliskt, kosher, gelatin, men det finns och är då oftast i pulverform.

INGREDIENSER FÖR 10 PERSONER

1 kg kokt lax
8 tsk gelatin blandat i 2 dl varmt vatten
1 ½ dl vispgrädde
1 dl hackad dill
½ tsk salt
2 dl gräddfil
1 ½ msk majonnäs
3 msk chilisås
1 kryddmått peppar
paprikapulver

> GÖR SÅ HÄR

1 Finhacka dillen
2 Skär eller hacka laxen i små bitar
3 Blanda gräddfil, dill, salt, chilisås, kryddor och majonnäs. Rör ner gelatinvattnet
4 Vispa grädden ganska hård
5 Rör ner lax och grädde i majonnässmeten
6 Stjälp upp det hela i 2 avlånga formar och ställ i kylskåp tills det stelnat

LAXRULLE MED LÖJROM
mjölkig

INGREDIENSER

4 stora skivor rökt lax
1 dl vispgrädde
2 msk crèmefraiche
2 msk finhackad purjolök
3/4 dl löjrom

> GÖR SÅ HÄR

1 Lägg ut laxskivorna i en kvadrat på plastfolie
2 Vispa grädden och blanda med crèmefraiche, purjolök och löjrom
3 Bred blandningen över laxskivorna och rulla ihop till en rulle med hjälp av plastfolien
4 Vira om folien och lägg i frysen i minst 4 timmar
5 Tag fram och tina ca 1 timme före serveringen
6 Skär i skivor medan rullen är halvtinad
7 Servera med lite strimlad grönsallad och en rostad brödskiva

Ett alternativ är att smaksätta crèmefraichen som ovan men lägga till pepparrot.

STEKTA FISKBULLAR
parve

TONFISKMOUSSE
parve

INGREDIENSER FÖR 10 PERSONER

1 kg torskfilé, lätt kokad

1 kg potatis, kokt

1kg lök, hackad

2 ägg

3 - 5 msk matsemjöl/skorpmjöl

salt

peppar

1 krm riven muskotnöt

hackad persilja

1 kg lök till stekning

> **GÖR SÅ HÄR**

1   Koka fisken och koka potatisen

2   Stek den hackade löken

3   Lägg lök, potatis och fisk i en skål och lägg till salt och peppar, muskot och persilja

4   Låt kallna och mosa allt väl med en gaffel

5   Tillsätt 2 ägg, lite matsemjöl, blanda väl

5   Forma små bollar och stek i olja

6   Servera varmt eller kallt (gott även som smörgåspålägg)

INGREDIENSER

2 burkar tonfisk

2 dl majonnäs

3 tsk vegetabiliskt gelatinpulver

2 dl tomatpurée

1 msk salt

1 msk peppar

2 msk kapris

> **GÖR SÅ HÄR**

1   Lös upp gelatinpulvret i ½ dl hett vatten

2   Blanda samtliga ingredienser väl i matberedare

3   Häll över blandningen i en form och låt kallna i kylskåp

4   Serveras kall i skivor

INGREDIENSER

1 burk tonfisk i vatten

3 tjocka skivor färskt franskbröd

3 ägg

1 knippa dill

3 dl gräddfil

250 gr skivade färska champinjoner

225 gr gröna oliver

1 tsk salt

vitpeppar

SÅS TILL TONFISKPATÉN

2 msk vanlig svensk senap

2 msk ljus fransk senap

1 äggula

2 msk socker

1 ½ msk vinäger

2 dl olja

dill

salt

peppar

TONFISKPATÉ
mjölkig

> **GÖR SÅ HÄR**

1   Mosa tonfisken grovt

2   Smula brödet

3   Hacka svampen

4   Vispa äggen lätt

5   Blanda fisken, äggen, brödet, svampen, samt gräddfilen och de hackade oliverna samt salt och vitpeppar och häll i smord avlång form

6   Grädda i vattenbad i 200° i ca 1 timme

7   Stjälp upp patén när den har svalnat och dekorera med citron, ägg och svamp

Sås

> **GÖR SÅ HÄR**

1   Blanda senapssorterna, äggulan och sockret och vispa upp med elvisp eller mixer

2   Tillsätt under vispningen vinägern, oljan, salt och peppar, samt klippt dill. Smaka av

3   Servera patén och såsen med lite grönsallad och gott bröd

INGREDIENSER FÖR 4 PERSONER

6 filéer färsk torsk

6 medelstora kokta potatisar

400 gr frusen hackad spenat

ostsås , se nedan

salt

peppar

hackad persilja

OSTSÅS

3 msk smör eller margarin

1 msk mjöl,

4-5 dl mjölk

4-5 dl riven ost, gärna flera sorter inkl
parmesan, salt + peppar

Under shivaveckan går man hem till de närmast sörjande där de sitter shiva under den första sorgeveckan efter en begravning. Något att äta ska man ha med sig – dels för att trösta, dels för att uttrycka och stärka sociala band, dels för att de sörjande inte ska behöva ägna sig åt annat än sin sorg.

Den här fiskgratängen har jag många gånger tagit med mig till vänner som sitter shiva. Man vill ju att de sörjande inte ska behöva tänka på matlagning och då fungerar den här gratängen utmärkt. Jag brukar göra den i en ungsfast glasform eller i en engångsform. Det är lättsmält mat och inkluderar hela måltiden "allt-i-ett". Rätten är lätt att värma. Jag brukar även ta med en grönsallad.

Judith Narrowe

FISKGRATÄNG
mjölkig

> GÖR SÅ HÄR

1 Koka potatisen och mosa den

2 Tillred ostsåsen: bryn smör el marg, red med lite mjöl och 4-5 dl mjölk. Blanda i 4-5 dl riven ost, rör till en tjock sås. Tillsätt salt och peppar

3 Smörj den ungsfasta formen. Lägg potatismoset kring kanten på den ugnsfasta formen

4 Täck med spenat på hela botten innanför potatiskanten

5 Lägg fiskfiléerna över spenaten

6 Häll såsen över fisken

7 Strö persilja plus ev ytterligare riven ost över alltihop

8 Baka i ugnen, 175° i ca 20 minuter

En variant är att ugnsbaka fisken först, då blir det mindre vätska i slutprodukten.

Shiva, sorgeveckan
Under den veckan som följer på en begravning går man hem till de närmast sörjande, till sorgehuset, där de sitter shiva . På så sätt kommer vänner och släkt för att trösta, hålla sällskap och för att se till att de sörjande har allt de behöver för att kunna ägna sig åt sin sorg. Den urgamla traditionen att gå och besöka vänner som har sorg under denna första vecka fungerar än idag till och med i Sverige trots att man många gånger hör synpunkten att judar i Sverige i mångt och mycket håller på att förlora kontakten med sina traditioner.

UGNSBAKAD LAX MED ÖRTSÅS

INGREDIENSER FÖR 6 PERSONER

1 laxfilé, en hel laxsida placera i ugnsform med skinnsidan nedåt
1 dl grovt salt att lägga i botten på ugnsformen
dill
salt
peppar
citron

> GÖR SÅ HÄR

1   Täck ugnsbotten med grovsalt
2   Salta och peppra laxfilén, placera laxen i formen med skinnsidan nedåt
3   Täck fisken med skivad citron och täck därefter med dill, hela dillkvistar
4   Baka i ugn ca 15-20 min, 200°

Örtsås

INGREDIENSER

1 tärning grönsaksbuljong
2 dl vatten
4 dl lätt crème fraiche
½ pkt frysta örter "Provencale" eller hackad färsk persilja, basilika och mejram och timjan
saften av 1 citron
salt och vitpeppar

> GÖR SÅ HÄR

1   Rör ner buljongen i vattnet, låt det koka upp
2   Lägg i kryddorna och citronsaften samt salt och peppar
3   Rör sist ner crèmefraichen, obs låt inte såsen koka upp igen, då kan den skära sig

SÅSER

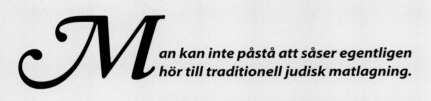

*M*an kan inte påstå att såser egentligen hör till traditionell judisk matlagning.

Tvärtom, är det just när man kommer till såsen som det kan bli problem att anpassa en kötträtt till det judiska kökets krav. En sås baserad på grädde kan inte serveras till kött för den som håller kosher.

Bland här presenterade såsrecept finns därför flera som är parve.

CITRONSÅS
parve

Den här citronsåsen har en friskt syrlig smak och en milt ljusgul färg. Den passar utmärkt till kokt kyckling eller till stekta eller grillade kycklingfiléer.

INGREDIENSER FÖR 4 PORTIONER

2 ägg
1-2 citroner
2-3 dl buljong (grönsaksbuljong om man vill ha såsen parve, annars hönsbuljong)
1 tsk potatismjöl
salt
peppar

> ### GÖR SÅ HÄR

1   Vispa 2 ägg i en skål och häll i pressad saft från 1 citron
2   Vispa ner 1 tsk potatismjöl
3   Koka upp buljongen
4   Låt buljongen svalna något och slå den över äggen, vispa hela tiden
5   Häll tillbaka alltsammans i kastrullen och koka nästan upp igen
6   Smaka av med salt och peppar och tillsätt eventuellt mer pressad citron

CURRYSÅS
parve

INGREDIENSER

2 msk vegetarisk margarin
2 msk mjöl
½ tsk vegetariskt buljongpulver
2 dl havresol el annan vegetarisk mjölkersättning (kan slopas)
2 dl vatten
½ tsk salt

1-2 tsk curry
ev. peppar

> ### GÖR SÅ HÄR

1   Smält margarinet i en panna
2   Rör ned mjölet + curryn
3   Späd med vattnet och rör väl
4   Låt såsen koka upp, rör hela tiden, låt sedan småkoka 3-5 min under lock
5   Rör ned buljongpulvret
6   Låt åter småkoka på låg värme i 5 min
7   Salta, peppra efter smak
8   Späd ev. med mjölkersättningen

MAJONNÄS
Parve

Det brukar inte vara något problem att hitta majonnäs som är kosher men hemgjord majonnäs är avgjort godare. Det är inte heller svårt att göra.

INGREDIENSER FÖR CIRKA 3 DL MAJONNÄS

1 ägg
2 ½ dl olja
1 nypa salt
1 krm ättika
ev. ½ tsk senap

> ### GÖR SÅ HÄR

1   Montera vispen i en matberedare och slå i ett ägg
2   Sätt på vispen på högsta hastighet
3   Lägg i salt, ättika och senap
4   Häll nu *långsamt* eller *droppvis* i oljan medan vispen hela tiden är i gång. Det är viktigt att man inte häller i all olja på en gång, majonnäsen tjocknar successivt under vispningen

VITLÖKSKRÄM

INGREDIENSER
använd färdig majonnäs, 3 dl, eller gör en själv baserad på olivolja
3 vitlöksklyftor, finhackade eller pressade
hackad persilja
salt
svartpeppar

> GÖR SÅ HÄR
Blanda ingredienserna till en slät kräm. Servera som tillbehör till exempelvis
lammkotletter

ÖRTSÅS
Örtsås

INGREDIENSER
1 grönsaksbuljongkub
2 dl vatten
2 pkt lättcreme fraiche
½ pkt frysta örter "Provencale" eller hackad färsk persilja, basilika och mejram och
timjan
saften av 1 citron
salt och vitpeppar

> GÖR SÅ HÄR
1 Rör ner buljongen i vattnet, låt det koka upp
2 Lägg i kryddorna och citronsaften samt salt och peppar
3 Rör sist ner crème fraichen, obs låt inte såsen koka upp igen, då kan den skära sig

Många såsrecept i traditionella svenska kokböcker baseras på en grundsås, en vit sås, béchamelsås. Dess bas består av smör eller margarin samt mjöl och mjölk. En sådan sås går inte att använda till en köttig kosher måltid. Nedan presenteras såser som i stället baseras på vegetariskt margarin och buljong (vegetarisk eller köttbaserad).

LJUS SÅS
parve

INGREDIENSER FÖR 6 PERSONER
3 msk vegetariskt margarin eller 1/4 dl olja
½ lök
2 msk mjöl
½ tsk köttbuljongpulver
2 dl Havresol el. annan vegetarisk mjölkersättning
1 dl vatten
salt
peppar
ev 1 tsk socker

> GÖR SÅ HÄR
1 Hacka löken fint
2 Bryn löken lätt i margarinet
3 Rör ner mjölet i den lätt brynta löken
4 Späd med vatten och rör till en jämn smet
5 Rör ner buljongpulvret
6 Låt puttra på låg värme i 5 min
7 Salta, peppra och sockra efter smak
8 Späd med mjölkersättningen
9 Vill man ha en jämnare sås kan man sila bort löken ur såsen

BRUN SÅS
köttig/parve

INGREDIENSER FÖR 6 PERSONER
3 msk vegetariskt margarin eller 1/4 dl olja
½ lök
2 msk mjöl
½ tsk köttbuljonpulver/grönsaksbuljongspulver
3 dl vatten
2 tsk mörk sirap
1 tsk sojasås
salt
peppar

> GÖR SÅ HÄR
1   Hacka löken fint
2   Bryn löken lätt i stekpanna
3   Rör ned mjölet i den lätt brynta löken
4   Späd med vatten, rör till en jämn sås
5   Rör ned buljongpulvret
6   Rör ned sirapen och sojasåsen
7   Smaka av med salt och peppar
8   Låt puttra i 5 min

SÅS PÅ STEKSKY
köttig

INGREDIENSER
2 msk vegetariskt margarin
1 msk mjöl
1 dl buljong
2 dl vatten
soja
salt
finmalen svartpeppar
steksky

> GÖR SÅ HÄR
1   Smält margarinet i en kastrull
2   Tillsätt mjölet i det smälta margarinet (gör en redning), rör snabbt ihop det
3   Tillsätt buljong under omröring
4   Tillsätt vattnet
5   Rör ned sojan och smaka av med salt och peppar

Se även sid *87*

F

örr utgjorde kugeln ofta stommen i lördagens huvudmåltid. Den kunde vara baserad på pasta (lokschen på jiddisch), eller på potatis. Numera när färdig pasta finns att tillgå i alla upptänkliga former är det inte svårt att tillreda en smaklig kugel. Den kan göras såväl kryddig och matig som söt.

Olika slags pastaknyten förekommer inom det ashkenasiska köket men är än vanligare i de sefardiska hushållen liksom olika sorters degknyten. Även pajer av allehanda slag hörde förr mer hemma inom den sefardiska sfären men numera är de populära överallt.

Jag var 18 år när jag genom Röda Korset år 1945 kom hit. Jag hade då som enda medlem av min familj överlevt koncentrationslägrena Auschwitz, Dachau och Bergen Belsen. I Sverige gifte jag mig med en judisk man från Polen, fostrade två söner och skapade mig ett nytt liv.

Mitt flicknamn var Codron och det är med viss stolthet som jag nämner detta. Namnet representerar en stor sefardisk, det vill säga spansk-judisk, släkt. Jag är född och uppvuxen på Rhodos. På Rhodos bosatte sig judar redan i slutet på 1400-talet - en följd av förvisningen av Spaniens judar. Mitt första språk var ladino, judeo-spanska. Men jag växte upp med flera språk. Jag talade grekiska och i skolan fick jag lära mig franska och italienska. Rhodos var italienskt fram till år 1946. Förutom italienarna levde tre stora minoritetsgrupper där: turkar, greker och judar.

När jag räddades till Sverige träffade jag inte på någon annan med min bakgrund. Därför kom jag att bli ganska ensam om mina minnen. Inte heller fanns här någon som talade ladino.

I mitt barndomshem var vi inte särskilt religiösa, men som en självklarhet levde vi enligt de judiska helgerna och traditionerna. Till pesach fick vi alltid nya kläder för sommarhalvåret och till rosh hashana nya höst-och vinterkläder. Till sukot byggdes en jättestor sukka på en inre gård, en så kallad kortizo. I sukkan, som var vackert dekorerad, åt vi alla måltider och det var härligt.

Maten som vi åt bar spår av det spanska köket och av medelhavsköket. Många rätter lagades i en stor vid gryta som kallades för "paila", och liknade moderna traktörpannor. I den gjordes rätter med fyllda grönsaker, ibland med skivor av potatis i botten som skyddade de fyllda grönsakerna från att brännas vid. De traditionella maträtterna hade namn på ladino.

Till lördagarna, shabat, och till alla helger gjorde man olika sorters, degknyten. Beroende på form och innehåll kallades de pastellikos, borekitas eller bojos. Med olika sorters deg sökte man variation. Ofta inleddes måltiden med en sallad. Grönsaksgrytor var vanliga och kunde även innehålla lite kött för smakens skull. Ris ingick i nästan alla måltider men betraktades som en egen rätt och kunde tillagas på flera sätt. Ost och olika yoghurtar förekom, men mest som frukost- och mellanmålsmat. Vi blandade inte kött och mjölk under samma måltid. Fisken var dyr trots att Rhodos är en ö. Smör användes aldrig i matlagningen utan olja, särskilt olivolja. Vi åt också mycket inlagda grönsaker, oliver ställdes fram till nästan alla måltider. Till det starka turkiska kaffet serverades små mycket söta bakverk av olika slag.

Jag var knappt 18 år när tåget stannade i Auschwitz. Jag kunde inte laga mat och hade aldrig intresserat mig för kök och matlagning. Men där i lägren var vi utsvultna och talade mycket om mat. Genom de samtalen fick jag faktiskt en första teoretisk grund till matlagningskonsten.

Min första anhalt i Sverige var Alingsås, där vi under den första månaden var internerade. Jag kommer aldrig att glömma den svenska långfranskan jag där fick äta. Något så gott hade jag aldrig smakat.

När jag under 60-talet kunde börja resa och hälsa på släktingar, som var kvar i livet, fick jag recepten på många av de rätter som jag vuxit upp med. Idag finns det en hel del böcker både om mat och judiskt liv på Rhodos.

Laura Frajnd

PAJDEG

Den här degen kan användas som pajbotten både för söta pajer med frukt och för pajer med matigare fyllningar

INGREDIENSER
3 dl mjöl
1/4 tsk salt
1 dl vegetabiliskt rumsvarmt margarin
3 msk kallt vatten
1 tsk citronsaft

Blanda alla ingredienser till en jämn deg. Innan degen används kan den vila i kylskåp i en timme eller mer. Recept på pajdeg, se även sid *178*

AUBERGINEPAJ
parve

INGREDIENSER FÖR 4-6 PERSONER
2 auberginer
1 stor gullök
1 brk krossade tomater
ev champinjoner ca 150 gr
2 ägg
salt
peppar
ev lite parmesanost

> GÖR SÅ HÄR

1 Skala och tärna auberginen
2 Salta tärningarna och låt dem stå och "dra" en halv timme
3 Pressa därefter med händerna ut det mesta av saften i aubergintärningarna
4 Fräs först den hackade löken i oljan, lägg därefter auberginen i pannan och blanda sedan ner tomaterna
5 Låt allt puttra tills det mesta av vätskan kokat in, tillsätt salt och peppar efter smak
6 Låt svalna något
7 Rör i äggen. Om Du vill ha med champinjoner så skiva och bryn dem separat och blanda dem därefter med resten
8 Klä en pajform med degen och häll i fyllningen. Spara en tredjedel av pajdegen att göra galler eller remsor av ovanpå fyllningen. Toppa gärna med lite riven parmesanost
9 Grädda i ugnen, 200° i 30-40 min

JERUSALEM-KUGEL "KUGEL JERUSHALMI"
parve

Den här kugeln ska vara både sötaktig och ganska stark i smaken.

> **GÖR SÅ HÄR**

1 Koka nudlarna i 2 min och skölj dem väl

2 Låt nudlarna rinna av ordentligt

3 Häll olja och socker i en kastrull på hög värme. Låt sockret smälta i oljan och låt det puttra tills socker-oljeblandningen är mörkt brun, det tar cirka 10 minuter. Blanda därefter ned sockerlösningen i nudlarna, rör om väl

4 Vispa äggen och blanda med nudlarna

5 Tillsätt salt och peppar, smaka av

8 Häll i en form och grädda i 40 min på 175° ugnsvärme

9 Stjälp upp och servera varmt. Salt gurka passar bra som tillbehör

INGREDIENSER FÖR 8-10 PERSONER

400 gr nudlar, tunna

3 ägg

1 ¼ dl olja

1 ½ dl socker

3 tsk salt

1 ½ tsk svartpeppar

Det var mina svärföräldrar Anna och Gilel Storch som introducerade judisk mat för mig. De kom båda från Lettland och deras modersmål var ryska men uppblandad med en stor portion jiddisch. Stor gästfrihet ingick i den tradition de förvaltade.

Svärfar kom till Sverige år 1940 och lyckades så småningom även få hit sin hustru och dottern Eleonora. Marcus, min man, och hans syster Ruth, föddes i Sverige.

I många år framåt kom kriget att prägla deras liv. Min svärfar förde en outtröttlig kamp för att via Sverige och genom internationella organisationer rädda så många liv som möjligt undan Förintelsen. Han var en mycket stark personlighet. Han använde sig ofta av okonventionella lösningar för att nå resultat. Bland annat lyckades han år 1944 organisera en sändning med 70 000 matpaket till svältande fångar i tyska koncentrationsläger. Överlevande och brittiska soldater kunde efter krigsslutet vittna om att dessa matpaket haft stor betydelse i räddningen av många liv.

Efter kriget stod svärföräldrarnas hem öppet för otaliga överlevande som räddats till Sverige men som förlorat allt. Än idag träffar jag och Marcus personer som tydligt minns gästfriheten och värmen hos Anna och Gilel.

Jag minns när jag de första gångerna var bjuden på middag till Marcus föräldrar. Svärfar nästan tvingade mig att smaka på gefillte fisch-bullarna och den inlagda gurkan. Gurkan hade han själv lagt in. "Smaka, smaka, det är gott", tjatade han. Så småningom kom jag faktiskt att tycka om både fisk, gurkor, hackad lever, hönssoppa och allt annat som dukades fram vid festliga tillfällen. Numera serveras dessa delikatesser hos oss, bland annat då vi med vänner firar den judiska påskaftonen, sederafton. Vår dotter, Elisabeth, idag 26 år, har varit noga med att teckna ner alla recept. Hon fick dem av sin faster Eleonora som liksom sin mor var en god kock. Hon och hennes två kusiner älskar den här judiska maten. Så går dessa traditioner vidare till Annas och Gilels barnbarn.

Gunilla Storch

LOCKSCHENKUGEL
parve eller köttigt

Det är alltid Kiki, min fru som gör lockshenkugeln och hon gör den på samma sätt som både hennes mamma och min mamma brukade göra den. Utsökt gott!

    Bertil Neuman

INGREDIENSER FÖR 6 PERSONER

500 gr pasta av den breda platta sorten

1/4 dl matfett, helst s k shmaltz d v s fettet som smälter då man steker höna eller en större fet kyckling. Som alternativ till shmaltz kan man ta ett vegetariskt margarin eller olja

russin

salt

peppar

en aning socker, cirka 2 tsk

2 ägg

> GÖR SÅ HÄR

1   Koka nudlarna mjuka och skölj enligt anvisningarna på paketet

2   Blanda nudlarna med matfett och russin, ägg och socker

3   Salta och peppra

4   Häll upp i en ugnssäker form och grädda i ugnen i 40-45 min, 175º

Det får gärna bli lite brunt och knaprigt på ovanytan!

MOROTSKUGEL
parve

INGREDIENSER FÖR 15 PERSONER

1-1 ½ kg morötter

2 ägg

1 medelstor purjolök

3-4 dl vetemjöl

salt

> GÖR SÅ HÄR

1   Skala och strimla morötterna, lägg dem i en stor skål

2   Strimla purjolök och blanda med morötterna

3   Blanda ner ägg, mjöl och salt

4   Blanda väl och smaka av

5   Häll över i en form och grädda i ca 1 timme i 175 ° ugnsvärme

POTATISKUGEL
parve

INGREDIENSER FÖR 6-8 PERSONER

6 stora potatisar

1 ½ tsk salt

½ tsk peppar

1-2 lökar

1 dl vetemjöl (el. matsemjöl)

2 ägg

½ dl olja

> GÖR SÅ HÄR

1 Riv potatis och lök i en matberedare eller för hand på rivjärn

2 Häll i en stor skål. Blanda i äggen

3 Blanda mjölet (el. matsemjölet) med kryddorna i en liten skål och rör därefter i mjölet i potatis-äggblandningen

4 Häll oljan i en ugnsfast form och värm den i ugnen i några minuter

5 Häll blandningen i formen och grädda i 175° i ca 1- 1 ½ timme eller tills den får en vacker brun färg

ÄPPELKUGEL
parve

Den här kugeln passar särskilt bra att servera vid tillfällen då många ska äta, exempelvis då man bjuder många på en kidush. Den är lätt att göra i stor mängd och mycket god att äta en bit av 'på stående fot'.

Anna Rock

INGREDIENSER FÖR CIRKA 16 PERSONER

1 kg breda nudlar

7 ägg

3 dl socker

1/4 kg margarin

2 dl russin

2-3 stora äpplen, skalade och grovt rivna

½ tsk malen kanel

1 tsk vanilla

> GÖR SÅ HÄR

1 Koka nudlarna enligt anvisningen på paketet

2 Smält margarinet och blanda ner med sockret, låt svalna en smula

3 Rör ner äggen och sedan övriga ingredienser - sist nudlarna

4 Häll över blandningen i en stor form eller plåt med höga kanter och låt grädda i 40-50 min på 175 °

5 Låt kugeln kallna innan den skärs i fyrkantiga bitar, lagom stora i handen

*V*egetariska rätter har alltid haft ett ganska stort utrymme i det judiska köket även hos den som inte är specifikt intresserad av vegetarisk matlagning. Allt vegetariskt är ju parve, neutralt, och är därför lätt att kombinera med både "köttig" och "mjölkig" mat.

Grönsaker har historiskt ingått med långt större variation i det sefardiska köket än i det ashkenasiska, med all säkerhet beroende på tillgången på färska grönsaker i de områden där dessa olika traditioner sedan medeltiden utvecklats. Idag när dessa båda världar åter mötts och vi fått en ny "cross over" i den judiska matordningen har många grönsaksbaserade rätter från den sefardiska världen kommit att ta stor plats i det moderna judiska köket.

INGREDIENSER

3 auberginer

salt

vetemjöl

peppar

olja till stekning

1 dl vatten

1 gul lök

2 hårdkokta ägg

1 msk majonnäs

saften av ½ citron (eller något mindre)

MAMMA HASIAS AUBERGINE-MOUSSE
parve

> GÖR SÅ HÄR

1 Hacka löken och stek den ljusbrun, lägg löken åt sidan

2 Skala auberginerna och skiva dem i tunna skivor (cirka ½ cm tjocka). Lägg aubergineskivorna i en skål och salta dem, låt dem därefter vila under tryck i en ½ timme

3 Krama försiktigt ur aubergineskivorna (inte så hårt att de går sönder)

4 Doppa varje skiva i vetemjöl, stek skivorna i olja på båda sidorna så att de får en fin gyllenbrun färg

5 Lägg alla aubergineskivorna i stekpannan, häll på 1 dl vatten, låt puttra tills vattnet försvunnit

6 Mixa (i mixer) auberginerna + äggen + löken.

7 Rör i majonnäsen. Smaka av med citronsaften.

Serveras kall som förrätt med ett gott bröd och kanske tomat och inlagd gurka till eller servera som tillbehör till en varm kötträtt.

Som barn uppskattade vi inte den mat som min mamma, Hasia, lagade. Vi ville ha svensk mat. Men nu har hon fått upprättelse. Både jag, mina syskon, hennes barnbarn och barnsbarnsbarn älskar Hasias mat. Vi går gärna hem till henne och låter oss bjudas på alla de läckerheter som hon alltid har till hands oavsett om man kommer anmäld eller inte. Därifrån går man inte, man rullar.

Jag var 2 år gammal när vi år 1948 kom till Sverige från Polen. Mina föräldrar var, vad man kallar -levnadskonstnärer. De lyckades, trots vedermödorna under kriget och Förintelsen, återskapa sig en tillvaro i Uppsala. De gav mig och mina syskon en bra uppväxt, ett trevligt hem med många vänner och mycket mat. Hemma hos oss var det alltid mycket folk. Mina föräldrar hade en stor vänkrets och i den ingick inte bara judar. Våra kompisar älskade att äta hos oss, inte minst mina studentkompisar var överförtjusta när min pappa bjöd på likör till köttet och nubbe till kaffet! Jag var så van vid att alltid ha folk omkring mig att om inga gäster fanns i huset hade jag svårt att koncentrera mig på mina läxor!

När jag nu tänker tillbaka vet jag dock att frågor som berörde deras tidigare liv aldrig diskuterades. Ej heller vi barn ställde - kanske av en slags intuitiv respekt - några frågor kring de förslutna kapitlena i deras liv. Jag, som tillhör den andra generationen känner av det svarta hålet, detta tomrum, som lurar bakom oss. Behovet att på något sätt fylla det här tomrummet är stort, liksom att hitta trådarna till minnena. Det är antagligen därför jag sjungit in jiddischsånger på skiva, varit en av grundarna till Judiska Teatern och kanske är det därför den här boken nu kommer till?

Vi talade jiddisch hemma. De judiska traditionerna hölls, alla helger firades, inte minst genom maten. När jag var liten tände mamma shabbes-ljus varje fredag kväll. Men detta, tror jag, väckte så smärtsamma minnen hos henne, att hon så småningom gav upp den traditionen. Förra Chanuka-helgen fick jag och mina syskon av mina föräldrar dock varsitt set silverljusstakar. De sade att de hoppades att vi i framtiden skulle tända dem på fredagskvällarna och minnas dem.

Jag tror inte att mamma någonsin har skrivit ner sina recept men min syster Regina har gjort det - hon är liksom mamma duktig på att laga mat. Mamma ägnade många timmar om dagen åt matlagning.

Om jag måste välja bland all den goda maten, så tycker jag bäst om mammas hönssoppa med kreplach. Mammas auberginesallad är också härlig...

Basia Frydman

INGREDIENSER

2 stora auberginer

2 dl majonnäs

2 saltgurkor

vitlökspulver

salt

vitpeppar

Auberginerna kan beredas på två sätt: det mer ursprungliga sättet som ger en speciell, mer spännande "bränd" smak, får man om man steker auberginen över en öppen låga, exempelvis en gaslåga. Auberginen ska stekas/grillas tills skalet blir bränt och innanmätet helt mjukt.

Det andra sättet, som är enklare i ett vanligt kök, är att picka auberginerna med en gaffel på några ställen och därefter lägga dem i ugnen på högsta värme och låta dem stå tills skalet blivit frasigt och innandömet helt mjukt (det tar cirka en timme).

Ytterligare ett sätt att bereda auberginen är att skala den, skära den i mindre kuber. Därefter läger man kuberna i en kastrull med vatten så att det bara nätt och jämt täcker kuberna. Låt koka 20 minuter, låt rinna av och bered sedan auberginen enligt nedan.

AUBERGINERÖRA MED MAJONNÄS
parve

> **G Ö R S Å H Ä R**

1   Låt auberginerna svalna något, skala

2   Låt fruktköttet, innanmätet, rinna av i en sil en stund

3   Kör fruktköttet snabbt i mixer eller finhacka med en kniv (det behöver inte bli helt slätt)

4   Finhacka 2 saltgurkor

5   Tillsätt 2 dl majonnäs

5   Tillsätt salt - smaka av

6   Tillsätt vitlökspulver och peppar – smaka av

7   Blanda allt

Servera som tillbehör till kött eller som en förrätt med pickles och pitabröd

AUBERGINESALLAD

parve

INGREDIENSER
2 stora auberginer
lite vetemjöl
5 ättiksgurkor
1 stor röd paprika
2 klyftor vitlök
saften från 1 citron
det gröna från 2 färsklökar eller en halv vanlig lök
hackad persilja

> **GÖR SÅ HÄR**

1 Skiva auberginerna
2 Salta skivorna och låt dem stå en stund
3 Lägg aubergineskivorna mellan hushållpapper och pressa dem så att en stor del av saften rinner ut
4 Strö vetemjöl över skivorna och stek dem i olja
5 Lägg de stekta aubergineskivorna på ett fat med kanter
6 Finhacka ättiksgurkorna
7 Finhacka den röda paprikan
8 Pressa vitlöksklyftorna
9 Blanda citronsaften och vitlöken i gurk/paprikahacket
10 Tillsätt salt och finhackade lökstjälkar eller finhackad vanlig lök samt hackad persilja
11 Hela blandningen hälls över de stekta aubergineskivorna. Låt allt stå i minst en timme före servering, gärna mer, och övertäckt

Serveras som tillbehör eller som förrätt, gärna med pitabröd till.

COLESLAW

parve

INGREDIENSER
½ kg morötter
½ vitkål
saften från en citron
2 msk majonnäs
2-3 msk socker

> **GÖR SÅ HÄR**

1 Finstrimla morötterna och kålen i matberedare eller på rivjärn
2 Blanda med övriga ingredienser och tillsätt salt och peppar

GURKSALLAD/ PRESSGURKA

INGREDIENSER
1 stor slanggurka
1 liten gul lök
1 knippe färsk dill, hackad (kan slopas)
2 dl vatten
2 msk salt för "insaltning" av gurkan
½ msk salt till dressingen
2 msk socker
2 tsk ättika

> **GÖR SÅ HÄR**

1 Skiva gurkan och löken i riktigt tunna skivor
2 Lägg gurkskivorna och löken i en skål och blanda ner 2 msk salt
3 Låt gurkskivorna och löken dra i saltet i ½ timme
4 Pressa med händerna ur en del av gurkans vätska, skölj därefter gurkskivorna och löken väl i kallt vatten
5 Blanda vatten, salt, socker och ättika och lägg i dillen, smaka av, häll över gurka och lök

Under det ödesdigra året 1492 (det år då Spaniens judar fördrevs) lämnade vår släkt Toledo i Spanien och tog sig till Saloniki i Grekland. Många generationer senare blev min morfar starkt påverkad av sionismen, varför han år 1935 valde att lämna Saloniki och bege sig till Palestina. Han var inte den enda utan sällade sig till en grupp Salonikijudar, som slog sig ner i Haifa där de flesta fortsatte att livnära sig på fiske eller andra hamnnäringar – precis som de gjort i Saloniki. Likaså fortsatte de att tala sitt modersmål ladino.

År 1974 stupade en av mina bröder när han tjänstgjorde i den israeliska armén och mina föräldrar beslöt att åtminstone för en tid byta miljö. Pappa var sjöman och år 1976 fick han arbete i Sverige varvid familjen flyttade till Lund.

Tomat con queso är en rätt som jag lärt mig laga av min mamma. Det är en lätt och snabblagad lunchrätt. Den skall serveras direkt ur grytan som därför bör ställas på bordet, så att alla kan ta ur grytan. Ett gott vitt bröd att bryta till är ett måste.

Isak Nachmann

TOMAT CON QUESO

> GÖR SÅ HÄR

1 Skär paprikan i små bitar

2 Värm paprikabitarna i en stor stekpanna med olivolja i botten. Strö lite salt över

3 Hacka löken smått och lägg i pannan när paprikan mjuknat

4 När löken blivit "genomskinlig", häll på tomaterna, låt småkoka i cirka 10 minuter

5 Fördela ostmassan i grönsaksblandningen och låt småputtra tills röran blivit aningen fast, så fast att det går att göra "gropar" i röran

6 Lägg äggen i groparna på lagom avstånd från varandra eller alla äggen i en större grop i mitten

7 Dra ner värmen och lägg ett lock över. Ta av när vitorna är fasta eller när även gulan är det – allt efter smak

Serveras så att alla kring bordet kan ta ur grytan. Servera med ett gott vitt bröd till.

INGREDIENSER

2-3 gröna paprikor

1-2 gula lökar

1-2 burkar hela tomater eller ännu hellre 7-8 riktigt mogna tomater

ost av fetatyp, cirka 2 dl

1/4 dl olivolja

4-6 ägg

cirka ½ msk salt

rikligt med svartpeppar

INGREDIENSER FÖR 8 PERSONER

2 brk konserverade kikärtor (cirka 280 gr per burk)

1 dl tehina

1 citron

2 klyftor vitlök

1 krm salt

1 - 1 ½ dl vatten

några kvistar persilja

paprikapulver

½ dl olivolja

HOMMOUS
parve

Basen i hommous består av kokta och passerade kikärtor. Tehina är en pasta baserad på sesamfrön. Tehina och hommous finns i många mataffärer, speciellt de med stor sortering av utländsk mat. Hommous med tehina är en vanlig förrätt i Mellanöstern. Det kan också serveras med olika tillbehör som en hel liten måltid, alltid i kombination med pitabröd. Om man vill göra sin egen hommous är det enklast är att köpa kokta konserverade kikärtor.

> GÖR SÅ HÄR

1 Kör kikärtorna i mixer tills de är helt finfördelade

2 Blanda i cirka 1 dl tehina (½ dl sesampasta, utrörd med ½ dl vatten)

3 Blanda saften från citronen med vatten, vitlök och salt

4 Häll i citron-vitlök-saltblandningen i hommous-tehinablandningen. Rör om tills det blir en slät och trögflytande smet

5 Lägg upp hommousen på ett fat, häll över olivoljan, pudra med paprikapulver och strö över hackad persilja.

Serveras med pickles och färska pitabröd att doppa i hommousen.

TEHINA
parve

INGREDIENSER FÖR CIRKA 6 DL

2 dl sesampasta (tehina)

saften från 1 citron

1-2 klyftor pressad vitlök

salt (1 krm eller smaka av)

2-3 dl vatten

hackad persilja

> **GÖR SÅ HÄR**

1 Blanda vatten och citronsaft

2 Rör vatten-citronblandningen i sesampastan (den tröga pastan blir snart mjukare och ljusare i färgen)

3 Smaksätt med salt och vitlök

4 Rör i den hackade persiljan

COUS-COUS-SALLAD
parve

INGREDIENSER FÖR 12 PERSONER

1 l cous-cous

8 dl vatten

4 msk olja

2 ½ tsk salt

1 krm svartpeppar

1 buljongtärning

TILL DEN FÄRDIGA COUS-COUSEN

1 stor hackad gul lök

30 svarta oliver, eller blandat svarta och gröna oliver, hackade

cirka 5-6 klyftade kronärtskockshjärtan

1 tunt strimlad limefrukt

1 stor strimlad röd paprika

1 stor strimlad gul paprika

1 knippe färsk dill, hackad

> **GÖR SÅ HÄR**

1   Koka upp vattnet med buljongtärningen, olja, salt och peppar

2   Tag kastrullen från värmen

3   Rör ner cous-cousen i vätskan

4   Hacka den gula löken och oliverna och fräs hacket i olivolja

5   Blanda ner lök/oliv-hacket tillsammans med övriga strimlade grönsaker i cous-cousen samt dillen. Smaksätt ev. med mer salt och peppar

Det är viktigt att cous-cousen har den rätta konsistensen, den får inte vara klibbig!

INGREDIENSER FÖR CIRKA 50 STYCKEN

½ kg torkade kikärtor

1-2 lökar

2 hg persilja

2 msk spiskummin

½ tsk svartpeppar

3 msk mald koriander

½ msk salt

4 klyftor vitlök

1 tsk harissa (en stark röd röra som köpes färdig. Ej nödvändig.)

¼ tsk bikarbonat i slutet

olja till stekning

FALAFEL
parve

> GÖR SÅ HÄR

DAG 1

1 Skölj kikärtorna i ljummet vatten

2 Lägg ärtorna i en stor skål och täck med kallt vatten och låt stå över natten

DAG 2:

3 Kör kikärtorna i en kvarn eller i en matberedare så att de blir fint malda

4 Mal eller processa även lökarna och persiljan samt vitlöksklyftorna tillsammans med kikärtorna

5 Blanda därefter i spiskummin, salt och peppar samt harrisan. Smeten ska vara mjuk men tillräckligt fast för att man ska kunna forma små bollar. Känns den för lös lägg i litet ströbröd, känns den för fast späd med lite vatten

6 Låt smeten vila i cirka 40 minuter

7 Precis innan stekningen, lägg i ¼ tsk bikarbonat och rör om

8 Värm oljan i en tjockbottnad gryta

9 Fritera små bollar, falafel, tills de blir brunknapriga runt om

Servera falafel med pitabröd och med exempelvis tehinasås, pickles och färska grönsaker.

Mamma gjorde en särskild gurkin-
läggning som för mig är en del av
sensommarens smaker. Glasburkarna
eller keramikkrusen med inlägg-
ningen ställs i ett soligt föns-
ter och gurkorna blir färdigjästa
på ett par dagar. Därefter ska
de förvaras svalt men hållbarhe-
ten är inte längre än cirka 2-3
veckor.

Sedermera har jag fått lära mig
att denna jäsningsprocess kallas
för mjölksyrejäsning. Min mamma,
född i Ungern, kallade gurkorna
för "kovászos uborka", surgurka.
Eva Fried

SOMMARGURKA
mjölksyrejästa gurkor

INGREDIENSER

2 kg små Västeråsgurkor

dillkronor

ca 5 msk salt

4 vitlöksklyftor

2 skivor av ett surdegsbröd

vatten

> GÖR SÅ HÄR

1 Borsta gurkorna rena och släta

2 Gör ett snitt i båda ändarna av varje gurka

3 Fyll glasburkarna med gurkor varvat med dillkronor och bitar av vitlöksklyftor

4 Fyll på med ljummet vatten med tillsats av salt. Till en liter vatten behövs cirka 3 msk salt – smaka av, det ska smaka ganska salt. Gurkorna ska vara täckta med vätska. Överst placeras en bit av surdegsbrödet. Täck burken med ett fat eller annat som pressar ner innehållet i burken. Låt stå i rumstemperatur, gärna i ett soligt fönster. Smaka efter två dygn. Gurkan är klar då den gulnat en aning och fått en litet bitande och frisk surhet

INLAGDA GURKOR
Fanny Valentins gurkor

INGREDIENSER

3 ½ kg felfria små Västeråsgurkor

TILL SALTLAKEN:

Ett par nävar salt blandas i så mycket vatten att det täcker gurkorna

TILL INLÄGGNINGEN:

1 l ättiksprit till 3 liter vatten
(Winborgs ättiksprit kräver dock 2 liter till 3 liter vatten)

3 hg socker (ev. mindre)

3-4 rödlökar

dillkronor

1 stor pepparrot

> ## GÖR SÅ HÄR

1   Borsta eller gnid gurkorna rena med vatten

2   Lägg gurkorna i saltlake i 3 dygn

3   Därefter: Häll ättika, vatten, socker och skivad lök i en kastrull (ej aluminium), lägg i gurkorna

4   Låt sjuda -ej koka, smaka av inläggningslagen

5   Varva gurkor, lök, dillkronor och skivad pepparrot i rena glasburkar, avsluta med pepparrrot. Fyll burkarna medan spadet är varmt – alltid pepparrot överst

6   Låt svalna, sätt därefter på lock

Förvaras svalt. Behärska dig i 5–6 veckor innan du smakar på innehållet. Burkarna håller i minst ett år.

När jag lägger in gurkor efter receptet nedtecknat av Fanny Valentin så knyter det ihop mina minnen av min uppväxt i Uppsala med minnena av min tidiga barndom i Berlin.

Det tog mig närmare 40 år att hitta tillbaka till mina tidiga barndomsminnen.

En morgon drygt två månader efter Kristallnatten följde min mamma mig till tåget. Det var år 1939, jag var 9 år. På centralstationen i Stockholm mötte mig Fanny Valentin från Uppsala. Då visste jag inte att familjen Valentin skulle bli min nya familj och att jag aldrig mer skulle återse min mamma och pappa.

En av de första scener som kom till mig då jag nästan 40 år senare började söka mina minnen, var hur mamma och jag hand i hand går över torget i Wilmersdorff i Berlin på väg hem till mormor. På torget sålde man bland annat gurkor från stora glasburkar. Mamma köper en sådan gurka till mig som jag njutningsfullt mumsar i mig under resten av promenaden till mormor. Jag minns hur mannen som sålde gurkorna tog upp gurkorna med en stor trätång och jag kan känna den härliga smaken av syrlig och saftig gurka.

Hos familjen Valentin i Uppsala fick jag tre äldre systrar och jag blev väl omhändertagen. Fanny var en varm person och både hon och hennes man Hugo Valentin var under denna tid starkt engagerade i omhändertagandet av de judiska flyktingarna. Fanny tyckte att jag skulle få mat som jag gillade. Hon upptäckte snart att jag älskade inlagda gurkor.

Fanny såg till att jag regelbundet skrev brev hem till mina föräldrar och det gjorde jag fram till år 1943. Då kom mitt sista brev tillbaka med en tysk poststämpel och en anteckning om att adressatens uppehållsadress var okänd. Då visste jag ännu inte att jag var föräldralös.

      Hans Baruch

FYLLDA PAPRIKOR
parve

INGREDIENSER FÖR 6 PERSONER

7 gula eller röda paprikor, gärna stora

1 stor lök

1 brk, 200 gr, skivade champinjoner, skär champinjonerna i mindre bitar

2 morötter, hackade

1 aubergine, liten, hackad

1 mellanstor zucchini, hackad

4 dl kokt ris

3 vitlöksklyftor, hackade

salt

vitpeppar

malen ingefära

1 ½ tsk grönsaksbuljong-pulver

2 ägg

> GÖR SÅ HÄR

1 Koka riset mjukt enligt anvisningar på paketet

2 Dela paprikorna mitt itu så att de bildar 2 "skålar", skär bort en bit av skaftet så att även skafthalvan kan stå med botten nedåt. Ta ur alla kärnor ur parikahalvorna

3 Koka paprikahalvorna i vatten i cirka 7 minuter under lock så att de blir aningen mjuka

4 Finhacka löken, champinjonerna, auberginen, zuccinin samt morötterna

5 Fräs löken i olja eller margarin i en stekpanna tills den mjuknat, lägg sedan i övriga grönsaker och champinjonerna i stekpannan. Fräs allt tills det fått färg

6 Då grönsakerna är färdigstekta, lägg i 3 hackade vitlöksklyftor

7 Smaka av grönsaksblandningen med salt, vitpeppar, lite ingefära

8 Rör ned cirka 1 ½ tsk grönsaksbuljong (pulver) i röran

9 Häll upp grönsaksröran i en djup skål, rör ned det kokta riset

10 Rör ned 2 ägg

Tag en ugnsfast form, smörj den med margarin och häll i lite grönsaksbuljong så att botten av formen täcks

1 Fyll varje paprikahalva med grönsaksröra och ställ dem tätt intill varandra i formen

2 Lägg formen i ugnen 180° och låt stå i 30 minuter tills rätten är färdig

Alternativt kan man hälla på en tomatsås på paprikorna före gräddningen eller så serverar man paprikorna med en curry/dragonsås som man tillagar separat

TOMATSÅS ATT HÄLLA PÅ FÖRE GRÄDDNINGEN

1 finhackad lök

2 msk margarin

2 msk mjöl

3 msk tomatpuré

1 brk krossade tomater

1 lagerblad, salt, peppar, 1 pressad vitlöksklyfta

4 dl vatten

> GÖR SÅ HÄR

1 Fräs löken i margarin

2 Rör ned mjölet och därefter tomatpurén

3 Rör ned de krossade tomaterna

4 Krydda och späd med vattnet

CURRY/DRAGONSÅS (observera att med den här såsen blir rätten mjölkig)

2 msk margarin

2 msk mjöl

6-7 dl kaffegrädde eller mjölk

1 tsk grönsbuljongpulver

1 ½ tsk curry

1 tsk dragon, malen

salt

vitpeppar

> GÖR SÅ HÄR

1 Smält margarinet i en kastrull

2 Rör ned mjölet (gör en redning)

3 Späd under omröring med 6-7 dl kaffegrädde eller mjölk

4 Rör ned grönsaksbuljongpulvret

5 Rör i curry och dragon

6 Smaka av med salt och vitpeppar

PERSILJEPOTATIS

Det här sättet att tillaga potatisen kräver färskpotatis. Den färska potatisen innehåller mer vatten än den vanliga potatisen och det är det som gör att den kan tillagas utan tillsats av vätska. Rätten får en förstärkt smak av sommar av den färska hackade persiljan, använd gärna den storbladiga sorten.

Potatisen bör tillagas i en tjockbottnad kastrull, bäst blir det i en järngryta. Gott till både fisk, kött och fågel.

INGREDIENSER FÖR 6 PORTIONER
1 kg färsk potatis
1 msk salt
½ dl olja
En stor knippe persilja

> **GÖR SÅ HÄR**
1 Skala och skär potatisen i skivor
2 Hacka persiljan
3 Häll hälften av oljan i botten på kastrullen
4 Lägg potatisskivorna i kastrullen och varva i lager med salt och hackad persilja
5 Häll slutligen den återstående delen av oljan på potatisen
6 Täck kastrullen med locket och låt långsamt koka, cirka en timme, tills potatisen känns riktigt mjuk

TOMATRIS

INGREDIENSER FÖR 4 PORTIONER
1/4 dl olja
4 dl vatten
2 msk tomatpuré
½ tsk salt
2 dl ris
1 buljongtärning (vegetarisk buljong om rätten ska vara parve)

> **GÖR SÅ HÄR**
1 Häll lite olja i botten på kastrullen
2 Häll i 4 dl vatten, rör ned 2 matskedar tomatpuré plus en buljongtärning
3 Salta med ½ tsk salt
4 Koka upp vattnet, häll i 2 dl ris, koka långsamt under lock cirka 18 min
5 Låt vila en stund innan locket tas bort

PIROGER
champinjonfyllda, parve

INGREDIENSER FÖR CIRKA 15 PIROGER
FYLLNINGEN
½ kg champinjoner, färska eller frusna
2 medelstora gula lökar, hackade
2 msk mjöl
salt
peppar
½ dl olja till stekning

DEGEN
8 dl mjöl
3 tsk bakpulver
½ tsk salt
300 gr margarin
2 dl kokande vatten
ev. ett ägg till pensling

Degen kan användas för olika fyllningar, både kakfyllningar och mer matiga fyllningar som för champinjonfyllningen nedan. Den är också en utmärkt pajdeg.

> GÖR SÅ HÄR
DEGEN
1 Blanda samman mjöl, bakpulver och salt i en stor skål
2 Gör ett hål i mitten av mjölblandningen i skålens botten
3 Lägg margarinet i hålet
4 Häll över det kokande vattnet
5 Blanda allt i skålen (tänk på att vattnet är hett) till en deg
6 Låt degen vila i kylskåp i minst två timmar

FYLLNINGEN
1 Skiva champinjonerna

2 Stek den hackade löken i olja tills den fått färg
3 Tillsätt champinjonerna, salta och peppra efter smak
4 Blanda väl och låt småputtra under lock i 15 minuter
5 Lägg till mjölet, rör så att det blir en tjock sås. Låt småkoka i 5 minuter. Låt svalna

UTBAKNING AV PIROGERNA, CA 15 ST
1 Dela degen i tre delar
2 Kavla ut varje degklump till en rektangulär bit av cirka ½ cm tjock, obs mjöla bakbordet ordentligt under degen
3 Lägg fyllningen i mitten, från kortsida till kortsida
4 Lägg ihop degens långsidor så att det blir en fylld längd
5 Placera den fyllda längden på plåten med bakplåtspapper så att skarvsidan kommer nedåt (den undre sidan blir därmed dubbel)
6 Gör före bakningen några snitt med en vass kniv aningen diagonalt längs varje längd (för att även fyllningen ska bli genombakad)
7 Pensla varje längd med ägg och baka därefter i 175° i cirka 40 minuter tills längderna fått lite färg
8 Låt längderna svalna och skär därefter upp varje längd i fem bitar

POTATISSALLAD

Den här potatissalladen ska helst göras av varm potatis. Den kan ätas såväl varm som kall.

INGREDIENSER FÖR 8 PERSONER
2 kg potatis av fast sort

TILL DRESSINGEN
1 stor rödlök
3 dl skivad smörgåsgurka
2 dl matolja
1 msk vinäger

1 dl vatten från potatisavkoket

½ dl finhackad dill

1 msk senap

salt

peppar

> **G Ö R   S Å   H Ä R**

1   Koka potatisen mjuk, spara 1 dl av potatisspadet

2   Finhacka löken och smörgåsgurkan

3   Blanda i en skål alla ingredienser till dressingen

4   Skiva potatisen och varva potatisskivorna med dressingen

Rör inte i potatissalladen utan låt potatisen stå och suga åt sig av dressingen som varvats i salladen

VARIATION TILL DRESSINGEN

2-3 färska lökar, hackas hela med skaften (om det inte finns färsk lök så ta en vanlig gul lök)

5 msk majonnäs

1 msk senap

salt, peppar

2 hårdkokta ägg, hackade

> **G Ö R   S Å   H Ä R**

1   Skär den kalla, kokta potatisen i kuber

2   Blanda dressingen

3   Rör försiktigt ner dressingen i potatisen

PUMPA-ZUCCHINI-STUVNING
mjölkig

INGREDIENSER

en medelstor pumpa, cirka 1 kg, från vilken man rensar bort kärnorna eller tre medelstora zucchinis

1 knippe färsk dill

1 stor gul lök

3 dl crème fraîche eller gräddfil

salt

olja till att bryna löken

2 msk mjöl till redning (redningen kan dock uteslutas)

½ dl vatten

> **G Ö R   S Å   H Ä R**

1   Riv pumpan eller zucchinin på rivjärnets grova sida (eller riv i matberedare)

2   Hacka och bryn löken lätt i olja i en tjockbottnad kastrull

3   Lägg i mjölet och rör om till en jämn och tjock bas för en redning. Låt redningen brynas en aning innan den späds

4   Späd redningen med ½ dl vatten

5   Häll i crème fraîchen / gräddfilen

6   Blanda i den finhackade dillen

7   Lägg i pumpa/zucchini, salta efter behag, låt sjuda i 10 minuter

Variation: kan användas som tillbehör till en kötträtt om man byter ut crème fraîche/gräddfil mot 2 dl vatten. Man kan då, om man vill ha en litet krämigare konsistens öka mängden mjöl i bottenredningen till 3 msk mjöl.

Jag växte upp i Sighet i norra Rumänien. Ungefär 40% av stadens 30 000 invånare var judar. Vi levde ett traditionellt judiskt liv, men upplevde oss samtidigt som väl integrerade medborgare i det rumänska samhället. Hemma talade vi ungerska, men själv var jag tvåspråkig (ungerska och rumänska). Dessutom förstod jag jiddisch — mina morföräldrars språk.

Jag kom till Sverige år 1945 med en Röda Korset transport och var en av dem som räddades från koncentrationslägret Bergen Belsen.

Jag återsåg min hemstad först år 1969. Av det sjudande judiska liv som funnits där allt sedan tidigt 1700-tal fram till 1944, då nazisterna deporterade Sighets judar, återstår ingenting.

Under min barndom var min familj ganska välbeställd. Vi hade hemhjälp, men maten lagade min mamma alltid själv. Hushållet var naturligtvis kosher.

Speciellt tydligt minns jag "de nio dagarna", på jiddisch "Neun Teg". Dessa dagar infaller på sommaren och föregår fastedagen Tisha be-av, den 9:e i den judiska månaden av (åminnelsedagen för templets och Jerusalems förstörelse). Då var det som varmast. Under de nio dagarna åt man inte kött (utom på shabat), endast mjölkmat. Kötträtter stod för lyx och skulle inte tillredas dessa dagar då man mindes tiden för Jerusalems belägring och fall.

Jag minns rätter som sötostfyllda pannkakor, olika grönsakssoppor smaksatta med gräddfil, pumpastuvning och olika pasarätter. Vi åt också lángos, ett slags varma pannbröd penslade med olja och vitost, beströdda med hackad dill. Jag tyckte mycket om alla dessa rätter. Till denna period hörde också ostkakor och andra vetedegskakor – bakverk som vi under resten av året bara åt till shabat.

    Hedi Fried

VITOST
kvarg

INGREDIENSER
1 liter filmjölk
Alternativt, om man vill ha en något fetare vitost, exempelvis för att göra en kryddad vitost att ha till smörgåspålägg:
½ liter filmjölk
½ liter gräddfil

> GÖR SÅ HÄR
Filmjölken eller fil/gräddfilsblandningen hälls i ett melittafilter som ställs på en skål för avrinning. Låt stå i minst 8 timmar.
Vill man ha en något torrare konsistens på vitosten ska man värma filen/ filgräddfilen till cirka 40° innan man häller upp den i mellittafiltret. Ju mer man hettar upp desto torrare och kornigare blir vitosten, men låt den inte koka upp!

Exempel på kryddningar för 3 dl vitost:
Ungersk kryddning, "körözött"
½ tsk paprikapulver (inte den starka sorten)
1/4 dl finhackad gräslök eller annan mild lök
½ tsk kummin
1/4 tsk salt (smaka av)

Vitlökskryddning
1/4 msk salt (smaka av)
2 krm vitlökspulver eller ännu bättre: 1 - 2 pressade vitlöksklyftor
1/4 dl finhackad persilja

Örtkryddning
1/4 dl salt (smaka av)
1/4 dl finhackade gröna örter såsom persilja, dill, oregano, mejram eller 1 msk färdigköpt blandning av frysta provencalska örtkryddor

"ZWIBEL MIT EIER"
Ägg-och löksallad, parve

INGREDIENSER FÖR 6 PERSONER
6 hårdkokta ägg, hackade
3 färska gula lökar med skaft eller 1 stor gul lök, finhackade
2 - 3 msk majonnäs eller 2 msk olja
salt
peppar
1 tsk senap (ej nödvändigt)

> GÖR SÅ HÄR
Blanda alla ingredienser till en sallad

Variation
Lägg till en finhackad eller mosad avokado och 1 tsk citronsaft

FANNYS ÄGGSALLAD
parve

INGREDIENSER FÖR 6 PERSONER
4 hårdkokta ägg
2 kokta potatisar
½ medelstor finhackad gul lök
2 finhackade fasta tomater
3 dl gröna ärtor av sorten små fina ärtor, frysta som tinats
½ - 1 st saltgurka, helst av sorten estnisk saltgurka
1 msk majonnäs
½ - 1 msk olja
salt
peppar

> GÖR SÅ HÄR
1 Hacka äggen och tärna potatisen smått
2 Blanda alla ingredienser, smaka av med salt och peppar

Den här äggsalladen kommer från min mormor, Fanny.

Hon föddes med efternamnet Portnoj-Wygodzki, gifte sig Raj-
mic och var från Bialystok, som då låg i Ryssland, nuvaran-
de Polen. Fannys familj flyttade till USA år 1910 men Fanny
som var äldsta barnet stannade kvar i Belgien där hon just
hade påbörjat sin läkarutbildning. Där träffade hon sin
man Artur men när hon gift sig, avbröt hon sina studier och
flyttade med sin man till hans hemstad Lodz i Polen. Fanny
fick två barn, Rudolf född 1914 och Nina, min mamma född
1925.

Under kriget lyckades Fanny ta sig ut ur Warszawas getto
och gömma sig hos olika familjer i Warszawa. I krigsslutet
försökte hon till fots ta sig till sina barn i andra änden
av staden. På vägen blev hon p g a artilleribeskjutning
tvungen att söka skydd i en kyrka. En brandbomb kastades in
i kyrkan, varvid Fanny dog.

Nina kom till Danmark år 1946 med en grupp polska läkarstu-
derande. De var gäststudenter men då hon hörde om pogromen
på judar i den polska staden Kielce (som ägde rum samma år)
beslöt hon och några av de andra studenterna att fly till
Sverige. Bland dem fanns även hennes blivande man Jerzy.

    Lena Einhorn

VITOSTKREPLACH
(vitostknödel)

Rätterna som består av fyllda pasta -eller degknyten kom troligen in i den judiska mattraditionen med den tyska judenheten som i sin tur fick dem från Venedig under tidigt 1300-tal.

INGREDIENSER
FYLLNINGEN
4 dl vitost av typ Philadelphia eller hemgjord vitost av 1 liter filmjölk (se sid *181*)
1 äggula
½ tsk salt
2 tsk socker
1 tsk smält smör
½ tsk vaniljsocker
½ riven citronskal
2 msk ströbröd

En alternativ fyllning kan vara en vitostfyllning som inte är söt utan aningen salt och kanske lätt kryddad

TILL SERVERINGEN
3 dl gräddfil eller lätt-crème fraîche / alternativt smält smör
kanel att pudras över

INGREDIENSER
DEGEN
½ kg vetemjöl
5 ägg
1 msk olja
1 tsk salt

> **GÖR SÅ HÄR**
1 Arbeta ihop mjöl, ägg, olja och salt till en deg. Låt vila ca 1 tim
2 Kavla ut degen tunt och skär ut små fyrkanter eller ta ut rundlar med ett glas
3 Lägg en klick ostfyllning på varje fyrkant/rundel och knip ihop kanterna till en trekant. Det är viktigt att kanterna är hårt ihopknipna
4 Vik upp de båda ändarna längst ut och fäst dem ordentligt (om man utgått från fyrkanter)
5 Koka i lätt saltat vatten 10-15 minuter

Serveras med smält smör eller gräddfil/eller lätt crème fraîche, eventuellt pudrat med lite kanel/pudersocker

Hilde Rohlén-Wohlgemuth skildrar sin första tid i Sverige
i berättelsen "Ett nutida kvinnoöde" som ingår i hennes
bok Judiska kvinnogestalter (TRADO-books, 1991). Nedan
följer några utdrag:

"Märkvärdigt nog kallades 30-talets tysk-judiska invand-
rare inte flyktingar, de kallades emigranter; alltså inte
ens immigranter, som de ju i själva verket var."
......"Våren 1934 kom min dåvarande fästman Norbert Wohl-
gemuth till Stockholm"

......."Som politiskt vakna unga människor insåg vi båda
tidigt att vi som judar inte längre hade någon framtid i
Hitler-Tyskland."

......"Jag själv kunde utan vidare ha fått arbetstill-
stånd som hembiträde, det var lätt att få. Men jag hörde
avskräckande skildringar av unga tysk-judiska flickor om
deras arbetsvillkor, och Norbert tyckte att jag gjorde mer
nytta, om jag höll reda på hans elever och bevakade tele-
fonen. Så jag började göra översättningar till tyska för
"Bildade kvinnors arbetsbyrå", hade ibland några elever i
tysk konversation och gjorde några ströjobb åt emigranter.
Dessutom började jag göra "Weisser Käse" - kvark eller
keso som det nu kallas - som många tyska och sedan öster-
rikiska flyktingar längtade efter och som då inte fanns
att tillgå i Sverige. Då mjölken ännu ej var pastörise-
rad som nu, var det inte svårt att framställa surmjölk
och därutav kvark. I ca 7-8 år hade jag alltid omkring
fem silduksställningar med droppande ostmassa stående i
köket och på fredagarna gällde det att avyttra den färdiga
osten."

        Hilde Rohlén-Wohlgemuth

VEGETARISK "GEHACKTE LEBER"

> **GÖR SÅ HÄR**

1 Skiva auberginerna i cirka ½ cm tjocka skivor

2 Salta aubergineskivorna, lägg i en skål och låt dem dra i en halv timme

3 Häll av saften som runnit ur de saltade aubergineskivorna, pressa dem försiktigt med händerna så att ytterligare lite saft rinner ut

4 Stek aubergineskivorna i olja tills de är mjuka och brynta

5 Hacka lökarna och stek i olja så att löken får färg

6 Riv äggen på ett rivjärn eller mosa med en gaffel

7 Mosa auberginerna med en gaffel eller kör dem i en matberedare till en jämn smet

8 Ta en stor skål, blanda alla ingredienser till en ganska tjock smet, salta och peppra efter smak

> **GÖR SÅ HÄR**

1 Stek den hackade löken i olja tills den blivit ordentligt brun

2 Häll bort allt vatten från ärtor och bönor och kör dem i matberedare till en slät massa

3 Kör valnötterna i matberedaren tills de är helt malda

4 Blanda i en skål den stekta löken, de malda bönorna och ärtorna samt valnötterna

5 Mosa de hårdkokta äggen och blanda dem med övriga ingredienser

6 Smaka av med salt, peppar och sojasås

VARIATION I

Ingredienser för 8 portioner

3 stora auberginer

3 stora gul lökar

4 hårdkokta ägg

olja till stekning

salt

peppar

VARIATION II

INGREDIENSER

2 msk olivolja

1 stor hackad gul lök

1 burk (ca 3 dl) gröna ärtor

1 burk (ca 3 dl) gröna bönor

2 dl hackade valnötter

½ tsk salt

peppar

2 msk sojasås

2 hårdkokta ägg

INGREDIENSER

6 stora potatisar

1 finhackad lök (ej nödvändigt)

3 msk mjöl

2 ägg

2 tsk salt

1 krm mald svartpeppar (ej nödvändigt)

olja till stekning

LATKES
kallas ibland för Chremslach

> **GÖR SÅ HÄR**

1   Skala och riv potatisen fint, låt stå en stund och häll därefter av så mycket som möjligt av vattnet som separerats
    från den rivna potatisen

2   Blanda lök med riven potatis

3   Tillsätt mjöl, salt och ev. peppar

4   Hetta upp olja i stekpannan

5   Stek latkesarna tills de får en lagom brynt yta med lite krispiga kanter

Serveras antingen
1. som tillbehör till exempelvis kött eller
2. till kaffe eller te med äppelmos eller annan sylt till eller
3. som en egen rätt med en sallad och eventuellt gräddfil till

EFTERRÄTTER

I det ashkenasiska köket är desserten/efterrätten inget stort nummer. En måltid avslutas rätt och slätt med en kompott.

Här presenteras ändå, förutom kompott, ytterligare några efterrättsrecept. Vi har dock lagt tonvikten på recept som är parve, det vill säga sådana som inte innehåller mjölkprodukter. I planeringen av en traditionell judisk måltid kan det nämligen vara svårt att i annan svensk kokbok hitta kak- och dessertrecept i vilka varken smör eller andra mjölkprodukter ingår.

Men visst kan det bli gott även utan smör och grädde, se själv!

INGREDIENSER

PANNKAKAN

3 ägg

½ tsk salt

3-4 dl mjölk

2 msk olja

2 dl vetemjöl

smör och olja till stekning

FYLLNINGEN

4 dl vitost av typ Philadelphia eller hemgjord vitost av 1 liter filmjölk (se sid *181)*

1 äggula

½ tsk salt

2 tsk socker

1 tsk smält smör

½ tsk vaniljsocker

det rivna skalet från en ½ citron

BLINTZES MED VITOSTFYLLNING
mjölkig

> **GÖR SÅ HÄR**

PANNKAKORNA
1 Vispa äggen pösigt. Tillsätt salt och mjölk och olja och blanda väl

2 Tillsätt mjölet och vispa tills smeten blir jämn

3 Värm en stekpanna på medelvärme och häll i lite olja och ev. lite smör. Stek tunna pannakakor

FYLLNINGEN
1 Blanda alla ingredienserna till fyllningen

2 Lägg fyllning på en pannakaka i taget, vik in kanterna och rulla ihop till avlånga "paket"

3 Stek de färdiga blintzes något i smör tills de är ljusbruna eller hetta upp dem i ugnen i en ugnsfast form och låt dem på så sätt få aningen färg

4 Servera som de är eller med gräddfil eller chokladsås eller flytande honung ringlad ovanpå

CHOKLADMOUSSE
parve

INGREDIENSER FÖR 10 PERSONER
250 gr blockchoklad (mörk choklad utan mjölk)
7 ägg
2 dl sött vin

> **GÖR SÅ HÄR**
1   Smält chokladen
2   Separera äggen
3   Rör ner gulorna en och en i chokladen. Tillsätt vin om vartannat med gulorna tills du
    får en krämig konsistens
4   Vispa vitorna hårt
5   Vänd försiktigt ner vitorna i smeten
6   Häll upp i serveringsskålar
7   Låt helst stå en hel dag i kylskåp före serveringen

FROZEN CHOCOLATE MOUSSE
parve

INGREDIENSER FÖR 15 PERSONER
10 ägg, separerade
400 gr mörk choklad
10 msk bryggt kaffe
5 msk cognac

> **GÖR SÅ HÄR**
1   Smält chokladen, tillsätt kaffe och cognac, låt svalna
2   Tillsätt 10 äggulor, blanda ner i chokladsmeten
3   Vispa äggvitorna till fast vitt skum och rör försiktigt ned i chokladblandningen
4   Häll i en stor kakform eller direkt i serveringsskålar och sätt i frysen
5   Låt stå i frysen tills det stelnat. Ta ut ur frysen en halv timme före servering

CITRONKRÄM

parve

Krämen passar bra att fylla en kaka med eller som tillbehör till exempelvis frukt-
desserter

INGREDIENSER

3 ägg
2 dl socker
75 gr margarin
saft och rivet skal från 2 citroner

> **GÖR SÅ HÄR**

1   Vispa ägg och socker pösigt
2   Tillsätt saft och skal från citronerna. Låt sjuda i vattenbad under omrörning tills
    krämen har tjocknat
3   Rör ner fettet

CITRON-MARÄNGPAJ

parve

INGREDIENSER PAJDEGEN

3 dl mjöl
125 gr vegetabiliskt margarin
½ dl socker
1 tsk vaniljsocker
1 msk vatten

> **GÖR PAJBOTTEN SÅ HÄR**

1   Blanda snabbt ihop alla ingredienserna till degen. Ställ degen i kylskåp i 30 minuter
2   Bred ut degen i en rund bakform med löstagbar botten (lägg bakplåtspapper i
    botten). Bred ut degen jämnt. Klä även kanterna av formen med deg
3   Lägg den degklädda pajformen i frysen i 20 minuter
4   Förgrädda pajbotten i 200° i 10 minuter

INGREDIENSER TILL CITRONFYLLNINGEN

3 dl vatten
1 ½ dl socker
6 msk majsmjöl
saften från 2 citroner
rivet skal från 2 citroner
3 äggulor
1 msk vegetabiliskt margarin

> **GÖR FYLLNINGEN SÅ HÄR**

1   Häll vattnet i en kastrull, tillsätt sockret
2   Rör i majsmjölet
3   Rör i citronsaften
4   Låt koka medan du rör om
5   Sänk värmen och häll långsamt i den ena äggulan efter den andra medan du rör om
    i kastrullen. Obs - använd inte stålvisp om kastrullen är av aluminium!
6   Häll i det rivna citronskalet och margarinet, rör om
7   Låt smeten svalna medan du fortsätter med marängsmeten

INGREDIENSER TILL MARÄNGSMETEN

3 äggvitor
1 dl socker

> **GÖR MARÄNGSMETEN SÅ HÄR**

1   Vispa äggvitorna hårt
2   Blanda i sockret

Häll citronfyllningen i pajbotten och bred därefter ut marängsmeten över
fyllningen.

Grädda i ugnen i 150° i cirka 10 minuter (ev. 15 minuter, marängen ska ha en fin
ljust beige-brun färg).

*Förvara pajen i kylskåp tills den serveras annars kan citronfyllningen
bli rinnig*

FRUKTPAJ
parve

Det här är en fruktpaj som kan varieras allt efter säsongens frukter. Tänk bara på att om frukterna har mycket saft/vätska i sig så bör man öka mängden potatismjöl på pajbottnen under frukten.

INGREDIENSER PAJBOTTEN
3 dl mjöl
125 gr vegetabiliskt margarin
½ dl socker
1 msk vatten

ÖVRIGA INGREDIENSER
1 msk potatismjöl
Cirka 1-2 dl socker

> GÖR SÅ HÄR

1 Blanda snabbt ihop alla pajingredienser
2 Klä en pajform med degen och ställ in den klädda formen i kylskåp i en halv timme
3 Förgrädda därefter pajbottnen i 200° i 10 minuter

FRUKTEN
   Strö potatismjölet över pajbottnen
   Ta exempelvis jordgubbar eller plommon eller andra frukter i så stor mängd att det ligger ganska trångt och gott och väl täcker pajbottnen
   Strö över cirka 1 dl socker, mer om frukten är syrlig
   Grädda i 175° i 10 minuter

Servera gärna med glass, eventuellt mjölkfri glass eller citron om den serveras i anslutning till en köttig måltid.

KOKTA PÄRON MED CHOKLADSÅS
parve

INGREDIENSER
PÄRONEN
1 liter vatten
1 ½ dl socker
2 tsk citronsaft
4 päron

CHOKLADSÅS
1 dl kakao
1 dl socker
1 dl vatten
1 nypa salt

> GÖR SÅ HÄR

1 Koka upp vatten, socker och citronsaft
2 Skala päronen och låt skaften sitta kvar
3 Koka dem mjuka i sockerlagen (känn efter med en provsticka)
4 Ta upp päronen och låt dem rinna av
5 Blanda samtliga ingredienser till chokladsåsen och låt koka sakta under omrörning 3-5 minuter
6 Servera päronen ljumma med chokladsåsen och eventuellt också med glass (Med mjölkfri tofuglass blir det en lämplig efterrätt även till en måltid där kött serverats)

BLANDAD FRUKTKOMPOTT

INGREDIENSER FÖR 8 PERSONER
4 stora äpplen
250 gr frusna jordgubbar
½ pkt katrinplommon
½ pkt torkade aprikoser
1 dl socker
ev. några skivor citron med både fruktkött och skal

> GÖR SÅ HÄR

1   Skala äpplena, skiva dem i inte allt för smala bitar
2   Lägg alla frukter i en kastrull
3   Täck med vatten och häll i sockret
4   Låt koka upp och sätt därefter ner värmen så att det sjuder
    i 10 minuter. Dra därefter undan kastrullen från plattan.
    Serveras väl kyld

PLOMMONKOMPOTT

INGREDIENSER FÖR 4 PERSONER
1 pkt torkade plommon
citron- eller apelsinskal
socker efter smak

> GÖR SÅ HÄR

1   Skölj plommonen väl
2   Lägg plommonen i en kastrull och häll över vatten så att de knappt täcks
3   Låt stå över natten
4   Koka upp plommonen
5   Sockra efter behag
6   Lägg i lite citron- eller apelsinskal (skiva skalet från en kvarts citron)
7   Låt koka på svag värme i ca 20 min
    Serveras väl kyld

PÄRONTÅRTA
mjölkig/parve

Blir en parve kaka/efterrätt om smöret byts till vegetariskt margarin och grädden till vegetarisk glass)

INGREDIENSER
100 g smör /margarin
1 dl strösocker
1 hg sötmandel, skållad och mald
3-4 bittermandlar
1 msk vetemjöl
3 ägg
1 burk konserverade päron

> **GÖR SÅ HÄR**
1   Sätt ugnen på 200º
2   Rör socker och smör (alt. margarin) poröst och tillsätt mandel och mjöl
3   Vispa upp äggen och blanda ner dem i smeten
4   Smörj en form och täck botten med de väl avrunna päronen. Bred mandelsmeten över päronen
5   Grädda kakan 30-35 minuter
6   Låt kakan svalna och stjälp upp den

Serveras med vispad grädde (alt. vegetarisk glass) och ev. flisad choklad

SMULPAJ
parve

Den här pajen passar utmärkt under vinterhalvåret när det kan vara ont om färsk frukt

INGREDIENSER DEGEN
6 dl mjöl eller 4 dl mjöl och 2 dl hackade mandlar
2 tsk bakpulver
200 gr margarin
½ tsk salt
1 dl socker

FRUKTEN
4 -6 äpplen, skurna i smala klyftor
1 burk konserverade persikor skurna i smala klyftor
Ytterligare konserverad frukt, exempelvis konserverade körsbär

> **GÖR SÅ HÄR**
1   Smörj med margarin en långpanna med höga kanter
2   Placera äpplen och den konserverade frukten i långpannan, häll över cirka 1 dl av juicen från någon av burkarna
3   Lägg mjölet och de hackade mandlarna i en stor skål, blanda
4   Hacka ner margarinet i mjölet
5   Lägg till salt och socker, finfördela smuldegen med händerna så att socker och margarin samt övriga ingredienser blir väl och jämnt blandade
6   Fördela smuldegen över frukten i pannan
7   Baka i 175° i 40 minuter

Serveras gärna ljummen och med glass som tillbehör, mjölkfri glass om desserten ska förbli parve.

TAMIS ÄPPELSORBET
parve

INGREDIENSER FÖR 6 PORTIONER

500 gr urkärnade äpplen med skal

100 gr socker

50 gr farinsocker

3 msk pressad citron

35 gr honung

2 äggvitor

2 bitar kanelstång (ej nödvändigt)

3 msk Calvados (ej nödvändigt)

> ## GÖR SÅ HÄR

1   Skär äpplena i bitar

2   Koka äppelbitarna med övriga ingredienser (ej äggen) i vatten så att de nätt och jämnt täcks tills äpplena blir helt mjuka och faller sönder

3   Tag bort kanelstängerna

4   Mixa allt till en slät puré

5   Vispa de två äggvitorna till hårt skum

6   Vänd ner äggvitan i äppelpurén

7   Kör hela smeten i glassmaskin i 30-45 minuter. Om man inte har tillgång till glassmaskin så sätt in i frysen och rör ytterligare en eller ett par gånger innan sorbeten frusit

Låt stå framme i rumstemperatur i cirka 20 minuter före servering

FRUKTSORBET
parve

INGREDIENSER 10 PERSONER

1 kg frukt, ex.vis vattenmelon, persika, apelsin, kiwi, skuren i små bitar i matberedare, spara lite av frukten, ca ¼, i något större bitar

1 stor mosad banan

2 dl socker

saften från en citron

1 dl kallt vatten

2 äggvitor

> ## GÖR SÅ HÄR

1   Mixa all frukt i matberedare utom en fjärdedel som skärs i små bitar för hand

2   Blanda vatten, socker, citronsaft i en kastrull på låg värme tills sockret smälter

3   Blanda all frukt och den mosade bananen med sockerlösningen i en stor skål

4   Förvara allt i frysen i 1 ½ tim

5   Ta ut ur frysen och blanda om igen och frys i ytterligare 1 timme (tills allt känns halvfruset)

6   Slå äggvitorna hårda

7   Vispa den halvfrusna fruktblandningen, rör ner äggvitorna

8   Frys allt igen, ta ut sorbeten 20-30 min innan servering

INGREDIENSER

DEGEN

3 ägg

1 krm salt

1 msk vegetabilisk olja

4-5 dl vetemjöl

1 tsk bakpulver

HONUNGSBLANDNINGEN

4 dl honung

1 ½ dl socker

1 tsk mald ingefära

1 tsk kanel

1 dl valnötter, 1 dl hasselnötter

saften från 1 citron

TEIGLACH
parve

Det här är en mycket söt konfekt från det judiska Litauen.
Den tillreddes företrädesvis till rosh hashana, nyårshelgen

> **GÖR SÅ HÄR**

1 Vispa samman ägg, salt och olja. Tillsätt bakpulver och vetemjöl. Blanda väl. Knåda först i skålen och sedan på en mjölad bräda tills det blir en slät men lös deg. Låt den vila i en plastpåse i kylskåpet medan du gör honungsblandningen

2 Blanda honung, socker, ingefära och kanel och citronsaft i en medelstor, tjockbottnad gryta med lock. Låt blandningen koka upp på svag värme under omrörning

3 Ta degen och dela upp den i 1 ½ cm tjocka längder. Lägg dem på mjölat underlag

4 Skär små bitar av degstänglarna, cirka 1 ½ cm långa, rulla små bollar på ca 1-2 cm i handflatan. Lägg bollarna i kastrullen medan honungen kokar, låt det så fortsätta att småkoka

5 Låt det hela koka i 20-25 minuter tills bollarna blir bruna

6 Häll i nötterna och låt allt koka i ytterligare 10 min

7 Ta bort grytan från värmen. Häll över allt till ett uppläggningsfat med ganska höga kanter. Låt kallna så eller lägg gärna upp tejglach på ett stort fat som ett "berg" eller servera i små separata folieformar

"...En annan gång: min mamma Eva hade gjort i ordning en judisk delikatess, tejglach . Det fick gäster bara smaka på vid speciella helgdagar eller bjudningar, till exempel på julaftnarna. Eftersom Eva alltid infaller på julafton, som inga ortodoxa eller traditionella judar firar, så blev vårt hem varje år en samlingspunkt för upp till fyrtio judiska vänner på Evadagen.

Tejglach är en klibbig sötsak, och vi syskon gillade det. Mamma ville spara, eftersom det är ganska besvärligt att göra, och hon hade gömt burkarna högt uppe i ett skåp i serveringsgången.

Pappa satt i köket och pratade med Lasse, min åtta år äldre bror. Klockan var tolv på kvällen då de hörde litet prassel i serveringsgången, som ledde ut till köket. Pappa gick dit, och såg min syster Flora klädd i nattlinne stå på en hyllkant och sträcka sig efter en av glasburkarna med tejglach . Hon fick syn på pappa och skrek till av rädsla. Pappa sade lugnt: "Schwaig, schwaig – ich will dir helfn, ich will ojch hobn." (Tyst, tyst – jag hjälper dig, jag vill också ha.)"

Ur Bertil Neumans självbiografiska bok "Något försvann på vägen" (Legenda,1989).

INGREDIENSER

50 gr farinsocker

1 kg matäpplen

100 gr florsocker

100 gr vegetabiliskt margarin

100 gr malda mandlar

2 stora ägg

ÄPPEL- OCH MANDELPUDDING
parve

> **GÖR SÅ HÄR**

1 Koka äpplena med farinsocker och lite vatten tills de är nästan mjuka och häll i en smord form

2 Rör ihop florsocker och margarin

3 Vispa lätt äggen

4 Tillsätt försiktigt de lätt vispade äggen i socker-margarin-blandningen

5 Tillsätt de malda mandlarna och blanda försiktigt

6 Häll blandningen över äpplena

7 Grädda på medelstark ugnsvärme i ca 1 timme

Servera med vaniljglass, mjölkfri glass om man vill ha en parve dessert.

BRÖD

I Bibeln har brödet ofta fått symbolisera välfärd och välstånd. Fortfarande tar vi med oss en brödbit och lite salt när vi hälsar på någon som flyttat till en ny bostad. Bröd och salt står för vår förhoppning om att intet skall fattas den som nyss satt bo. Vi har också uttrycket "sötebrödsdagar" som betecknar ett liv i välmåga.

Tillgången till bröd har varit avgörande för uppfattningen om graden av välstånd. I 3:e Moseboken finner vi exempelvis följande förtröstansfulla löfte till Israels folk: 3:e Mosebok 26:5: "Trösktiden varar fram till vinskörden och vinskörden fram till såningstiden. Ni kan äta er mätta på ert bröd och leva trygga i landet".

Det hebreiska ordet för bröd är lechem. Ordet har dock i bibliska sammanhang ofta blivit synonymt med mat i allmänhet. Men att bröd bakades under biblisk tid och även långt tidigare står utom allt tvivel. I 1:a Konungaboken 19:6 och Jesaja 44:19 står det skrivet att "ett bröd bakades på de heta stenarna". Bröden hade olika namn som beskrev deras form eller vilka sädesslag de bakats på. Redan då fanns det bröd som bakades med eller utan jäst.

I 2:a Mosebok. 29:23 nämns brödet kikkar, det runda platta brödet. I II:a Samuel, 6:19 nämns brödet challa som förmodligen liknade det judiska festbröd som bakas än idag. Uga tycks vara benämningen på ett bröd som bakades direkt på elden eller på en het sten. I modern hebreiska betyder uga kaka. I Bibelns böcker hittar man ytterligare beteckningar på olika brödsorter.

I Ordspråksboken, 4:17 finner vi uttrycket " att äta ondskans bröd" och i Ordspråksbokens dikt om den rättrådiga hustrun - Eshet chajil - besjunges den goda hustrun som minsann inte äter "lättjans bröd".

Under rabbinsk tid (tiden efter templets och Jerusalems förstörelse då en stor del av den judiska befolkningen hade fördrivits från landet) framstår brödet som basföda och en måltid betraktas som fullständig först då bröd ingår. Det var nu man införde den särskilda välsignelsen över brödet att läsas före måltidens början. "Välsignad vare Du Herre som frambringar brödet ur jorden". Innan denna välsignelse tvättar den traditionelle juden sina händer och uttalar den bön som visar att han/hon även genomfört den symboliska rituella handtvagningen innan han/hon börjar äta sitt bröd.

Enligt judisk religiös tradition ska man vid bakning av bröd (om degen görs på mer än 1 kg mjöl) ta en bit av degen (ej mindre än en oliv) och därefter bränna degbiten i ugnen. Denna handling symboliserar ett offer, den brända biten ska inte ätas. Biten som offras kallas för challa och själva handlingen kallas för "att ta challa".

Challa kallas också, som tidigare nämnts, det vita bröd som bakas till helger och till shabat. Inför shabat ska det speciella helgbrödet gräddas klart innan helgen börjar. Minst två bröd skall man baka. Bröden påminner om ökenvandringen som följde uttåget ur Egypten och befrielsen från slaveriet, då Gud försåg israeliterna med en dubbel portion manna inför shabat och också om de två skådebröd som varje shabat förevisades i templet.

Varje judisk festmåltid inleds med att brödet välsignas. Det beströs med salt och var och en som deltar i måltiden får smaka.

Shabat- eller helgdagsbrödet är ofta dekorerat. Dekorationstraditionerna är många. Hos oss i Sverige är begreppet judefläta välkänt och brödet finns att köpa i många brödbutiker. Ursprunget går att finna i just ett sådant judiskt helgbröd, flätat och ofta dekorerat med vallmofrö. Också det bröd som på vissa orter i Sverige kallas bergis, ett vitt osötat ljust bröd med vallmofrön på, har sitt ursprung i det judiska challebrödet. På jiddisch kallas det även för barches, ett ord som går att härleda till hebreiskans bracha. – välsignelse. Därmed tillhör bergis de mycket få jiddischspråkiga ordet som genom historisk interaktion införlivats i det svenska språket.

I Jesaja, 58:7 och i Ordspråksboken, 22:9, föreskrivs att en rättfärdig människa måste dela med sig av sitt bröd till de fattiga. I den bok – Hagada – som styr sederaftonens stora måltidsritual, finns en inledning med följande kraftfulla uppmaning: "Detta är eländets bröd som våra fäder åt i Egypten. Alla hungriga, kom och ät med oss! Alla i nöd, kom och fira pesach med oss!"

INGREDIENSER

1 paket jäst

2 matskedar salt

1 dl socker

1 dl olja

6 ägg + 1 ägg till pensling

8 dl vatten

2 kg mjöl

eventuellt vallmofrö

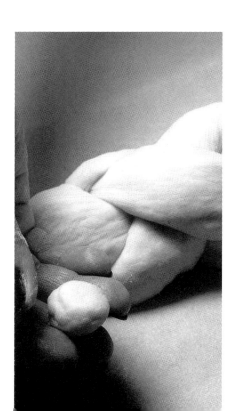

CHALLE

> GÖR SÅ HÄR

1   Rör ihop samtliga ingredienser som vid vanligt brödbak till en jämn och mjuk deg. Degen ska nätt och jämnt släppa degbunken när den är färdig för jäsning

2   Låt degen jäsa ca en timme

3   Knåda och fläta stora 4 challe-bröd och resten av degen formas till "bulkes", småbröd

4   Låt bröden jäsa i cirka 40 minuter

5   Pensla bröden med ägg och strö eventuellt vallmofrön ovanpå

6   Grädda de stora bröden ca i 30-40 minuter, först i 200° cirka 10 minuter tills bröden fått färg, därefter i ytterligare cirka 20 minuter i 175°. Småbröd gräddas i ca 15 minuter i 200 °

CHALLE UTAN ÄGG

INGREDIENSER
1 kg mjöl
50 gr jäst
4 tsk olja
4 tsk socker
4 tsk salt
4 dl vatten

> GÖR SÅ HÄR
Blanda degen som vid bak av vanligt vitt matbröd.
Låt degen jäsa i 2 timmar, forma därefter 2 stora bröd eller flera små challe-bulkes

Ytterligare en variation
Den här varianten har ingenting med tradition att göra utan är ett resultat av nyare hälsoteorier: Den som vill ha lite fibrer även i challebrödet kan addera knappt ½ dl vetekli till mjölet (mjölmängden minskas en aning)

Jag är så gott som
född i ett bageri.
Mina föräldrar drev
ett bageri i den
tjeckiska staden Uzhorod (på ungerska heter den Ung-
var). Det var en mindre stad med 35 000 invånare och
av dessa var 8 000 judar. Vi var 8 syskon i familjen
och alla hjälpte till i bageriet eller i den tillhö-
rande brödbutiken.

På den tiden hade få familjer egna ugnar. En del köpte
färdigt bröd men många satte själva sin deg och kom
till bagaren med färdigjästa bröd. Fredagarna var spe-
ciella. Då kom många judiska familjer till bageriet
inte bara för att grädda sitt challebröd utan också
för att lägga in sina tsholentkastruller och kugelgry-
tor i bageriets väl tilltagna ugn.

År 1939, då jag var 18 år gammal, ockuperades delar av
Tjeckoslovakien av Ungern varvid numerus clausus (kvo-
tering) infördes av näringstillstånd för judiska före-
tagare. Vi fick inget tillstånd och förlorade bageriet.
Pappa ville då ta anställning i en annan stor bage-
rifirma men det tyckte jag var så hemskt att jag själv
tog jobbet. Därmed blev jag familjeförsörjare. Senare
när familjen deporterades lyckades jag rymma och gömma
mig. Av oss 8 syskon överlevde 5 kriget.

En av mina bröder hittade vägen till Sverige redan år
1939. Så småningom kom jag också hit och fick arbete
i hans Stockholmsbageri. Efter några år startade jag
eget bageri och de sista 16 åren av mitt yrkesverksam-
ma liv drev jag det gamla anrika bageriet/konditoriet
Tössebageriet på Östermalm.

    Sam Mikulincer

INGREDIENSER

½ paket jäst

2 ägg

1 kg vetemjöl (drygt)

½ dl socker (knappt)

1 ½ msk salt

½ liter fingervarmt vatten

Receptet är från min mamma Itta. Hon föddes i Polen, i Wielun, ca 10 mil väster om Lodz. Mina föräldrar gifte sig i Polen, men strax efter bröllopet och för att undkomma den svåra militärtjänsten i Polen tog sig min pappa till Sverige. Här i Stockholm hade han en kusin och tillsammans etablerade de sig som skräddare.

Itta var vid denna tidpunkt redan gravid och kunde därför inte följa med. Det dröjde faktiskt ända till år 1927 innan hon med sin knappt 2-åriga dotter återförenades med sin man Juda. Sorgligt nog dog Juda år 1929 och Itta blev ensam med sin lilla flicka. Livet igenom höll hon fast vid de judiska traditionerna och till varje shabat bakade hon ett gott challe-bröd.

Anna Icek

MOR ITTAS CHALLE

> **GÖR SÅ HÄR**

1 Blanda ihop samtliga ingredienser

2 Låt degen jäsa ca en timme

3 Knåda och fläta 3 bröd (Mor Itta flätade med 6 stänger)

4 Låt degen jäsa ytterligare en stund

5 Pensla bröden först med vitan av ett ägg, därefter med gulan

6 Grädda ca en timme på 200° i början. Sänk gradantalet efter ungefär 20 minuter till 175°

Ur Anita Goldmans bok Rita Rubinstein åker tunnelbana i den bästa av världar (Natur och Kultur, 1997):

Jakob sitter hos sin psykolog och talar om sitt liv. Jakob talar om mat och försöker förklara vad maten, den judiska maten är. Här berättar han om brödet:

..." Två doftande flätade judiska bröd. Judeflätor kallas dom i Hötorgshallen. Det har jag hört när jag varit där. Judeflätorna ligger där nu och doftar förväntan och löften. Vid sabbatens början på fredagskvällen skall man ta en bit - och inte skära med kniv - utan så där lustfyllt och manligt bryta av med handen. Doppa brödet i lite salt, läsa välsignelsen över brödet och stoppa det i munnen. Och så har sabbaten börjat. Brödet är vitt och kompakt. Som italienskt matbröd ungefär, men sötare. Tungt och mastigt, fylligt, vackert. Det lindrar och lugnar därinne i tarmarna sedan. Gör det bittra sötare."
..."Det handlar om mat. Förstås. Handlar det inte alltid om mat? Är inte nästan alla mänskliga möten, ceremonier, märkesdagar, festligheter och minnen centrerade kring mat?"

...."Det är inte bara vi som är vad vi äter. Det är dom som är vad dom äter. Den som äter camembert har inte samma begrepp om gud och demokrati och döden som den som äter ris i en skål. Tycker du att jag drar för stora växlar på mitt ämne? Jaså. Begrunda då detta: Skillnaden mellan knäckebröd och challebröd. Det hårda tunna, frugala, torra, kalorifattiga, nyttiga, glanslösa, praktiska, präktiga knäckebrödet. Och det mastiga, tunga, glänsande, kaloririka, förstoppande, opraktiska (kort hållbarhet) challebrödet. Med dom där oändamålsenliga flätorna som gör det svårt att skära lika, fyrkantiga skivor. Pröva att göra en dubbelsandwich av challebröd. Det är inte lätt, för bitarna blir aldrig likformade. Nej, just det."

...."Med andra ord. Knäckebröd är svenskt. Det mest goyishe man kan äta. Challebröd är judiskt. Helt och hållet. Det kunde inte vara tvärtom, omöjligt, otänkbart. Judar äter challebröd och svenskar äter knäckebröd. Och därav skillnaden. Den oerhörda och absoluta."

BAGEL

> GÖR SÅ HÄR

1   Allt blandas och arbetas ihop till en deg som får jäsa i 60 minuter

2   Dela degen i ca 60 - 100 grams bitar som kavlas ut och formas till ringar

3   Låt jäsa på en plåt övertäckt med en kökshandduk i cirka 30 minuter

4   Lägg degringarna i kokande vatten ungefär 1 minut på varje sida

5   Ta upp ringarna med hålslev och lägg tillbaka dem på plåten. Arbeta nu snabbt så att baglarna kommer i ugnen så fort som möjligt efter kokningen. Strö över sesamfrön eller grovsalt

6   Grädda i ugnen i 220° tills bröden fått en gyllenbrun färg

INGREDIENSER

1 liter ljummet vatten

50 gr jäst

100 gr (0.7 dl) maltextrakt

50 gr (0,75 dl) olivolja

1,7 kg vetemjöl med extra hög proteinhalt, exempelvis Vetemjöl Special

50 gr salt

Bröd är kärlek. Bröd är fundament. Bagerier är det första jag utforskar när jag besöker främmande miljöer och jag tycker alltid att det fördjupar mitt förhållande till människorna där. Det är sannolikt fel men det gör inget.

Bagels är ett mytomspunnet bröd. Det omnämns redan, har jag hört, i sena 1500-tals texter från Ryssland och Östeuropa. Där lär småbagels ha bakats till nyförlösta kvinnor som gåva och som "kraftfoder". Känd är berättelsen om den österrikiska bagaren som på sent sextonhundratal i lyckan över att den österrikiske tronföljaren avvärjt ett angrepp från turkarna skapar ett nytt bröd, en "beugel" - (stigbygel). I New York tillhör bagels standardutbudet av brödsorter. Det kom dit i samband med 1800-talets invandring av östeuropeiska judar.

Jag hade arbetat som frilansande skådespelare i många år och kände en viss leda. Teater betyder inte alltid bröd i ett allt hårdare kulturklimat och jag längtade efter något helt annat.

Jag älskade bagels som jag ätit i Israel och i USA. Jag började titta i kokböcker och lät ryktet gå om att jag sökte recept på bagels. Varje dag, hemma i min lilla ugn, bakade jag. Det blev som ett litet vetenskapligt projekt, som ledde till att jag fick kontakt med bagelbagare i London, New York och Tel Aviv.

Att baka bagels var inte alls enkelt. Mjölet jag fick tag på var för vekt. Jag började åka runt till mindre kvarnar i Mellansverige.

Hade någon året innan talat om för mig att jag ett år senare skulle prata proteinhalt och falltal på mjöl hade jag knackat mig i pannan.

Jag bakade nästan varje dag. Besökte bagelälskande vänner som provsmakade. Alltid var det någonting som inte stämde, tätheten, färgen, ytstrukturen.....

Efter tre månader fick jag allt att stämma. Jag vet inte om jag ägnat mig så målmedvetet åt något sedan jag lärde mig gå, men det bar i alla fall frukt.

Det var inte mycket jag visste om bagerier men jag började i alla fall besöka några klockan 3 på morgonen. Ingen var intresserad av att låta mig baka bagels. Till slut träffade jag en bagare som hade ett så litet bageri att han själv knappt fick plats. Vi skulle nog komma överens sa han och jag var lycklig.

Sex nätter i veckan bakade jag bagels på Rådmansgatan i Stockholm. Jag talade med media, pratade bagels i radio. Tidningar gjorde reportage... man tyckte att det fanns ett underhållande värde i historien om skådespelaren som blev Sveriges första bagelbagare.

Bert Kolker

KAJS SURDEGSBRÖD

> **GÖR SÅ HÄR**

DAGEN INNAN BAKET

Rör ihop i en bunke:

3 dl rågmjöl och 1pkt jäst med 1,5 dl vatten som är 40° till en "gröt".

Låt denna gröt stå i ett dygn i rumstemperatur och jäsa.

NÄSTA DAG

1   Häll över surdegen i en bakbunke och tillsätt

2   1 pkt jäst upplöst i 13 dl vatten som är cirka 40° varmt

3   Tillsätt 3 dl rågsikt plus olja och salt och rör om

4   Arbeta in vetemjölet, cirka 1.5 liter. Ta inte i allt mjöl på en gång utan se till att degen blir mjuk och smidig. När den
    är färdig ska den nätt och jämnt släppa degskålen

5   Låt degen jäsa i degskålen i en timme eller något mer

6   Stjälp upp degen på mjölat bakbord och arbeta den slät

7   Forma 4 limpor, lägg på plåt och låt bröden jäsa i 30 minuter

8   Grädda limporna mitt i ugnen i 180° i 50-60 minuter. Limporna får ett tjockt "skal". Pensla dem med vatten efter
    gräddningen för att skalet skall bli mjukare och ytan blank och fin

INGREDIENSER FÖR 4 STORA LIMPOR

6 dl rågmjöl

2 pkt jäst

5 msk olja

4 msk salt

vetemjöl, cirka 1,5 l

vatten

En mycket stormig natt mellan den 4 och 5 oktober 1943 kom jag med far, mor och lillebror i en fiskebåt till Skanör från Danmark. Överresan var dramatisk och tog fyra och en halv timme. Vår båt var den första med danska flyktingar som angjorde Skanör. Vår ankomst var väntad och i ett församlingshem nära hamnen välkomnade oss svenska lottor med bäddade sängar och varm mat.

Efter kriget återvände vi till Danmark men 1952 vid ett besök i Sverige träffade jag min blivande man. Så kom jag att flytta tillbaka till Sverige. Jag lagar mat som tagit intryck från många håll. Min mor kom som baby till Sverige från Lettland och gifte sig sedan med en dansk-judisk man. Min fars familj kom till Danmark i början av 1900-talet från S:t Petersburg.

De här skorporna har jag lärt mig att baka av min danska ungdomsväninna Hanne Goldschmidt. Hon kom senare att tillsammans med sin syster skriva den dansk-judiska kokboken Till bords indenfor murerne.

Tove Michaeli

RÅGBRÖD MED KUMMIN

INGREDIENSER FÖR 1 BRÖD
½ liter vatten
15 g jäst
1 msk olja
1 msk salt
3 msk kummin
8 dl vetemjöl
3 ½ dl rågsikt

> GÖR SÅ HÄR
1 Blanda samman vatten, jäst, olja, salt och kummin
2 Tillsätt råg-och vetemjöl
3 Låt jäsa i minst 4 timmar
4 Häll ut degen på en smord plåt
5 Sätt in plåten längst ner i kall ugn
6 Sätt ugnen på 250°
7 Grädda i 40-50 minuter

DANSK-JUDISKA SKORPOR

INGREDIENSER
50 gr jäst
3 ½ dl ljummet vatten
3 ½ dl grahamsmjöl
2 dl vetemjöl
1 tsk grovt salt
1 msk brun farin
1 msk matolja

> GÖR SÅ HÄR
1 Smula ner jästen i en skål. Tillsätt 1 dl av vattnet och blanda
2 Tillsätt resten av ingredienserna. Degen skall bli rätt lös
3 Låt degen jäsa på en varm plats 20-30 min
4 Rör igenom degen igen och forma små bullar med två skedar och lägg på en smord plåt
5 Låt bullarna jäsa i 10 min
6 Sätt plåten i mitten av ugnen och grädda bullarna ca 10 min, tills de är ljusbruna, på 250°
7 Låt bullarna svalna på ett galler utan duk
8 Bryt upp bullarna med en gaffel och sätt dem tätt ihop, med brytytan uppåt i ugnen
9 Sätt omedelbart ned värmen till 125° och torka skorporna i ca 45 min
10 Stäng av ugnen och låt skorporna stå i ugnen tills de har kallnat
Skorporna är jättegoda med smör och sylt!

Min pappa Israel Balkin var en levnadsglad visionär med tusen järn i elden. En lite halvgalen Roberto Rosselini-lik livsnjutare. Född av rysk-judiska föräldrar 1916 i Köpenhamn. Uppvuxen i en fattig traditionell miljö, fick han redan efter bar mitsvan ge sig ut på arbetsmarknaden. Det var en tuff och hård skola för en ung judisk dräng, men med sin positiva läggning så klarade han sig ganska väl.

När Tyskland invaderade Danmark kallades pappa in för att slåss mot tyskarna. Som dansk jude var han stolt över sin nation och sitt ursprung. Han försvarade inte enbart sitt älskade land utan även hela sitt judiska arv. Efter andra världskrigets slut medaljerades pappa i Köpenhamn tillsammans med alla andra som deltagit i den danska motståndsrörelsen.

År 1943 blev situationen för Danmarks judar ohållbar. Pappa flydde över Öresund i en fiskebåt tillsammans med en del av sin familj. Det låg flera tyska fartyg i Öresund, så man fick fly om natten. Inga laternor var tända och resan var mycket dramatisk. Flera barn följde med, däribland min pappas brorsdotter Annie. Alla barn sövdes ner för att inte vakna och skrika under resan. Men Annie vaknade och behövde gå på toaletten. Pappa, som var en riktig snobb, alltid elegant klädd i senaste snitt, hade även denna dramatiska natt klätt sig enligt konstens alla regler. Han ville göra ett gott intryck när han anlände till Sverige som flykting. För att inte lilla Annie skulle börja gråta offrade han sin fina nyinköpta Borsalinohatt så att Annie kunde uträtta sina behov i den och somna om.

Pappa hamnade så småningom i Stockholm och började arbeta som bud på NK. Det var där han grundlade sitt stora intresse för konst, antikviteter och livets goda. När han levererade varor till kunderna på Östermalm fick han visserligen gå in köksingången, men med sitt charmiga danska sätt blev han ofta inbjuden och kunde då ta del av inredningen i de tjusiga paradvåningarna.

Under hela min barndom samlades vi hemma hos mina farföräldrar i Köpenhamn vid de stora judiska helgerna. Jag minns att min farmor lagade god judisk mat, kryddad och ganska fet. Mina onklar, inklusive pappa åt alltid mycket, ibland så mycket att de hamnade på Rigshospitalet för akuta gallbesvär.

Här kommer ett recept på en rätt som pappa älskade. Vi äter detta ibland i vår familj och får en härlig dansk känsla inombords.

Dyrlägens nattemad (veterinärens nattmacka):

Rugbröd (som rågbröd)
schmaltz (alt Linnea – tyvärr ej lika kaloririkt)
leverpastej
saltkött
gurka och stekt lök

Väl bekomme!

    Daisy Balkin Rung

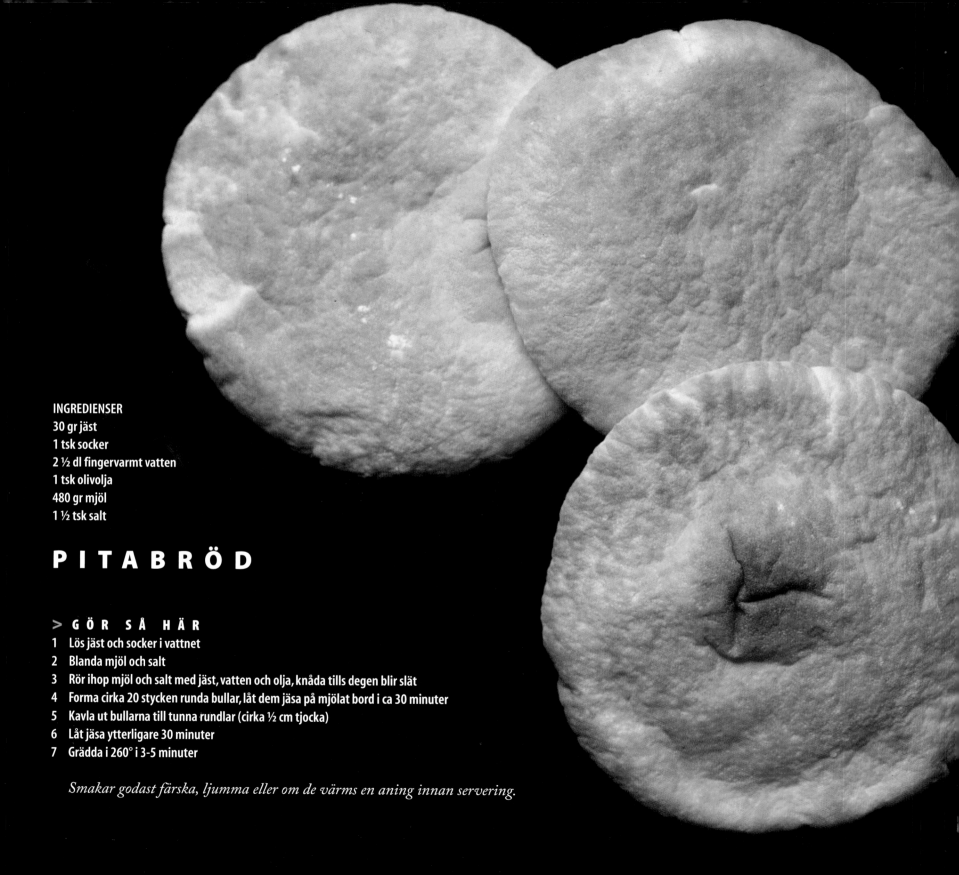

INGREDIENSER
30 gr jäst
1 tsk socker
2 ½ dl fingervarmt vatten
1 tsk olivolja
480 gr mjöl
1 ½ tsk salt

PITABRÖD

> **GÖR SÅ HÄR**
1 Lös jäst och socker i vattnet
2 Blanda mjöl och salt
3 Rör ihop mjöl och salt med jäst, vatten och olja, knåda tills degen blir slät
4 Forma cirka 20 stycken runda bullar, låt dem jäsa på mjölat bord i ca 30 minuter
5 Kavla ut bullarna till tunna rundlar (cirka ½ cm tjocka)
6 Låt jäsa ytterligare 30 minuter
7 Grädda i 260° i 3-5 minuter

Smakar godast färska, ljumma eller om de värms en aning innan servering.

*M*ed undantag för dadelkakan
och sesamkakorna, bolokonjos,
är det huvudsakligen delar
av det ashkenasiska kökets
bakverksdelikatesser som återges i denna bok.

Kafétraditionens framväxt i framför allt det
österikisk-ungerska väldet hade det goda med
sig att en rik flora av olika bakverk kom att
ingå även i det judiska (här = ashkenasiska)
köket. Den lövtunna strudeldegen är förstås
ett avtryck från den tid då turkarna styrde i
Ungern. Honungskakan är en tydlig influens
från det tyska köket, ostkakan från det ryska
och polska. Och det frekventa användandet
av mandel kan kanske betraktas som
någonting som både de sefardiska och
ashkenasiska köken hämtat från Levanten.

I den jiddischtalande världen är
Mohnkuchen – vallmokakor – ett välkänt
begrepp. Bakverk från Östeuropa innehåller
ofta en fyllning gjord på just vallmofrön; en
ingrediens som först nyligen introducerats i
den svenska kak – och baktraditionen. I några
av de följande kakrecepten utgör vallmofrön
en viktig ingrediens.

Vad gäller kakrecepten har vi inriktat oss
på sådana som är parve (innehåller inga
mjölkprodukter). Vill man planera en hel måltid
som skall vara kosher kan det nämligen vara svårt att
hitta passande kakrecept i andra kokböcker.

INGREDIENSER TILL 4 LÄNGDER SOM GER CIRKA 16 BITAR

3 hg mjöl, gärna Vetemjöl special

½ tsk salt

1 ägg

1 msk olja + lite olja till jäsningen och utbakningen

½ tsk ättika

1 tsk socker

INGREDIENSER TILL FYLLNINGEN

1 kg äpplen, skalade och skivade

saften av ½ citron

1 ½ dl socker

100 gr valnötter (ej nödvändigt)

1 dl russin (helst av den gula sorten)

1 tsk kanel

1 dl brödsmulor eller 1 dl krossad mandel

Blanda alla ingredienser i fyllningen

Det skulle vara varmt i matrummet när mamma bredde ut den speciella "strudelduken", en gammal linneduk, på bordet. Degen var placerad under en upp-och-nedvänd varm metallbunke mitt på bordet. Sedan hon kavlat en bra stund började hon dra ut degen på den mjölade duken. Det gällde att få degen att täcka hela bordet och att bli lövtunn utan att den gick sönder. Gick det hål i degen gjorde man bäst i att vara långt borta.

Eva Fried

En ugnsvarm spröd strudel är en delikatess. Strudel, en av klassikerna i den ungersk/österrikiska kafétraditionen, adopterades även av det judiska köket inom det habsburgska väldet.

Idag kan färdig *filodeg* köpas och den kan med fördel användas till bakning av strudel. Den som vågar pröva på att göra en egen deg, vilket naturligtvis blir ännu godare, gör så här

APFELSTRUDEL
parve

> GÖR SÅ HÄR

1 Förbered arbetet med degen genom att lägga en stor duk (kanske ett lakan) som täcker ett matbord. Strö mjöl över hela duken

2 Arbeta ihop alla degingredienser väl till en ganska lös och smidig deg

3 Lägg degen mitt på bakbordet och låt den vila under en uppvärmd degskål. Pensla degen med olja innan den får vila för jäsning i 20 minuter. Se till att degen inte står i drag och att det är varmt i rummet

4 Kavla ut degen så mycket det går med kavel

5 Ta av ringar och klocka och andra handsmycken. Pensla nu den utkavlade degen med olja och starta "utdragningen" av degen så att den tänjs ut jämt mot bordets alla sidor. Använd försiktigt hela handen och underarmen och tänj degen. Helst ska det inte gå hål!

6 Då degen är lövtunn och genomskinlig lägger man på fyllningen. Antingen strör man ut fyllningen över hela degen

eller lägger den i ena änden i "en lång remsa" som sedan rullas in och hamnar innerst i strudeln.

7   Då fyllningen är utlagd rullar man försiktigt degen med hjälp av den underliggande duken så att man får en lång rulle. Lägg rullen, gärna ringlad, på en bakplåt med bakplåtspapper, olja gärna pappret en aning. Lägg degskarven nedåt

8   Grädda i 180° 30-40 minuter

Förbered fyllningen i tid, det går inte att börja då degen redan är på bordet för då finns risk att degen börjar kallna innan fyllningen är klar!

Om man bakar kakan i en metallform med uttagbar botten så rekommenderas att botten kläs med bakplåtspapper.

INGREDIENSER
125 gr vegetabiliskt margarin, rumstempererat + margarin till smörjning av formen
1 ½ dl socker + 1 msk socker att strö över före gräddningen
3 ägg
2 ½ dl mjöl
1 tsk bakpulver
1 tsk vaniljsocker
6 stora äpplen
1 dl mandlar (ej nödvändigt)
½ tsk kanel
ströbröd till den smorda bakformen

> GÖR SÅ HÄR
1. Skala äpplena och skär dem i smala klyftor
2   Hacka mandlarna grovt
3   Blanda socker och margarin väl tills det blivit ljust och poröst
4   Tillsätt äggen. Vispa
5   Tillsätt mjöl, bakpulver och vaniljsocker. Rör om väl
6   Slå upp smeten i smord och bröad form
7   Stick ner äppelbitarna tätt, tätt i rad efter rad tills smeten är fullproppad med äppelbitar. Stick ner äppelbitarna så att de delvis göms i smeten
8   Strö 1 msk socker, 1 msk kanel och sist de hackade mandlarna över smeten
9   Grädda i 180° i 45 minuter, låt svalna i ugnen

ÄPPELPAJ

> **GÖR SÅ HÄR**

1 Blanda smör/margarin med socker så att det blir ljust och pösigt

2 Lägg till äggen och därefter alla övriga ingredienser

3 Klä en form med 2/3 av degen

4 Lägg äpplena i pajskalet

5 Lägg på kanel och socker

6 Gör ett galler av resten degen och lägg över äpplena

7 Grädda i 10 minuter i 200 °

8 Ta ut kakan och pensla gallret med i ägg

9 Grädda i 15-20 minuter till

INGREDIENSER

DEGEN

250 gr smör/margarin

2 dl socker

2 ägg

2 tsk bakpulver

2 tsk vaniljsocker

1 liter mjöl

FYLLNINGEN

6 skalade äpplen i klyftor eller grovt

rivna

1 tsk kanel

1 knapp dl socker

1 ägg till penslingen

CHANNAS OSTKAKA

INGREDIENSER
PAJBOTTEN
2 msk margarin
2-3 msk varmt kokt vatten
1 ägg
½ glas socker
4 dl mjöl
2 tsk bakpulver
Blanda alla ingredienser och ställ degen att vila i kylskåp i minst 30 minuter

VITOSTFYLLNINGEN
Färskost gjord på 2 liter filmjölk med följande tillsatser:
2 ägg
3 msk smält margarin
saft av ½ citron
1-2 dl socker
ev rivet citronskal
1 tsk vaniljsocker

> GÖR SÅ HÄR

1 Värm filmjölken (gärna i sina förpackningar i en kastrull med vatten). Obs hetta inte upp filmjölken så mycket att den börjar koka
2 Häll den uppvärmda filmjölken i en stor melittatratt med melittapåse och låt den rinna av i cirka 5 timmar
3 Klä en pajform med degen, men spara en bit till ett "galler" att täcka pajen med
4 Blanda i ägg och övriga ingredienser i ostmassan och vispa den därefter fluffig
5 Häll den uppvispade ostmassan i degformen
6 Forma smala platta remsor av den sparade degen och gör ett "galler" som läggs ovanpå ostmassan
7 Grädda i 200° i 30 minuter eller något mer. Låt svalna i ugnen

FLUFFIG OSTKAKA
utan pajbotten

INGREDIENSER
vitost gjord på 2 liter filmjölk (eller annan färdig vitost, 500 gr)
6 ägg
2 dl socker
3 msk majsmjöl (Maizena)
3 msk mjöl
1 tsk vaniljsocker
1 tsk bakpulver
smör till smörjning av bakformen
brödsmulor till bakformen

> GÖR SÅ HÄR

1 Separera ägggulorna från vitorna
2 Blanda äggulorna, vitosten, vaniljsockret och hälften av sockret
3 Rör ner majsmjölet, mjölet och bakpulvret
4 Vispa vitorna till hårt skum, rör härefter försiktigt ner resten av sockret i de uppvispade vitorna
5 Rör varsamt ner vitorna i resten av smeten
6 Häll smeten i smord och bröad rund pajform med borttagbara kanter
7 Grädda i 150° i cirka 50 minuter eller längre tills kakan känns "torr" vid ett stick i den. Ställ in en skål med lite vatten i ugnen under gräddningen, detta bidrar till att kakan inte torkar ut. Täck ev. med bakplåtspapper mot slutet. Låt kallna i ugnen utan att öppna ugnsluckan

*Det finns många
varianter på bakverk
med vitost i. Man kan också
göra vitostfyllda bullar på jäst
vetedeg. Kavla ut vetedegen och skär ut
kvadrater, cirka 8 x 8 cm stora. Lägg en klick vitostmassa
(vitost som här men utan tillsats av ägg) i mitten på varje kvadrat och nyp
därefter ihop varje hörna i mitten på kvadraten, till ett "kuvert". Pensla med ägg
innan gräddningen. Gräddas som vanliga vetebullar.*

Fem år gammal, år 1950, kom jag med min mamma, Channa och min pappa till Sverige. Då kriget bröt ut och Polen kom under nazistiskt styre, var mina föräldrar nygifta. Kriget skilde dem åt, men båda lyckades överleva fasorna och återförenades efter krigsslutet.

Jag föddes i staden Nowy Sasz som ligger cirka 10 mil söder om Krakow. Vid krigsslutet begav sig mina föräldrar till Tyskland där de utanför Stuttgart hamnade i ett slags uppsamlingsläger för flyktingar. Genom Röda Korset erbjöds de att komma till Sverige. Pappa låg då svårt sjuk i TBC. När vi kom till Sverige blev han inlagd på ett sanatorium i Småland, i Mariannelund. Jag placerades hos en familj på en bondgård i Småland och förflyttades senare till ett barnhem. Efter ungefär ett år fick jag komma tillbaka till mina föräldrar varpå vi flyttade till Eskilstuna. För mig som liten pojke var omställningen enorm. I Stuttgart hade vi levt i en judisk gemenskap med många andra familjer. Jag minns att jag där gick i en judisk skola, i cheder. Livet där tedde sig nästan som i en liten judisk shtetl.

I Eskilstuna fick min pappa arbete inom industrin. Där fanns flera andra judiska familjer som kommit hit efter kriget. Vi hade inga problem med att smälta in i församlingslivet. Mina föräldrar umgicks med andra judiska flyktingar, de talade jiddisch, firade de judiska högtiderna och bjöd varandra på mat från förr. Jag kan inte minnas att mina föräldrar någonsin försökte laga annan mat än den de var vana vid hemifrån. Jag tyckte om min mammas mat, det enda som jag avskydde var galle, kalvsylta - det betraktade mina föräldrar och deras vänner som riktig festmat. Mest av allt älskade jag min mammas ostkaka. Jag är väldigt glad att min hustru Anna lärt sig att göra den efter mammas recept. Anna har skrivit ner receptet men det var inte så lätt, mamma sa' nämligen alltid, utan att ange exakta mått, att man skulle ta lite av det ena och lite av det andra.

Jag kan bara ett fåtal ord polska men jiddisch talar jag fortfarande flytande. Alla maträtterna som min mamma lagade benämner jag helst på jiddisch. Här är receptet på mammas keis-kichen, ostkaka. Min mamma, Channa, var född år 1917 och hon gick bort år 1989 (må hennes minne vara välsignat).

Nathan Schlachet

Judit: Min mor Lilly (Livia) Markowits föddes i Hajdusámson i Ungern år 1930. Hennes far var innehavare av en köttaffär som drevs i kompanjonskap med en icke-judisk granne. Familjen hade tre barn. Då Lilly var 14 år gammal fördes hon under försommaren år 1944 tillsammans med föräldrarna och den yngsta brodern till gettot i Téglás och senare till Debrecen. Därifrån transporterades de till Auschwitz där föräldrarna och brodern mördades. Lilly själv var först i barnlägret men togs senare till en fabrik i Guben för slavarbete. Hon befriades i Bergen-Belsen.

År 1953 gifte sig Lilly med David och jag föddes året efter. Under den ungerska revolten 1956 flydde de till Österrike tillsammans med fasters familj och kom sedan till Sverige. I Sverige fanns redan ytterligare en faster som kommit med de vita bussarna.

Sina unga år till trots hade Lilly innan krigsutbrottet hunnit lära sig så mycket av familjens mattraditioner att hon kunde föra dem vidare till sin egen familj. Hon var en mycket duktig husmor. Tillsammans med sin svägerska, Lili Meisels, bakade hon till de olika kidushim och fester som anordnades under flera år i en liten gudstjänstlokal i Aspudden, inrymd i familjen Meisels lilla villa. Många judar bosatta i trakten kring Aspudden och Hägersten kom dit till shabat och helgdagar. David gick bort år 1982 och Lilly avled i Israel i februari 1996.

Stefan: Min mor Lili (Lenke) Meisels föddes i byn Porcsalma i Ungern år 1916. Där bodde hon med sina föräldrar och åtta syskon fram till pesach-helgen år 1944 då familjen tvingades till ghettot i Mátészalka och sedan vidare till Auschwitz. Efter någon tid fördes hon till en fabrik för slavarbete. I maj 1945 återfick Lili sin frihet då de sovjetiska trupperna befriade koncentrationslägret Theresienstadt.

År 1957 kom Lili till Sverige med sin make Pál och sina båda söner, det vill säga med mig och min äldre bror Ervin. I Sverige fanns redan min mammas enda syster Sári, som liksom mamma och brodern David överlevt Förintelsen. Sari hade kommit med de vita bussarna. Under Ungernrevolten 1956 flydde familjen ur landet.

Min far gick tyvärr bort år 1993.

Under en 10-årsperiod mellan åren 1957 – 1967 bodde familjen i Aspudden där ett antal judiska familjer upprätthöll en regelbunden minjan. Lili började baka traditionella ungersk-judiska bakverk för de fester och andra evenemang som minjan anordnade och kom senare, då Aspuddens minjan upphört, att regelbundet baka för Stockholms bägge traditionella synagogor.

Judit Katz och Stefan Meisels

INGREDIENSER CA 20 BITAR

DEGEN

600 gr vetemjöl

250 gr margarin eller smör

100 gr socker

1 ägg

rivet skal av en citron eller en apelsin samt dess saft

1 tsk bakpulver

½ paket jäst

lite sodavatten

ca 1 msk potatismjöl

OSTFYLLNING (görs dagen innan)

Vitost gjord på 6 liter filmjölk

3-4 msk majsmjöl (Maizena)

2-3 msk vetemjöl

1 tsk bakpulver

2 tsk vaniljsocker

6-7 ägg

3 dl socker

1 extra ägg för att pensla degen

STOR OSTKAKA

> > GÖR SÅ HÄR

1 Blanda alla ingrediensrena tills de formar en mjuk deg. Tillsätt sodavatten allt eftersom det behövs för att få degen riktigt mjuk och smidig

2 Kavla ut degen så att den räcker för att täcka en stor plåt (30 x 40 cm) samt även kanterna. Obs spara lite av degen till att göra ett galler till att täcka ostmassan

3 Pudra över degen med potatismjöl

> > GÖR SÅ HÄR

1 Häll filmjölken i en stor kastrull och värma upp på låg värme tills filmjölken börjar separeras

2 Häll blandningen in i ett stort siltyg eller en silpåse och låt det stå över natten så att vattnet rinner av ostmassan

3 Blanda ostmassan med övriga ingredienser tills det blir en slät blandning

4 Häll över ostblandningen på degbottnen så att den fördelas jämnt över degen

5 Gör tunna degstrimlor för att läggas diagonalt i rutmönster över ostmassan

6 Pensla strimlorna med ett vispat ägg

7 Grädda i ugnen i 200° tills ostmassan stabiliserats och degstrimlorna fått en ljus gyllenbrun färg, ca 30-35 minuter. Täck ev. med ett bakplåtspapper de sista 10-15 minuterna

SUSSIES FRUSNA OSTKAKA
Obs, ingen gräddning!

> **GÖR SÅ HÄR**

1 Klä botten och kanter på en rund pajform med löstagbar kant med bakplåtspapper eller plastfolie

2 Smula hälften av digestivekexen och strö dem över botten på pajformen

3 Skilj äggvitorna från gulorna, lägg gulorna i en stor skål

4 Riv citronsskalet och spara, pressa saften ur citronen

5 Vispa äggvitorna till hårt skum

6 Vispa grädden

7 Blanda äggulorna med sockret, vaniljsockret, det rivna citronskalet, citronsaften och crème fraîchen

8 Vänd ner grädden och sist äggvitorna i ägguleblandningen

9 Häll hela blandningen i pajformen

10 Strö resten av de krossade kexen över hela pajen

11 Sätt in formen i frysen, låt stå i 4 timmar och ta ut ostkakan en halv timme före servering

INGREDIENSER

6 stycken digestive-kex

2 ägg

1 ½ dl vispgrädde

1 dl strösocker

1 tsk vaniljsocker

1 liten citron

2 dl crème fraîche

INGREDIENSER

DEGEN

1/4 kg margarin

½ kg vetemjöl

1 tsk bakpulver

1/4 pkt jäst

1 dl socker

1 ägg

1 ½ dl vatten

FYLLNINGEN

250 gr malda valnötter alternativt malda mandlar eller blandat valnötter/mandlar

1 ägg

det rivna skalet från en citron

1 msk citronsaft

2 dl socker

1 dl russin

1 msk rom eller 2 msk sött vin (ej nödvändigt)

K I N D L I
parve

De här kakorna är formade som små lindebarn, därav namnet. Min mamma, som kom från Ungern och vars mamma var från Österrike bakade dessa kakor till purim. Receptet återfinns i ungerskjudiska kokböcker men historiken bakom traditionen att göra dem just till purim har jag inte kunnat få fram.
      Eva Fried

Degen är en användbar deg även för kakor med andra fyllningar än den här, exempelvis för bak av homentaschen. Med den här degen får man en mjukare, mindre spröd homentasch-kaka.

> **G Ö R   S Å   H Ä R**

1   Hacka ihop socker, mjöl och bakpulver med margarinet

2   Tillsätt jäst som lösts upp i 1½ dl ljummet vatten samt ägget

4   Arbeta ihop allt till en smidig deg och låt degen vila i ca en halv timme

> **G Ö R   S Å   H Ä R**

1   Rör ihop ingredienserna

2   Kavla ut degen på mjölat bord så att den blir ganska tunn, cirka ½ cm tjock. Det är lättare att kavla om man mjölar även lite på ovansidan (då fastnar inte degen på kaveln)

3   Skär rektangulära bitar av degen, ungefär 10 x 5 cm

4   Lägg fyllningen som en rad i mitten av rektangulären. Knipsa ihop degen så att varje kaka blir en avlång fylld "korv", väl tillsluten överallt så att fyllningen inte rinner ut vid gräddningen

5   Pensla med ägg och grädda i 200° i ca 10 minuter.

Kan även göras som små gifflar: degen tas ut till rundlar. Lägg lite fyllning på varje rundel, rulla ihop varje rundel, böj lätt till en giffel.

Vallmo

I många bakverk från Östeuropa används en fyllning av vallmofrön. Mohnkuchen är ett känt begrepp i den jiddischtalande världen. Det finns en rad olika sorters vallmokakor.

I de recept där vallmon ska utgöra fyllning behöver den viss beredning. Så här föreslår Estera Katz att man bereder vallmofröna:

Fröna ska malas (i Stockholm, exempelvis i Hötorgshallen, och kanske också på andra platser kan man numera köpa malda vallmofrön).

De malda fröna ska skållas med kokt vatten 2 gånger. Däremellan och efter sista skållningen ska fröna rinna av i en silduk.

Till 150 gr vallmofrön tillsättes efter skållningen:
1 lättvispat ägg
1 dl socker
150 gr honung
60 gr finhackad mandel
2 msk apelsinmarmelad
rivet skal av en citron
75 gr russin
1 dl mjölk (kan uteslutas om man vill ha kakan parve)

Allt blandas samman och smakas av. Vallmon har i sig en aning bitter smak och det är högst individuellt hur mycket av detta som man vill ha kvar. Mer socker gör vallmons bitterhet mindre framträdande. Om smeten känns för torr, tillsätt lite varm mjölk alternativt vatten om smeten inte ska vara mjölkig utan neutral, parve.

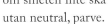

VALLMOLÄNGD
på Ester Gellbergs vis

Degen består av en vanlig vetebrödsdeg.

Fyllningen
Malda vallmofrön, cirka 2 dl omalda frön till en sats deg (på ca 13 dl mjöl och 5 dl degvätska)
Fröna bereds enligt anvisningarna på föregående sida men Ester Gellberg brukar inte lägga i citronskal och marmelad, vilket gör vallmosmaken än mer framträdande.

> **GÖR SÅ HÄR**

1   Dela upp degen i två delar sedan den jäst en första gång

2   Kavla den ena delen ganska tunt, till cirka en centimeters tjocklek

3   Bre ut smör över hela degplattan, inte så tjockt men så att smöret täcker degen

4   Bre ett lager av vallmoröran över hela degen, cirka ½ cm tjockt

5   Rulla försiktigt degen till en rulle

6   Lägg rullen på en plåt med bakplåtspapper

7   Gör likadant med den andra deghalvan

8   Låt jäsa i 30 minuter

9   Pensla rullarna med ett vispat ägg

10 Grädda i 200° i cirka 30 minuter. Täck kakan med ett bakplåtspapper efter 15 minuter om ovansidan ser för mörk ut. (Det gör inget om ovansidan får sprickor vid gräddningen!)

VALLMO / CITRONKAKA
mjölkig eller parve

> GÖR SÅ HÄR

1   Separera äggulor från vitor

2   Rör smör/margarin med 1 dl socker tills blandningen blir ljus och pösig

3   Rör ner 4 äggulor, citronskal, vaniljsocker, salt och vispa därefter det hela väl

4   Blanda mjöl och vallmo och rör ner blandningen lite i taget i ägguleblandningen

5   Rör ner vätskan (mjölk alt. vatten eller juice), lite i taget. Blanda väl men vispa inte

6   Vispa äggvitorna till hårt skum och rör ner resten av sockret i äggviteskummet

7   Rör ner äggvitorna i den övriga smeten

8   Häll det hela i en smord och bröad form

9   Baka i 180°. Pröva med en sticka efter 40 minuter om kakan är färdig. Låt kakan svalna i ugnen

INGREDIENSER

4 ägg

150 gr smör /margarin

2 dl socker

saften från en citron samt rivet skal från en citron

2 tsk vaniljsocker

1 dl mjöl

1 tsk bakpulver

1 krm salt

150 gr mald vallmo

5 msk mjölk / kan bytas mot vatten eller apelsinjuice

2 msk russin

30 gr krossade valnötter (kan uteslutas)

LIESELS "GUGELHUPF"
mjölkig

INGREDIENSER

4 ägg

300 g strösocker

175-200 g skirat smör

1 ½ dl (knappt) grädde eller mjölk

260 g vetemjöl

3 tsk (strukna) bakpulver

2 msk kakaopulver

2-3 tsk vaniljsocker

> GÖR SÅ HÄR

1 Separera äggulor och äggvitor

2 Rör samtliga äggulor, en äggvita och sockret poröst

3 Tillsätt det smälta avsvalnade smöret och grädden/mjölken

4 Tillsätt mjölet, väl blandat med bakpulvret

5 Vispa de kvarvarande äggvitorna till hårt skum och rör i smeten

6 Dela upp smeten och blanda den ena halvan med vaniljsockret och den andra halvan med kakaon

7 Lägg ljus och mörk smet om vartannat i en väl smord form, helst en rund form med höga vågiga kanter, en typisk kugelhupf-form, grädda kakan 1 timme i 160°

KUGLOF
mjölkig

I delar av Ungern som gränsar till Österrike, kallas en kugelhupf för en kuglof, eller på ungerska för tejeskalács. Den bakas med jäst i en deg som i stort är en vanlig vetebullsdeg men med tillsats av 2 ägg och rivet citronskal. Eventuellt även cirka 10 st skållade mandlar att dekorera med.

> GÖR SÅ HÄR

1 Utgå från en sats vanlig vetebullsdeg (på en halv liter degvätska) utan kardemumma men med tillsats av två ägg och rivet skal av en halv citron

2 Rör ner äggen tillsammans med övriga degvätskan

3 Se till att degen inte blir för hård, den ska vara mjuk och luftig. Låt degen jäsa i 30 minuter

4 Denna degsats räcker till två kugelhupfs. Då degen jäst delas den i 2 delar och varje kavlas ut på mjölat bakbord till cirka 2 cm tjocklek

5 Smörj väl en rund sockerkaksform med en "pelare" i mitten

6 Bred ut cirka 50 gr mjukt smör jämnt över den utkavlade degen. Strö över cirka ½ dl socker och 1 msk vaniljsocker. Rulla ihop degen till en rulle och placera den i den runda sockerkaksformen med skarven nedåt. Vill man ha mandel som dekoration så lägger man dessa i formens botten innan degen läggs i formen

7 Låt jäsa i 20 minuter, grädda i 170° i 45 minuter

De stora helgdagarna firade vi alltid hos mormor och
morfar i Wien. Jag föddes 1928. Tio år senare begav
sig familjen på grund av det nazistiska maktövertagan-
det i Österrike till Finland. Där stannade vi, tills
vi år 1944 flyttade vidare till Sverige.

I vår assimilerade familj fanns det bara en judisk
helgdag som firades till hundra procent - jom kipur.
Under denna helg, mättad av ödesstämning, fastade de
vuxna hela dagen. De bröt fastan på olika sätt. Det
jag speciellt minns är diskussionerna på hemvägen från
synagogan, dvs om man skulle bryta fastan med att
dricka en kopp kaffe, en kopp te, eller börja direkt
med soppan, eller varför inte med en liten snaps. En
sak var dock alla överens om - alla skulle ha en skiva
"kugelhupf" som tilltugg.

Jag liksom andra barn väntade otåligt på min tolvårs-
dag då jag skulle vara gammal nog att fasta och lika-
ledes gammal nog att tillsammans med de andra vuxna på
sedvanligt sätt - med en kopp te och Kugelhupf - bryta
denna fasta. Tyvärr inföll min tolvårsdag mitt under
brinnande krig. Matransoneringen var sträng och jag
kunde inte räkna med en traditionell "Anbeissen", men
mamma lyckades trots allt överraska familjen med något
slags kugelhupfliknande bakverk och nyponté. När kri-
get tog slut fick jag lära mig receptet på "vår kugel-
hupf". Den är väldigt enkel men för mig har den sin
alldeles speciella betydelse.

    Liesel Schapira

HOMENTASCHEN
(Hamentaschen) med vallmofyllning, parve

Variant I med jäsdeg

INGREDIENSER

Degen

1/4 dl vatten

500-600 g mjöl

1 tsk salt

35 g jäst

50 g margarin

1 kkp socker

ev 1 tsk vaniljsocker

> GÖR SÅ HÄR

Blanda alla ingredienser till en deg och låt vila en timme i kylskåp.

FYLLNINGEN (se även sid *229*)

2-3 hg mörka vallmofrön (obs de ska vara malda)

1 ägg

1 dl russin eller katrinplommon

1 dl socker. Smaka av och sockra ev. mer

½ dl honung

Dessutom kan man tillsätta skal av riven citron, 1 msk apelsinmarmelad samt ½ dl finhackad mandel

> GÖR SÅ HÄR

1 Lägg vallmofrön i en skål och häll på kokande vatten, så att vattnet täcker valmofröna

2 Häll av vattnet genom en duk som läggs på en stor sil

3 Häll på nytt kokande vatten så att det täcker fröna i skålen och låt stå över natten

4 Sila av vattnet på samma sätt som förut

5 Mal vallmofrön och russin (katrinplommon går också bra) och blanda i lite socker eller honung

6 Blanda ingredienserna till degen, låt den jäsa och kavla ut

7 Tag ut rundlar med ett glas eller dyl. Lägg en klick av blandningen i mitten av rundlarna. Vik upp tre kanter på varje rundel och foga ihop till en trekantig kaka

8 Pensla med ägg och grädda tills kakorna fått vacker färg

9 Sikta lite vaniljsocker över före serveringen

Variant II med bakpulver

INGREDIENSER FÖR CIRKA 50 KAKOR

6 dl mjöl

2 tsk bakpulver

½ tsk salt

1 dl margarin

1 dl vatten

2 dl socker

1 dl apelsinjuice

1 stort ägg

1 tsk vaniljsocker

Till pensling innan gräddningen: en äggvita blandad med 1 tsk kanel och 2 tsk socker

> GÖR SÅ HÄR

1 Rör margarin och socker tills det blir ljust och luftigt

2 Rör i ägg, apelsinjuice och vaniljsocker

3 Rör i mjöl med bakpulver och salt i resten av smeten

4 Blanda samman till en mjuk deg

5 Platta till degen och lägg i en plastpåse, låt vila i kylskåp i minst en halv timme

6 Kavla ut degen på bakbord till cirka ½ cm tjocklek

7 Ta ut rundlar med ett dricksglas

8 Lägg fyllning på varje rundel

9 Vik upp tre kanter på varje rundel och foga ihop till en trekantig kaka

10 Lägg kakorna på en plåt med bakplåtspapper, pensla med äggvitan uppblandad med kanelsocker

Purimhelgens namn bygger på det hebreiska ordet pur som
betyder lott. I Esters bok berättas om hur den onde Haman
drog lott för att besluta om när förintandet av judarna
skulle äga rum. Esters bok innehåller många exempel på hur
tillfälligheter styr, men också hur tillfälligheterna är
instrument för Guds försyn. Främst kan nämnas att det var
slumpen som gjorde Ester till drottning och att hon med
försynens hjälp räddade sitt folk.

Tillfälligheter ledde till ett litet purim-under, som jag
själv var med om. Det var under kriget. Jag var inkallad
och låg i beredskap "någonstans i Sverige". Det hände sig
att jag inte kunde komma hem på permission just på purim.
Min mor och syster gick ner till Malmö Centralstation där
skaror av värnpliktiga kom med tågen. De gick fram till den
förste bäste av dessa, kanske hundratals soldater och frå-
gade om han kände mig. "Harry Rubinstein, javisst, vi lig-
ger i samma barack". Min mor och syster stämde möte på sta-
tionen med soldaten när han efter något dygn skulle åter-
vända till förläggningen. Han kom och min mor gav honom en
påse nybakade Hamentashen att överlämna till mig. Det gjor-
de han, och min glädje var stor när jag så helt oväntat ute
i fält kunde äta och bjuda på min mammas goda Hamentashen.

    Harry Rubinstein

MUNKAR
även kallat sofganiot, parve/mjölkiga

Recept I

Av denna sats blir det ca 50 munkar.

Degen är en vanlig vetebullsdeg men något lösare och med en tillsats av 2 äggulor:

INGREDIENSER

150 gr smör eller vegetabiliskt margarin

5 dl mjölk (bytes ut mot vatten med en äggula i om man vill göra munkarna parve)

50 g jäst (eller 1 pkt torrjäst)

0,5 tsk salt

850 g (eller 1,4 l) vetemjöl

0,5 dl socker

2 äggulor

olja till frityrstekningen

ev. sylt till fyllning

> GÖR SÅ HÄR

1   Smält matfettet

2   Smula ner jästen i en degskål, häll över degvätskan som värmts till ca 37 °. (Om du använder torrjäst så häll jästen direkt i mjölet)

3   Tillsätt socker, salt och mjöl, men spar lite av mjölet till utbakningen

4   Arbeta degen kraftigt tills den blir smidig. Kom ihåg att den ska vara något mjukare än till vanligt bullbak

5   Låt degen jäsa övertäckt med bakduk i ca 30 minuter

6   Knåda degen smidig på mjölat bakbord. Dela degen i 4 delar

7   Kavla ut degen så att den blir cirka 2 cm tjock

8   Ta ett runt glas eller annat för att ta ut rundlar ur degen

9   Låt rundlarna jäsa i ca 20 minuter

10 Häll upp olja – rikligt – i en stekpanna med höga kanter, värm oljan

11 Frityrkoka munkarna i oljan. De ska kokas på båda sidorna. Se upp så att oljan inte blir så het att de bränns!

Serveringstips: Serveras helst ljumma. Ställ fram en eller två sorters sylt så att var och en kan fylla sina egna munkar.

Recept II: Lyxmunkar

INGREDIENSER

9 dl mjöl

100 gr smält margarin

1 pkt jäst

½ dl socker

5 äggulor

1 helt ägg

1 tsk citronsaft

1 tsk salt

1 tsk vaniljsocker

1 tsk rom

1 tsk konjak

2 dl ljummet vatten

> GÖR SÅ HÄR

1   Blanda jäst i 1 dl vatten och tillsätt socker och äggulor

2   Häll mjölet i en bunke, häll i blandningen från punkt 1 i mjölet och lägg i resten av ingredienserna. Blanda till en deg

3   Låt degen jäsa till dubbla storleken

4   Kavla ut degen på mjölat bord till cirka 1 cm tjocklek (strö lite mjöl över den ganska klibbiga degen så blir den lättare att kavla)

5   Ta ut runda "plättar" med ett glas

6   Lägg ut plättarna på mjölad plåt

7   Låt jäsa i 15 minuter

8   Värm upp olja i en stekpanna med höga kanter

9   Fritera munkarna i oljan på båda sidorna tills de blir gyllenbruna

10 Innan serveringen kan man spruta in lite sylt i dem eller också servera dem med sylten bredvid. Strö över lite pudersocker

Ett riktigt bullkalas, vem vill säga nej till det? Gör man bullarna parve, det vill säga utan mjölk, behöver ingen säga nej, inte ens den som strax innan ätit en måltid med kött och som observerar regeln att därefter vänta med intag av s k "mjölkig" föda. Bullarna smakar som "vanligt" fast de inte innehåller vare sig smör eller mjölk. Och den som är laktosintolerant kan också vara med på bullkalaset. Mjölken är ersatt av vatten och en extra äggula, och smöret utbytt mot helvegetabiliskt margarin. Mängden salt i degen ökas något för att "fuska" med smörets sälta.

PARVE BULLAR

> GÖR SÅ HÄR

1 Blanda torrjäst i hälften av mjölet

2 Värm vattnet tills det är fingervarmt (37°)

3 Rör ner äggulan i vattnet

4 Smält margarinet och rör ner det i vattnet

5 Tillsätt mjöl, socker, salt och ev. kardemumma

6 Arbeta degen smidig samtidigt som du rör ner det kvarvarande mjölet. Se upp så att degen inte blir för hård, den är färdig när den är smidig och nätt och jämnt släpper degskålen

7 Låt jäsa övertäckt med bakduk i ca 30 minuter

8 Knåda degen smidig på mjölat bakbord. Dela degen i 4 delar

9 Kavla ut degen och bred på fyllningen. Rulla ihop kakan till en rulle och skär till bullar eller gör en längd

10 Låt jäsa i ca 30 minuter

11 Pensla med ägg och grädda bullarna 8-10 min mitt i ugnen i 200° (något längre tid om det är en längd)

Till fyllning
Använd det vegetabiliska margarinet i kombination med socker i kombination med vaniljsocker/kanel/hackad mandel/kakaopulver etc. för att variera fyllningen i bullarna

INGREDIENSER TILL DEGEN

150 gr vegetabiliskt margarin

5 dl vatten

1 äggula

1 pkt torrjäst

1 dl socker

0,5 tsk (drygt) salt

2 tsk stött kardemumma

850 gr vetemjöl

INGREDIENSER

DEGEN

100 gr smör, inte för kallt

100 gr cream cheese, exempelvis Philadelphiaost

4 dl mjöl

3 dl socker

1 krm salt

1 äggula för pensling

FYLLNINGEN

50 gr socker

2 msk rivet citronskal

1 dl russin, gärna av den vita sorten

2 tsk kanel

2 dl hackade nötter, gärna valnötter

2 äggulor

2 dl socker

1 msk aprikosmarmelad

RUGELACH
mjölkiga

> GÖR SÅ HÄR

Det bästa är att blanda degen i en matberedare

1 Starta matberedaren med smöret, lägg därefter till vitosten tills blandningen får en tjock krämig konsistens

2 Tillsätt salt och därefter mjöl. Degen ska vara mjuk så var försiktig så att det inte blir för mycket mjöl. Blir degen för torr så lägg till litet mer vitost

3 Låt degen vila i en plastpåse i kylen i cirka 3 timmar. Blanda fyllningens alla ingredienser till en ganska tjock smet

4 Dela degen i 4 delar, rulla varje del till en rund boll, kavla ut varje sådan boll på väl mjölat bakbord (degen är kladdig), kavla till en ganska tunn platta

5 Skär med en vass kniv degen i 6 lika stora "tårtbitar"

6 Lägg fyllning , cirka en tesked, på den yttre delen av varje degbit och rulla ihop den utifrån, in mot mitten till en rulle. Böj varje rulle i halvmåneform.

7 Lägg kakorna på plåt med bakplåtspapper, pensla med äggula

8 Grädda i 180° i 20-25 minuter tills kakorna fått en fin ljusbrun färg

KRISTYR

Med kristyr kan man dekorera pep-
parkakor till chanuka.

INGREDIENSER
äggvitan från ett medelstort ägg
2 ¾ dl siktat florsocker per äggvita
½ tsk ättiksprit per äggvita

> **GÖR SÅ HÄR**
1 Rör ihop allt
2 Ta en sprits eller gör en strut av
   smörgåspapper
3 Spritsa mönstret på kakorna, låt stelna

*Observera att kristyren inte får
stå för länge innan man använ-
der den för den stelnar snabbt!*

INGREDIENSER

DEGEN

200 g (drygt) smör/vegetabiliskt margarin om kakan ska vara parve

2,5 dl socker

5 dl mjöl

kardemumma

citronskal

½ tsk hjorthornsalt upplöst i lite konjak el. brännvin

OVANPÅ KAKORNA

30-40 g sötmandel

1 st bittermandel

pärlsocker

kanel

1 ägg

TANT LOJSAS KAKOR
parve/mjölkiga

> GÖR SÅ HÄR

1 Skålla, skala och mal söt- och bittermandeln

2 Blanda samtliga ingredienser till degen

3 Degen kavlas ut tunt litet i taget och tas ut med form, enligt originalreceptet en eklövsform

4 Pensla med ägg och beströ med hackad mandel, pärlsocker och kanel

5 Grädda i ugn i 175-200° tills de fått aningen färg

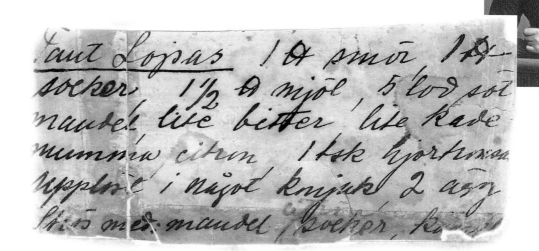

EIERKUCHEN / EIERKICHELACH
parve

De här kakorna är bara aningen söta.
De är lätta och porösa och ska vara lite torra och krispiga.
Kakorna serverades förr ofta i samband med kidush efter morgongudstjänsten på shabat tillsammans med sött vin eller något starkare.

INGREDIENSER
5 hg mjöl
½ tsk bakpulver
4 ägg
1 msk margarin
½ tsk salt
1 msk socker
sodavatten, cirka 1 dl

> **GÖR SÅ HÄR**
1 Arbeta ihop alla ingredienser till en mjuk deg, ta sodavattnet sist, bara så mycket som det behövs för att degen ska bli mycket mjuk men inte så kladdig att den inte går att arbeta med
2 Kavla ut degen (mjöla under kaveln så klibbar den sig inte) tills den blir cirka 1 ½ cm tjock
3 Lägg degen på en plåt, på ett inoljat bakplåtspapper
4 Skär degen i fyrkanter, cirka 5 x 5 cm stora
5 Grädda i 175°, tills kakorna fått en gyllengul färg

JULIES SMÅKAKOR MED VALLMOFRÖ
mjölkiga

INGREDIENSER
530 gr smör
425 gr strösocker
2 ägg
2 tsk stötta nejlikor
2 tsk malen kanel
1 tsk stött kardemumma
210 gr malen sötmandel
850 gr mjöl
ljusa vallmofrön

> **GÖR SÅ HÄR**
1 Degen blandas samman och kavlas därefter ut
2 Tag ut formar av degen och pensla med ägg och strö vallmofrön över
3 Grädda i 175° i 10-15 minuter

Min farfar, Max Freudenthal, var rabbin i
Danzig och senare i Nürnberg. Han var en
föregångare inom judendomens liberala gren
i Tyskland. Min pappa gifte sig år 1927 med
min mamma Elsbet. Elsbet var inte judinna
och mina farföräldrar var inte glada över
det äktenskapet, de ville att deras son
skulle föra de judiska traditionerna vidare.
Emellertid var min far inte särskilt intres-
serad av detta. Han var musiker och fick
möjlighet att komma till Sverige år 1928,
strax efter bröllopet med Elsbet.

Elsbets svärmor, min farmor, var en matmamma
och oerhört oroad för att Elsbet inte skulle
klara av att ge sin man all den goda mat som
han var van vid från hemmet. Därför skickade
hon regelbundet per brev från Tyskland olika
recept på maträtter. Det märkliga är att
Elisabeth, min mamma, trots att hon inte var
judinna, höll ett koscher hushåll. Det var
också hon som såg till att jag och min bror
fick judisk religionsundervisning i Norr-
köpings judiska församling. Min mamma blev
känd inom Norrköpings församling som en av
de få som höll koscher på riktigt.

Pappa var inte religiöst aktiv men han var
ledamot i församlingens sociala utskott
och gjorde mycket för att hjälpa de judiska
flyktingar som kom hit i samband med kriget.

Efter det att min farfar gått bort år 1937
betalade min far en stor summa pengar till
den tyska staten för att hans mamma skulle
få möjlighet att lämna landet. Hon kom till

Norrköping 1938. Då Norge den 9 april 1940
ockuperades greps min farmor av panik och
tog sitt liv.

Min farmors mor hette Julie Lichtwitz. Hon
kom från Schlesien. Hon har givit upphov
till en rad märkliga historier – hon tycks
ha varit en kvinna med stark integritet.
Hon tillhörde en krets av emanciperade tyska
judar och inte var hon glad över att hennes
dotter, min farmor, gifte sig med en rabbin!

Hennes man, min farmors far, arbetade som
stadsöverläkare i staden Ohlau. För en jude
var en sådan tjänst mycket svår att få. En
gång som ung läkare hade han opererat prins
Friedrich som blivit skadeskjuten i ett
krig. Efter det lyckade ingreppet sa´ prin-
sen till min farmors far att han skulle göra
honom vilken gentjänst som helst. När nu
stadsöverläkartjänsten i Ohlau blev utlyst
kom hans hustru Julie ihåg det. Men min far-
mors far ville inte uppvakta Friedrich, som
nu blivit kejsare, för att få tjänsten – det
var han för blyg för. Istället reste Julie
till Berlin. Hon såg till att få audiens
hos den då cancersjuke kejsar Friedrich.
Och på det sättet ordnade hon honom arbetet
som stadsöverläkare i Ohlau! Under många år
trodde jag att detta var en skröna men vid
efterforskning har jag funnit rekommenda-
tionsbrevet från kejsaren i Leo Baeck-arki-
vet i New York, dit alla familjedokument
överlämnades redan på 1930-talet.

Peter Freudenthal

MANDELBROT

> GÖR SÅ HÄR

1 Vispa ägg och socker, ljust och pösigt

2 Tillsätt olja, citronskal, apelsinskal, vaniljpulver, salt och bakpulver

3 Blanda allt och rör i mandlarna

4 Rör i mjölet

5 Häll lite olja i handflatorna så att degen inte ska fastna, forma därefter 2 eller 3 avlånga "limpor", cirka 7 cm breda, lägg dem på plåt med oljat bakplåtspapper, inte för nära varandra eftersom de sväller i ugnen

6 Pensla med äggulan, grädda i 180° i 30 minuter

7 Låt kakan svalna av, skär sedan upp dem i skivor, cirka 1 ½ cm tjocka

8 Vänd på bitarna så att de nu läggs på plåten med snittsidan nedåt

9 Baka dem åter i 200° i cirka 10 minuter tills de blivit ljust bruna

Förvara mandelbröden i en plåtburk med lock så håller de länge

INGREDIENSER

3 ägg

1 ½ dl socker

2 ½ dl olja

rivet skal av en citron

rivet skal av en apelsin

½ tsk vaniljpulver

1 kryddmått salt

1 tsk bakpulver

7 dl mjöl

3 dl skållade och malda mandlar

2 kryddmått mandelolja (ej nödvändigt)

1 äggula till pensling

INGREDIENSER

1 ¼ kkp (=kaffekopp) socker

½ kkp socker

2 ägg

50 gr smör

1 tsk soda-bikarbonat (eller vanligt bakpulver)

4 msk gräddfil (hoppa över om du vill ha kakan parve)

1 kkp mosad banan

1 ½ kkp mjöl

1 tsk vaniljsocker

¼ tsk salt

AMERIKANSK BANANKAKA
(parve om gräddfilen utelämnas)

> ## GÖR SÅ HÄR

1 Blanda smör och socker

2 Tillsätt de lätt vispade äggen

3 Tillsätt bikarbonat och ev gräddfil (lös då upp bikarbonatet i gräddfilen)

4 Vispa kraftigt

5 Tillsätt bananmoset, mjöl, vaniljsocker, salt och blanda väl

6 Grädda i ca 40 min i smord långpanna i 200°

I vår familj associeras den här kakan med vårt judiska arv som i övrigt inte varit särskilt framträdande i familjelivet. Den bakas alltid vid bemärkelsedagar inom familjen och den kallas för "drulle". I det ursprungliga receptet gjordes degen med flott men numera använder vi smör eller margarin.

Möjligen kan receptet komma från min farfars mor, Rosa Meier. Familjen Heckscher kom till Sverige i och med att farfars far kom hit från Danmark. Till Danmark kom familjen från Altona i Tyskland på 1700-talet.
    Ivar Heckscher

INGREDIENSER

200 gr matfett (i originalreceptet hönsfett, men vi använde veg. margarin)

1 ½ dl socker

5 dl mjöl

6 malda bittermandlar

2 ägg + 1 till pensling

2 tsk kanel

TILL FYLLNING

300 gr hallonsylt

50 gr sötmandel

DRULLEKAKA
parve

> GÖR SÅ HÄR

1 Rör ihop 2 ägg med sockret så att det blir ljust och poröst

2 Tillsätt det smälta fettet samt de malda bittermandlarna och kanelen, rör ihop till en deg

3 Hacka sötmandeln grovt

4 Klä en pajform med degen, men spara en del av degen till att göra ett "galler" att lägga ovanpå fyllningen

5 Fyll degformen med sylten och strö över mandelhacket

6 Forma smala deglängder och gör ett "galler" av dem över sylt-mandelfyllningen

7 Pensla gallret med det tredje ägget

8 Grädda i 200° i cirka 20 minuter – tills kakan fått en fin ljusbrun färg

MARYSIAS HONUNGSKAKA

INGREDIENSER
4 dl mörk sirap
3 dl socker
2 ägg
3/4 dl olja
3 dl ljummet starkt kaffe
10-12 dl vetemjöl
2 tsk bikarbonat
2 msk kakao
3 tsk kanel
3 tsk malda nejlikor
Ev. tillsättes även 1 dl kanderade apelsinskal och / eller 1 dl russin
Margarin för att smörja bakplåtspappret

> GÖR SÅ HÄR

1 Rör ner bikarbonatet i vetemjölet
2 Blanda socker sirap och ägg till en smet
3 Tillsätt olja, kryddor, kaffe och därefter vetemjölet samt ev. apelsinskal/russin. Konsistensen ska vara något tjockare än en vanlig sockerkakssmet
4 Lägg ett väl insmort bakplåtspapper i en form, gärna 25 x 35 cm, med höga kanter
5 Grädda i 175° på nedre falsen i ca 50 minuter. Täck ev. med bakplåtspapper under de sista 10 minuterna

CHAIMS HONUNGSKAKA

INGREDIENSER
1 glas socker (2 dl)
½ glas sirap (1 dl)
1 glas honung (2 dl)
3 ägg
2 ¾ glas vetemjöl (knappt 5 dl)
3 msk kallt vatten
1 msk olja
1 tsk ren soda (bikarbonat)
2 dl russin
hackad mandel (cirka 200 gr)
ingefära (malen, ca ½ tsk)
kanel (ca 2 tsk)
nejlika (malen, ca ½ tsk)
pomerans (malen, ca ½ tsk))
ev pomeransskal (malen eller hackad)
lite apelsinmarmelad, ca 1 msk
några skållade mandlar till dekoration

> GÖR SÅ HÄR

1 Rör ihop socker, sirap och honung
2 Vispa ägg, vetemjöl, vatten, bikarbonat och olja med sockret
3 Tillsätt sirap-honungsblandningen
4 Tillsätt kryddorna och marmeladen
5 Häll upp i smörad (veg. margarin om kakan ska vara parve) och bröad form. Dekorera med de skållade mandlarna som sticks ned en bit i smeten
6 Gräddas i 200° i ca 20 minuter, därefter bör kakan täckas över med folie och gräddas vidare i minst 40 minuter till.

Jag växte upp i Lodz i Polen. På den tiden var Lodz Polens näst största stad med 600 000 invånare varav 230 000 var judar.

När tyskarna i september 1939 invaderade Polen låg min mamma Regina, på sjukhus och ingen i familjen förstod att hamstra mat inför krigsutbrottet.

När mamma kom hem från sjukhuset strax innan rosh hashana, nyårshelgen, beslöt hon ändock att länsa skafferiet och baka en honungskaka – för alla har ju rätt till ett sött och ett gott liv.

Jag var den enda i vår familj som överlevde kriget. Varje år bakar jag en honungskaka till rosh hashana och jom kipur – ett sätt att med glädje hedra min mors minne. Jag visste inte hur man bakade honungskaka, jag var bara 14 år då kriget bröt ut. Men några år efter kriget fick jag det "rätta" receptet från en judisk familj i Stockholm.

Marysia Janowski

MORMORS MANDELKAKA

INGREDIENSER

3 ägg

2 ½ kkp (kaffekoppar) vetemjöl

2 kkp socker

3 tsk bakpulver

125 gr smör (smält/vegetabiliskt) margarin

1 kkp mjölk

25 sötmandlar (skållade och hackade)

> GÖR SÅ HÄR

1 Vispa ägg med socker pösigt

2 Blanda i mjöl blandat med bakpulver

3 Häll i det smälta smöret/margarinet

4 Blanda i 2/3-delen av mandeln

5 Häll allt i en liten smord och bröad form (ca 20 x 30 cm)

6 Häll över resten av den hackade mandeln

7 Grädda i 190° i 35-40 minuter nederst i ugnen

Min mormor kom till Sverige år 1908 från Ukraina. Morfar kom från Kovno i Littauen år 1913.

Det är i första hand min mormor som inspirerat mig i mitt matlagningsintresse. Som barn älskade jag att hänga henne i kjolarna, särskilt när hon bakade.

För mig är matlagning en hobby. Jag har en ansenlig samling kokböcker som innehåller recept från hela världen. Jag har också prenumererat på Allt om mat sedan år 1971 fram till och med år 1998. Vårt hushåll är kosher och det har blivit något av en sport för mig att omvandla olika recept så att de passar in i min kosherhållning. Vi har många icke-judiska vänner och de brukar skoja om att det faktiskt inte märks att min mat är kosher!

Sedan några år skriver jag en matspalt i Malmös judiska församlings medlemstidning, jag tycker att det är roligt att dela med mig av mina recept.

Min morfar, Simon Blecher, var i många år gårdfarihandlare i Hälsingland. Där for han runt på sin cykel och sålde varor. Han kom dock alltid hem till de större judiska helgerna. Hela pesachhelgen var han hemma och likaså under hösthelgerna.

När jag var liten brukade vi under sommaren tillsammans med mormor hyra en liten stuga i Hälsingland. Vi bodde i stugan medan morfar åkte runt och sålde i gårdarna. Varje torsdag kom morfar hem till oss. Han var religiös och kunde inte tänka sig att arbeta på shabat. Vi höll förstås kosher. I Hälsingland fanns inget kosher kött till salu så under hela sommaren åt vi bara "mjölkig" mat och mycket fisk. Dels köptes fisk från fiskbilen, dels fiskade min pappa i Ljusnan. På braxen gjorde mormor gefillte fisch till shabat. Varje fredag morgon bakade hon challe-bröd i en vedeldad ugn som fanns i stugan och tillredde hemlagade "lockshen", d v s tunna pastaremsor, till soppan som serverades som förrätt till fredagsmåltiden. Morfar blev känd i stora delar av Hälsingland som "gårdfarihandlaren Blecher." År 1921 fick han handelsrättigheter från Gävleborgs län vilket på den tiden var unikt för en utlänning. Morfar talade knagglig svenska, hans modersmål var jiddisch. Han arbetade som gårdfarihandlare fram till år 1956.

Något i matväg som jag mycket starkt förknippar med min mormor är morotsmarmelad. Det gjorde hon alltid till pesach och den serverades som pålägg till matsebrödet.

Mormor var också specialist på att baka sockerkakor. Hon vispade och vispade, för hand förstås, och medan kakan stod i ugnen fick man knappt komma in i köket för att kakan inte skulle sjunka! Mormors mandelkaka var vida känd och fanns alltid på bordet vid kalas eller helger.

Gerd Juvin

INGREDIENSER

TÅRTAN

1 ½ pkt s k Manner Biskoten, det är 60 stycken fina fingerkex av en mycket spröd sort, de tillverkas i Österrike. Dessa kan också bakas, se recept nedan.

100 gr osaltat smör

100 gr pudersocker + 2 msk pudersocker

3 äggulor

100 gr malda valnötskärnor

2 msk rom (brun)

5 dl vispad grädde

10 hela valnötskärnor till dekoration

3 dl starkt kaffe med mjölk att doppa fingerkexen i

FINGERKEX (BISKOTEN)

3 ägg

150 gr pudersocker

1,2 hg vetemjöl

BISKOTEN–TÅRTA
mjölkig

> **GÖR SÅ HÄR**

FINGERKEX

1 Vispa 3 äggulor med pudersockret + 1 ½ äggvita tills det blir ljust och poröst

2 Vispa 1 ½ äggvita till hårt skum

3 Rör ned äggvitan i äggula-äggvita-sockerblandningen

4 Rör ner mjölet

5 Spritsa ut smeten på oljat bakplåtspapper till cirka ½ cm-tjocka "fingrar"

6 Grädda i 175° i 7-8 minuter tills de fått ljusgul färg

TÅRTAN

1 Ta 3 tsk neskaffe och rör ner i 1 tsk kokande vatten. Späd ut med 2 ½ dl kall mjölk.

2 Doppa biskoten hastigt i kaffet med mjölk och klä formbottnen så tätt som möjligt med dem. Kexen får inte dra åt sig för mycket vätska för då blir det för kladdigt

3 Mal valnötskärnorna

4 Blanda resten av ingredienserna, smöret, 100 gr pudersocker, 3 äggulor i en matberedare

5 Vispa drygt hälften av grädden och rör ned i blandningen. Rör härefter ner även valnötskärnorna och romen

6 Bred ut hälften av krämen över biskoten

7 Lägg ett nytt lager av kaffeindränkta biskoten över krämen och sedan resten av krämen ovanpå detta

8 Avsluta med ett sista lager av kaffeindränkta biskoten

9 Ställ i kylen över natten. Den mår bra av att dra

Inför serveringen: Klä tårtan med 2 dl vispad grädde med tillsats av ca 2 msk pudersocker, dekorera med valnötskärnor Gör tårtan i en vanlig rund 22 cm form med löstagbar botten.

Sedan jag själv bildade familj har ingen fest eller
födelsedag firats utan denna tårta. Jag växte upp i
staden Troppau i Tjeckoslovakien, som tillhörde de
delar av Böhmen och Mähren som kom att ingå i Sudet-
landet. Min mamma och pappa hade en liten affär, en
delikatessaffär, där båda arbetade. Eftersom mamma
arbetade utanför hemmet så var hon inte så huslig av
sig, men till speciella högtider gjorde hon en del
godsaker och till dem räknades denna biskotentårta.

År 1939, jag var då 18 år, kom jag och min sju år
yngre bror till Sverige. Vi togs emot av vår mor-
bror som arbetade inom konfektionsindustrin och som
varit bosatt i Stockholm sedan 1931. Han gjorde sitt
yttersta för att även få ut mina föräldrar. Jag och
min bror återsåg dem dock aldrig. Vi hade brevkontakt
med varandra fram till år 1942, då de deporterades
till Theresienstadt. Först senare, efter 1945, fick
vi reda på att våra föräldrar år 1943 hade skickats
till Auschwitz.

Den här tårtan påminner mig om mitt föräldrahem - den
var min fars stora favorit. Jag hade inget recept men
återfann det i en gammal kokbok från Wien.

    Ilse Bloch

BOLOKONJO
Sesamkakor från Rhodos, parve
Obs ingen gräddning!

INGREDIENSER

3 kkp (=kaffekoppar) sesamfrön

2 msk mjöl

½ kkp flytande honung

1 kkp socker

1/4 kkp vatten

¾ kkp mandel, skållade, rostade och hackade

> **GÖR SÅ HÄR**

1 Rosta sesamfröna så att de blir gyllenbruna i en vanlig stekpanna utan stekfett

2 Blanda dem därefter med mjölet. Ställ pannan åt sidan

3 Blanda socker med vatten, låt det hettas upp tills det bubblar. Häll i honung. Koka tills en droppe av smeten stelnar i kallt vatten (det s. k. karamellprovet)

4 Sänk värmen och tillsätt sesamfröna i den varma honungssmeten

5 Blanda väl och häll upp på ett värmetåligt underlag

6 Låt svalna, rulla till smala längder, cirka 3 cm diameter

7 Skär med skarp kniv till 2-3 cm breda skivor. Låt kallna helt

Förvara kakorna i en tät burk

FANNYS DADELKAKA
parve

INGREDIENSER

200 g mjukt margarin

1 dl socker

2 ägg

2 tsk vaniljsocker

8 dl mjöl

1 tsk bakpulver

ca 3 dl dadelmarmelad

2 dl hackad mandel

florsocker till dekoration

> **GÖR SÅ HÄR**

1 Blanda margarin och socker

2 Tillsätt de andra ingredienserna, arbeta ihop till en deg

3 Dela degen i 6 delar och kavla ut varje del försiktigt

4 Bred ut dadelmarmelad och mandel över degbitarna och rulla ihop dem

5 Grädda 25-30 min i 200°

6 Pudra med florsocker medan kakorna fortfarande är ljumma och dela dem i bitar

P E S A C H

Pesach är den enda helgen som i boken fått sig tilldelat ett alldeles eget avsnitt för recept. Precis som man på pesachaftonen frågar "vad skiljer denna kväll från alla andra kvällar?" kan man här fråga "vad skiljer pesachrecepten från alla andra recept?" Svaret är att recepten inte innehåller chamets – mjöl eller spannmål eller annat som kan jäsa.

I hem där helgen firas traditionellt känns mycket "helt upp och ner" innan pesachstädningen slutförts (alla spår av jästa matprodukter måste nämligen avlägsnas).

En alldeles speciell känsla är det att laga mat i det nyskrubbade köket och en utmaning är det att göra allt "kosher lepesach", (kosher för pesach)!

Det svåraste i pesachmatlag-ningen är att åstadkomma goda kakor (utan vanligt mjöl) – så i paradoxens namn finns det naturligtvis massor av recept på just pesachkakor!

CHAROSET

3 skalade äpplen, rivna
3 dl hackade mandlar
1 dl hackade valnötter (kan bytas till mandlar)
2 tsk kanel
½ dl sött vin
½ dl socker

Blanda alla ingredienser till en jämn smet

Fabian Philip kom till Karlskrona från Mecklenburg år 1780 och blev
grundaren av Karlskronas judiska församling, en av de första judiska
församlingarna i Sverige. Fabian Philips enda barn, dottern Eleonora,
gifte in sig i släkten Ruben år 1800. Hon gifte sig med Jerachmiel
Joakim Ruben som inflyttat från Hamburg till Karlskrona.

Jag växte upp på vår gamla släktgård, Afvelsgärde i Lyckeby, utanför
Karlskrona. Den gården köptes av Fabian Philip som sommarbostad. Men
på den tiden, i början på 1800-talet, fick judar inte förvärva fast
egendom så han köpte den via en bulvan. Så småningom, under kung Karl
Johans tid, ändrades denna regel och Fabian Philip erhöll lagfarten på
huset.

Min pappa, Edvard Ruben, höll inte på några judiska traditioner förutom
en enda: Varje påsk köpte han matsebröd som vi fick smaka på. Och varje
påsk ägde samma ordväxling rum mellan pappa och mormor som var från
Jämtland. Mormor sa´ "Det där brödet är ju detsamma som jämtländskt
tunnbröd". Varpå pappa svarade: "Nej, det är det inte alls, för tunn-
brödet är ett hedniskt bröd och det här, det är heligt bröd!

     Bo Ruben

MATSE-KNEIDEL

INGREDIENSER 4-6 PERSONER

3 ägg

3 dl matsemjöl

1 tsk salt

½ dl hönssoppa/buljong

3 msk hönsflott/olja

> **GÖR SÅ HÄR**

1   Blanda samtliga ingredienser väl
2   Låt kallna i kylskåp i två timmar
3   Forma små bollar och koka i hönssoppa i ca 25 minuter

Variation I
INGREDIENSER
3 matsebröd
3 msk matsemjöl
2 ägg
40 gr margarin
salt, peppar
1 lök, finhackad

> **GÖR SÅ HÄR**

1   Blöt matsebröden under rinnande kallt vatten
2   Fräs lökhacket i margarin
3   Blanda ihop de blötlagda matsebröden, matsemjöl, ägg lök, salt och peppar till en smet
4   Låt smeten stå i en timme
5   Forma små bollar och koka i soppan i ca 20 min

Variation II
Till recept nummer ett: lägg till en nypa nyriven ingefära.

Variation III
Ytterligare en variation är att separera äggen och vispa äggvitan tills den blir fast och därefter vända ner den i den övriga smeten. Det ger en porösare kneidel. En del föredrar den porösare varianten, andra den fastare.

MORMORS PÅSKÄGG

INGREDIENSER
3 st matsebröd
1 ½ dl matsemjöl
125 gr farinsocker (2 dl)
50 gr smält margarin
2 ägg
rivet skal från en halv citron
olja till stekning

> GÖR SÅ HÄR

1   Lägg de 3 matsebröden i blöt i vatten, låt stå övertäckt i ett par timmar och låt dem
    därefter rinna av varefter kvarvarande vatten pressas ur
2   Lägg därefter matsebröden i en skål och rör ned resten av ingredienserna
3   Låt hela smeten vila i kylskåp i minst en timme
4   Värm olja i en stekpanna med höga kanter
5   Strö lite matsemjöl i handen och ta små mängder av smeten som rullas till små ägg
6   Rulla äggen i matsemjöl
7   Fritera/stek äggen i oljan – var försiktig så att oljan inte är för het, då kan äggen
    brännas
8   Låt de färdiga äggen rinna av en aning på hushållspapper innan de serveras varma

"MAGISK DEG"
för pesachbröd

Den här degen är användbar till mycket under pesach: petit choux, "pesach-fran-
skor", soup almonds.

INGREDIENSER TILL GRUNDDEGEN
Till cirka 8 st småbröd:
4 ägg
4 dl vatten
1 ½ dl olja
1 tsk salt
4 dl matsemjöl

> GÖR SÅ HÄR

1   Koka upp vatten, salt och fett i en tjockbottnad kastrull
2   Ta bort från värmen och tillsätt matsemjölet
3   Blanda väl och låt koka i två minuter under omrörning
4   Ta bort från värmen och låt stå i 10 minuter
5   Tillsätt äggen ett och ett, arbeta in dem väl i degen/smeten

Petit choux av "magisk deg"

1   Värm ugnen till 175 C°.
2   Ta små bitar av degen med hjälp av 2 matskedar, placera degbitarna på smort
    bakplåtspapper
3   Grädda i ca 30 min, eller tills de är bruna
4   Fyll med någon fyllning, t ex sylt och grädde eller vaniljkräm

"Franskor" av "magisk deg"

1   Forma 8 stycken bollar av degen
2   Grädda på medelvärme i ugn i ca 40 min
    De är godast att äta alldeles färska

Soup almonds av "magisk deg"

1   Forma pyttesmå bollar av degen och stek dem i het olja tills de är gyllenbruna
2   Låt kallna och servera för att läggas i en klar buljongsoppa

Jag växte upp i en starkt svensk-judisk miljö. Min mammas judiska traditioner var präglade av hennes föräldrar som hade invandrat från Ryssland och Polen i början av seklet. För mamma hade maten en central roll i det judiska kulturarvet och hon uttryckte mycket av sin judiskhet genom den. Pappa kommer från en familj som bott lite längre tid i Sverige och var mer mån om att även bekräfta den svenska identiteten vid sidan om den judiska. För pappa, liksom för farfar, var den judiska kulturen ändå en väldigt viktig del av livet.

Både pappa och vi tre syskon älskade mammas mat. En av de stora mathelgerna är pesach. Säger någon pesach så tänker jag omedelbart på eingemachtes. Varje år gjorde mamma eingemachtes till pesach. När jag var liten var jag inte så förtjust i det men ju äldre jag blev desto mer uppskattade jag det, i tonåren älskade jag det! Eingemachtes är en slags syltinläggning som förgyller allt man äter under pesach-helgen. Den har en vacker röd färg. Mamma gjorde eingemachtes så som hennes mamma lärt sig att göra den i sitt barndomshem i Grodno i Polen.

Eingemachtes lägger man på matsebrödet. Eingemachtes äter man till rårakor (vi kallade dem för chremzlach) och eingemachtes är ett gott tillbehör till helgsteken och till andra maträtter.

När jag var liten fanns det inte lika mycket "kosher-le-pesach-mat" att köpa som det finns idag. Man var hänvisad till det som tillagades hemma. Mamma höll strikt på att det som inte var kosher för pesach inte heller kom in i hemmet under denna pesachvecka. Det var på något sätt fascinerande att se hur vi ändå åt gott under hela helgen och att man klarade sig utan allt det som man annars var van att köpa hem.

    Jan Nisell

EINGEMACHTES
parve

INGREDIENSER
2 kg rödbetor
1 kg socker
3 citroner
ingefära, 2 stycken hela
2 hg skållad mandel, grovt hackad

> GÖR SÅ HÄR
1   Rödbetorna tvättas och kokas så att de blir mjuka
2   Skala och tärna rödbetorna. Obs spara ½ liter av rödbetsvattnet
3   Blanda sockret med rödbetstärningarna
4   Låt detta stå över natten
5   Nästa dag: Tvätta och skiva citronerna tunt
6   Lägg ner ingefäran (behöver inte delas)
7   Rödbetsvattnet hälls på och hela blandningen får sjuda i en kastrull i ungefär 2 timmar
8   Tag bort ingefäran
9   Rör ner de grovt hackade mandlarna de sista 10 minuterna av kokningen

*Den färdiga sylten hälles i rena burkar, skruva på locket hårt.
Vänd burken upp och ned tills sylten har kallnat.*

MATSEBREI

Matsebrei är en pesach-klassiker som äts till frukost, till kaffe eller som mellanmål. Grundreceptet ser ut så här:

INGREDIENSER
2 ägg
salt, peppar
2 hela matsebröd, krossade till små bitar
2 tsk smör eller margarin till stekningen (vegetabiliskt margarin om man vill ha en parve matsebrei)

> GÖR SÅ HÄR
1   Vispa lätt äggen, tillsätt salt och peppar
2   Låt matsekrossen dra i kallt vatten i 1-2 minuter eller tills det mjuknat
3   Låt vattnet rinna av och pressa försiktigt ut överflödet av vattnet ur matsebitarna
4   Lägg matsekrosset i de uppvispade äggen och blanda om
5   Smält smöret/margarinet i en stekpanna och stek sakta ägg-matsekrosset tills den ena sidan fått en fin stekyta. Vänd försiktigt "kakan" och stek även den andra sidan.

*Servera exempelvis med crème fraiche eller med socker och
kanel eller sylt.*

KRIMSEL
även kallat Grimsel eller Chremslach, parve

INGREDIENSER
5-6 matsebröd
4 ägg
1 dl socker
100 gr russin
100 gr mandlar, hackade
rivet skal från 1 citron
rivet skal från 1 apelsin
1 tsk kanel
1 knivsudd salt
olja till stekning

> **GÖR SÅ HÄR**

1 Krossa matsebröden till småbitar och lägg dem i en skål, täck med vatten så att matsebitarna suger åt sig av vattnet
2 Vispa äggen kraftigt
3 Krama ur det mesta vattnet ur matsebitarna
4 Lägg matsen och övriga ingredienser i de uppvispade äggen, rör om väl
5 Värm olja i en stekpanna och stek små runda plättar, krimsel

Servera gärna med äppelmos och kanske en klick gräddfil (blir då mjölkigt). Smakar bäst färska och passar utmärkt till kaffe!

PESACHCREPES MED KÖTTFYLLNING

INGREDIENSER 6 PERSONER
KÖTTFYLLNINGEN
soppkött, cirka motsvarande en kvarts del av en mindre höna och 2-3 hg av oxbringa som kokat i soppan
lite av grönsakerna som kokat i soppan, exempelvis några bitar morötter, några bitar palsternacka och selleri
en stor lök
persilja, hackad
salt och peppar

> **GÖR SÅ HÄR**

1 Hacka löken och stek i olja tills den blir aningen brynt
2 Finhacka och blanda köttet och de skurna kokta grönsakerna
3 Hacka rikligt med persilja och tillsätt i kött och- grönsaksblandningen
4 Tillsätt den stekta löken
5 Salta och peppra efter smak

PESACHCREPES
Vispa ihop till en jämn smet:
6 ägg
3 dl matsemjöl
1 dl potatismjöl
2 dl vatten
1 tsk salt
vegetabiliskt margarin till stekningen

> **GÖR SÅ HÄR**

1 Rör ihop samliga ingredienser till en jämn smet
2 Grädda i stekpanna så tunna crepes som möjligt
3 Rulla in köttfyllning i varje crepe

Receptet har jag från min mamma, Rakel Jangklev, född
1921 i Grodno i Polen/Litauen (idag Vitryssland). Hon
kom till Sverige som den enda av 10 syskon som över-
levt Förintelsen. Till Stockholm kom även hennes vän-
nina Judith Bik, från samma stad. De var båda oerhört
matlagningsintresserade. Tillsammans med ytterligare
en vännina, Rosa Levy, även hon från Grodno, började
hon under 60- och 70-talen att laga mat till otaliga
bar-mitzva- och brölloppsfester inom Stockholms judis-
ka församling. Tsimmes med kneidel-kugel gjorde min
mamma till pesach.

    Martha Mankowitz

Både Rakel, Judit och jag överlevde mirakulöst kriget.
Den sista anhalten innan befrielsen var Malhoff där vi
arbetade i en ammunitionsfabrik. Till Sverige kom vi
genom Röda korset. Tyvärr är vare sig Rakel eller Judit
i livet längre men jag har fina minnen från vår matlag-
ning, vi hade så roligt tillsammans när vi lagade mat
till alla stora fester!

    Rosa Levy

TSIMMES
MED KNEIDEL-KUGEL OCH KÖTT

> **GÖR SÅ HÄR**

1 Häll lite olja i kastrullens botten

2 Lägg i de skivade morötterna samt kött och katrinplommon

3 Häll på buljong så att det knappt täcker morötter och kött

4 Krydda med salt och peppar

5 Låt stå i ugnen med locket på i 250° i cirka 20 minuter

6 Blanda alla ingredienser till kneidelkugeln, den ska vara ganska fast

7 Klicka ut kneidelkugelsmeten över morötterna och sänk ugnsvärmen till 150° C

8 Låt koka i ugnen med locket på i knappt 3 timmar till

Använd en stor järngryta

INGREDIENSER FÖR 20 PERSONER

TSIMMES MED KÖTT

2 kg morötter, skivade

1 msk olja att smörja kastrullbotten med

10 st katrinplommon

1 tärning hönsbuljong i vatten kokas upp till en soppa som knappt täcker morötterna och köttet i kastrullen

1 kg högrev skuret i ganska stora bitar

salt

peppar

KNEIDEL-KUGEL

2 ägg

1 dl olja

2 glas vatten

salt och peppar

½ pkt matsemjöl

INGREDIENSER

lök

blekselleri

paprika

aubergine

persilja

svamp

vitlök

ägg, ett ägg per tre matsebröd

salt, peppar

timjan

rosmarin

matsebröd

margarin

ev keso/vitost och gul ost

PESACH MATSAPUDDING
parve/mjölkig

Den här rätten hör till familjen Narrowes pesach traditioner. Alla möjliga grönsaker kan användas i puddingen.

> GÖR SÅ HÄR

1 Alla grönsakerna steks lätt i margarin

2 Tillsätt salt, peppar och ev. timjan och lite rosmarin

3 Tillsätt ett ägg per tre matsebröd, blanda

4 Häll grönsakerna i matse-ägg-blandningen, blanda om

6. Lägg en klick margarin överst och sätt in i ugnen, 175° i 20-30 minuter. Ta ut puddingen innan den blir för torr.
   Variant: Rör i keso eller hemgjord vitost i smeten, gärna i kombination med en annan starkare ost (då är rätten mjölkig och inte parve)

Serveras med grönsallad eller ratatouille.

LEKACH
("sockerkaka"), parve

Lekach är benämningen på jiddisch för en kaka av sockerkakstyp. Det finns en mängd olika recept på lekach, här är ett grundrecept på pesach-lekach som kan varieras på många olika sätt.

INGREDIENSER

6 ägg
6 msk socker
6 msk matsemjöl
2 msk potatismjöl
2 msk malda mandlar eller hasselnötter

> **GÖR SÅ HÄR**

1 Separera äggvitor från äggulorna
2 Vispa vitorna till hårt skum
3 Rör ner sockret i äggvitorna
4 Rör ner äggulorna en och en
5 Rör ner potatismjölet
6 Rör ner de malda nötterna

Grädda i smord form som "bröats" med matsemjöl. Grädda i 175° i 45 minuter. Låt svalna i ugnen med ugnsluckan på glänt

Förslag till variationer

1. Byt ut 3 msk av matsemjöl mot 2 msk kakao och en mosad kokt potatis
2 Öka mängden nötter till 2 dl malda mandlar och lägg till rivet apelsinskal från en apelsin
3 Öka mängden mandlar till 2 dl malda mandlar, lägg även till en stor riven morot, ½ msk kanel, ½ msk kryddpeppar, 1 riven kokt potatis samt 2 msk smält margarin

DORIS STERNS PESACHKAKA
parve

INGREDIENSER

6 ägg - varav 3 st separeras i äggulor och äggvita
5 dl florsocker
125 gr hasselnötskärnor (malda)
2 msk matsemjöl
2 tsk bakpulver (bakpulver som är kosher för pesach)
2 tsk kaffe
1 msk vaniljsocker

> **GÖR SÅ HÄR**

1 Vispa de tre hela äggen plus de 3 äggulorna luftigt
2 Tillsätt florsockret och vispa lite till
3 Rör ner de malda hassenötskärnorna samt matsemjölet och bakpulvret
4 Tillsätt kaffet och vaniljsockret
5 Vispa de tre äggvitorna kraftigt, till hårt skum
6 Vänd försiktigt ner de uppvispade äggvitorna i smeten
7 Grädda i 175° i 35 minuter

Låt kakan stå kvar i den avstängda ugnen och svalna med ugnsluckan på glänt.

Min mamma, Maj Sisefsky föddes år 1906. Hon var dotter till Signe och Max Hüttner. Mormors mor var Amanda Ruben, född Meyersson 1856. Mormors mormor, Betty Meyersson var född Philipson.

Familjen Ruben härstammar från Jerachmiel Moses Ruben, född i Hamburg år 1780, som kom till Karlskrona i slutet av 1700-talet. Jerachmiel gifte sig med Fabian Philips dotter, Eleonora. Paret fick sju barn, en av dessa var Moritz Ruben som var min mormors farfar. Fabian Philip tillhörde den grupp som genom tillstånd från kung Gustav III grundade en av Sveriges första judiska församlingar, nämligen den i Karlskrona. Släkten antog så småningom släktnamnet Philipson.

Moritz Ruben, en av Jerachmiels och Eleonoras sju barn, gifte sig med en judisk flicka från London, Rebecka Symons (1822-1905). Rebecka var farmor till min mormor, Signe Hüttner, född 1880. Jag, Vera Sundberg, är dotterdotter till Signe. Rebecka Symons medförde en stor uppsättning porslin från England och också en mängd engelsk-judiska recept och en del av dessa recept har levt vidare från min mormor till min mamma och vidare till mig.

Mormor serverade alltid på sederkvällens stora middag först en hönssoppa med två sorters "påskägg" som vi kallade det. Den ena sorten var en blek matseknödel som låg i soppan. Den andra var ett sött, friterat påskägg som serverades vid sidan om soppan, dem älskade vi. Därefter serverade mormor alltid en märgpudding.

Vera Sundberg

Red:s kommentar: Märgpudding har vi inte återfunnit någon annanstans i det svensk-judiska köket. Men rätten är en utmärkt och lustig illustration till hur det judiska köket anpassats till rådande mattraditioner i omgivningen. I denna pudding finns det troligen dels en engelsk influens som Rebecka Symons medförde och möjligen även en äldre influens från det sefardiska (spansk-judiska) köket. Till England immigrerade nämligen under 1600-talet en större grupp judar av spanskt ursprung, sefardiska judar. Av puddingens recept framgår både en spännande kryddning av muskot och kanel samt en kombinationen av sött och surt genom citron och farinsocker.

I boken om dansk-judisk mat Till bords indenfor murene (Goldschmidt og Siesby) finns ett recept liknande det som serverades hos Veras mormor på friterade "påskägg" till pesachhelgen. En stor del av Danmarks tidiga judiska familjer har ju också sefardisk bakgrund!

SYLVIAS NÖTKAKA

INGREDIENSER
2 ½ dl socker
5 ägg
2 ½ dl mald mandel/hasselnötter/valnöt
– välj själv
(som extra smaktillsats vid val av
hasselnöt: 1 msk kakao-pulver, vid val av
valnöt: skalet av en riven citron)

> **GÖR SÅ HÄR**

1 Smörj mycket väl en kakform som har
   raka kanter, smeten fastnar annars
   lätt. Man kan även "bröa" formen med
   matsemjöl
2 Häll sockret i en bunke med ett
   helt ägg och 4 gulor. Vispa med
   matberedare så att det blir en pösig
   smet
3 Vispa de 4 äggvitorna hårt
4 Blanda de malda nötterna i
   äggsmeten, rör om så att allt blir
   blandat
5 Vänd ner de vispade vitorna med lätt
   hand så att allt blir en fluffig smet
6 Grädda i 175° i 30-35-40 minuter, känn
   med en sticka om kakan är torr. Låt
   svalna i formen.

När jag var pojke på 30- och 40-talen följde jag ofta med min mamma när hon skulle handla kött. Kosher kött kunde inhandlas i butiken Karl Larssons AB på Regeringsgatan 40 C. Karl Larsson var en ganska stor butik som sålde olika typer av matvaror och de hade en särskild avdelning där kosher kött såldes.

Jagblev med anledning av Eva Frieds frågor så intresserad av att få reda på mer om kosheraffären under min barndom att jag företog en liten efterforskning. Därvid hamnade jag hos Viktualiehandlarnas pensionsinrättning där man kunde berätta att Firman Karl Larsson köptes av Joseph Sachs år 1917. Joseph Sachs ägde varuhuset NK som låg alldeles intill och en tanke som ligger nära till hands är att herr Sachs kanske köpte företaget med en expansion av NK i åtanke? Vidare fick jag reda på att kosherslakten av nötkreatur ägde rum vid Stockholms slakthus i regi av Karl Larsson vars bror var slaktmästare.

Expediterna vid Karl Larsson hade övat upp en god vana att förstå den brutna svenska som flera av de judiska kunderna talade. Min mor hade i slutet på 1800-talet invandrat från den lilla byn Grodno i Ryssland. Jag minns särskilt väl en av mina något äldre mostrar som brukade köpa "Smotset". Expediterna förstod att hon frågade efter småkött.

Köttaffären var en viktig mötesplats för de judiska stockholmarna. Där kunde man få reda på "senaste nytt" inom församlingen! Varje år arrangerade det judiska amatörteatersällskapet ett antal kabaréer dit församlingens medlemmar inbjöds. Vid dessa föreställningar hade man alltid minst ett nummer där man hejdlöst drev med vad som tilldrog sig i köttaffären.

Palle Granditsky

CHOKLADKAKA

parve

INGREDIENSER
3 3/4 dl socker
1 dl olja
1 3/4 dl matsemjöl
8 msk kakao
2 dl sött vin

> **GÖR SÅ HÄR**

1 Vispa kraftigt socker med olja
2 Rör ner kakao, matsemjöl och vin
3 Smörj en form med margarin eller olja, "bröa" med matsemjöl
4 Grädda kakan i mitten av ugnen i 30-35 minuter i 175°

TANT TORAS GRÄNNAKAKA

parve

INGREDIENSER
200 gr mandel, malda
100 gr margarin
300 gr socker
3 ägg
3 kokta potatisar, rivna

> **GÖR SÅ HÄR**

1 Rör margarin och socker pösigt
2 Tillsätt mandeln
3 Tillsätt äggen och den rivna potatisen
4 Baka i eldfast form, 275° i cirka 40 minuter.

CHOKLADTÅRTA

Den här tårtan behöver ingen gräddning i ugn och den är parve

INGREDIENSER
7-8 matsebröd
200 gr mörk choklad, mjölkfri
125 gr margarin
3 små ägg eller två stora
2 dl sött vin (dessertvin)
3 msk florsocker

> **GÖR SÅ HÄR**
1 Smält chokladen i vattenbad, tillsätt margarinet, rör ner sockret, låt blandningen svalna
2 Låt varje matsebröd ligga i vin så att det suger åt sig av vinet och mjuknar en aning
3 Rör ner äggen i chokladen, ett i taget, blanda väl tills smeten blir tjock och jämn
4 Lägg på ett fat ett vindränkt matsebröd i botten, lägg chokladsmet ovanpå och varva därefter med resten av matsebröden och chokladsmeten, se till att det blir smet över att täcka det översta lagret med
5 Låt stå i kylskåp minst en timme före servering. Skär upp bitar med en vass kniv innan servering.

MARÄNGBOTTNAR
eller små maränger, parve

INGREDIENSER
3 äggvitor
1 ¼ dl socker
1 knivsudd salt

> GÖR SÅ HÄR
1 Vispa upp äggvitorna + saltet så att det blir helt stelt
2 Lägg till sockret – en matsked i taget under fortsatt vispning
3 Bred ut smeten på en bakplåt täckt med bakplåtspapper, tag hjälp av handen för att få den slät. Alternativt: Klicka ut cirka 15 mindre maränger
4 Baka i 100° i en timme, marängen ska kännas lätt och spröd och ha en aning färg då den är färdig.

En variation är att lägga i 2 dl malda mandlar i marängsmeten.

PESACH BROWNIES
parve

INGREDIENSER
250 gr mörk choklad (mjölkfri)
150 gr margarin
2 dl socker
4 ägg
2 dl matsemjöl
2 dl malda nötter eller mandlar
½ tsk salt

> GÖR SÅ HÄR
1 Smält chokladen tillsammans med sockret, låt det kallna en aning
2 Lägg i äggen, ett i taget under omrörning
3 Lägg i övriga ingredienser
4 Lägg bakplåtspapper i en plåt av storleken 25 x 35 cm och smörj väl
5 Häll smeten på plåten och baka i 175° i 40 minuter
6 Låt kakan svalna och skär därefter upp den i rutor

Min pappa kom till Sverige någon gång kring år 1912. Han
var anställd på en firma i Leipzig som beredde skinn och
genom sitt arbete skickades han för en tid till Sverige.
Så bröt första världskriget ut och han kunde inte åter-
vända som planerat. Han började arbeta med skinn och
päls på ett företag i Tranås. Några år senare återvände
han, gifte sig med min mamma och de bosatte sig i Stock-
holm.

När jag senast förberedde en sederafton för min familj,
mina barn och barn-barn, tog det mig totalt sex timmar.
Jag gjorde allt själv förutom fiskbullarna som jag köp-
te färdiga. Jag hackade lever, kokade soppa, tillredde
varmrätt samt bakade två kakor. Jag ställde också i ord-
ning allt som ska finnas på ett sederbord, bittra örter,
"murbruk" och allt annat. Men så har jag också en matbe-
redare. Vi satt 14 personer kring sederbordet.

Annat var det på min mammas tid. Jag glömmer inte hur
min mamma med hjälp av vårt hembiträde ägnade minst
tre dagars hårt arbete åt att få pesachmaten klar. Jag
minns också att mina morföräldrar åren 1937 och -38
tillbringade pesach hos oss och då överläts kakbakandet
till mormor, min syster och mig. Vi kämpade med att få
äggsmeten tillräckligt fluffig, vilket krävde minst 20
minuters vispning för hand innan mormor blev nöjd. Under
pesachdagarna gjorde vi sådana kakor nästan varje dag,
ibland flera stycken åt gången.

Idag finns det hushållsmaskiner som gör arbetet så
mycket enklare. Det enda jag avundas min mamma är att
hon fick alla matvaror hemskickade från affären medan
jag får släpa hem dem i min "dramaten-med-hjul".

    Sylvia Urwitz

Jag är född och uppvuxen i Norrköping. Min morfar, Bernhard Aronsson, kom till Landskrona i slutet på 1800-talet från Vilna i Litauen. Efter att ha gift sig med min mormor, Amalia Margolius, flyttade de till Kävlinge där min mor Betty och hennes två syskon föddes.

I Norrköping fick morfar arbete som bibliotekarie för familjerna Wahrens och Philipsons bibliotek. Han arbetade också som lärare i religionskolan och som kantor inom den judiska församlingen. I hans tjänst ingick också arbetet som slaktare, vilket ju inom den judiska traditionen är en uppgift för en skriftlärd man.

Mina morföräldrars hem var ortodoxt och alla genomresande, som kom till Norrköping och som önskade kosher mat fick äta där. Bland sådana gäster minns jag pianisten Wladimir Horowitz som åren 1918 och 1919 gästspelade på Standard Hotell i Norrköping.

Min far, Karl Stern, föddes i Lodz, Polen, och kom år 1906 som 13-åring till Sverige. Han försörjde sig till att börja med som gårdfarihandlare. I flera år gick han runt tillsammans med Algot Johansson (sedermera grundaren av Algots herrkläder). År 1913 startade pappa firman Sterns herrekipering i Norrköping.

Min mor dog när jag bara var 13 år gammal. Då hade hon varit sjuk i tre år. Jag var äldsta barnet. Jag har inga minnen av hennes matlagning men jag minns att hon var mycket noga med att vi bara skulle äta kosher kött och att vi beställde köttet från firman Oleanskys i Lund. Det var stora problem med att hålla köttet färskt på grund av den långa transporten.

Från chanuka-helgen har jag ett mycket starkt minne av att min mamma varje kväll ställde i ordning var sitt godisfat till mig och mina syskon. På den tiden åt man sällan godis och det här fatet minns jag som någonting underbart. Trots att mina barn och barn-barn har haft ett helt annat förhållande till godis brukade jag – så länge de var små – alltid ställa fram ett godisfat till var och en av dem när vi skulle tända chanukaljusen.

Vi hade en älskad hemhjälp som lagade maten hos oss medan mamma var sjuk och även efter det att hon gått bort. Det var tant Tora, från Bodafors i Småland – utan någon som helst judisk bakgrund. Hon hade i flera år varit hos min mormor och där hade hon lärt sig allt om kosher och om judisk mat. Hennes challebröd, gefillte fisch, tsimmes och latkes var underbart goda.

Margot Friedman

Chaja Edelmann

År 1993 flyttade jag och min man till Stockholm. Det var ett stort steg, eftersom jag hela mitt vuxna liv arbetat och bott i Israel. Min man skulle tjänstgöra som ortodox rabbin vid Stockholms judiska församling och jag – jag skulle sluta yrkesarbeta och bli "rabbinfru". Därmed fick jag möjlighet att för första gången på mycket länge förfoga över min egen tid.

Snabbt fick jag kontakt med många församlingsmedlemmar, eftersom vi ofta hade gäster i hemmet. Jag upptäckte till min glädje att det bland judar (och icke-judar) i Sverige fanns ett stort intresse för judisk matlagning. Vart jag kom bad man mig om recept eller frågade om annat som gäller de judiska mattraditionerna. När vi bjöd hem människor till shabats- och helgmåltider kände jag att det var den judiska stämningen kring matbordet, som rönte alldeles speciell uppskattning. Här fanns en längtan efter både traditioner och rötter och den speciella "judiska smaken".

Jag är född år 1939 i Rotterdam i Holland. År 1942, under brinnande krig, skildes jag och min yngre syster från våra föräldrar. Till följd av den tyska ockupationen hade en underjordisk organisation åtagit sig att rädda judiska barn. Vi följde med en särskild barntransport om 250 barn, som gick till Limburg, en stad i södra Holland. Min bror som vid den tidpunkten bara var ett år gammal, överlämnades till ett nunnekloster för att han skulle ha en chans att överleva.

Mina föräldrar blev deporterade och så småningom förpassade till koncentrationslägret Bergen Belsen. Min mamma avled i Bergen Belsen i januari 1945, det vill säga kort innan krigsslutet. Min pappa överlevde.

Jag och min syster blev genom den underjordiska organisationen utplacerade hos olika familjer. Jag blev placerad hos ett katolskt barnlöst par. Varje gång det var razzior av polis eller tyska ockupationssoldater eller när det kom främlingar till huset var jag tvungen att gömma mig. I två och ett halvt år, tills jag var sex år gammal bodde jag hos denna familj.

Chaja Edelman, t.h. tillsammans med matkonstnären Tami Cohen, t.v.

I maj månad år 1945 befriade engelsmännen Bergen Belsen. Min pappa lämnade lägret så snart han åter kunde stå på benen och uppsökte omgående den ort där han och min mamma hade lämnat oss barn ifrån sig. Han hade bara en tanke i huvudet: att hämta hem sina barn. Han fick kontakt med en representant för den organisation som haft hand om barnräddningsaktionen och fick på så sätt veta var vi befann oss.

Så blev vi alla tre upphämtade av vår pappa. Jag behöver knappast tillägga att ingen av oss egentligen längre hade några klara minnesbilder av honom. Jag var sex, min syster var fem och min bror var tre år gammal.

Nu, som vuxen, förstår jag hur märkt min pappa var av de trauman han genomlevt, både vad beträffar fysiska vedermödor och av förlusten av alla sina nära. Vi barn var allt han hade kvar. Idag vet jag att min pappa strax efter att ha hämtat oss beslöt sig för att aldrig mer tala om kriget eller om livet före kriget. Det var hans sätt att orka leva vidare. Men för oss barn betydde det att vi varken kunde eller vågade fråga om hur det var innan... Banden till det förflutna var obönhörligen avklippta.

Som vuxen har jag haft möjlighet att i viss mån återknyta till min barndom. Jag har fått kontakt med den familj som gömde mig och med släktingar till min mor som redan på 30-talet utvandrade från Tyskland till Palestina och därför undkom Förintelsen. Efter min fars död har jag och mina syskon också fått tillgång till brev och andra handlingar som min far aldrig visade oss.

Jag har tre egna barn och nio barnbarn. Jag är oerhört mån om att vara en närvarande mormor och farmor. Allt det som jag gick miste om, nämligen att växa upp med mamma, farmor och mormor, det har jag velat ge mina barn och barnbarn.

När jag var liten fanns det inga speciella maträtter som hörde ihop med vårt hem. Tills min pappa gifte om sig åtta år efter kriget fick vi hjälp med matlagningen av anställda hushållerskor. Pappa kunde inte laga mat och var dessutom fullt upptagen med att tjäna sitt levebröd. Att vårt hem var kosher - det var en självklarhet, men det fattades det som man i Sverige så träffande kallar "Mammas köttbullar". Inte heller fanns det några äldre släktingar som kunde lära ut familjens specialiteter – de var ju alla döda. Under årens lopp har jag samlat ihop recept från olika håll och byggt upp mitt eget kök med "mina" traditioner.

Jag hoppas att min idé med den här boken skall bidra till att inspirera andra att etablera sitt eget judiska kök med allt av smaker och minnen som det kan rymma.

Eva Fried

En del av oss som identifierar oss med den svenskjudiska befolkningsgruppen har våra rötter i Sverige sedan 1700-talet medan andra av oss är första eller andra generationen svenskar. Själv tillhör jag den senare gruppen, men är född i Stockholm.

Mina föräldrar kom till Sverige år 1947, de hade då krigets fasor i Mellaneuropa bakom sig. De kom till Sverige därför att min mor och hennes far hade funnit min mors två systrar på listor som distribuerades av Röda korset över räddade till Sverige från koncentrationslägret Bergen-Belsen. De två systrarna, Ester och Bella, fanns i Sverige sedan ett och ett halvt år tillbaka. Min mor, som redan hade hunnit gifta sig med min far, och hennes far, det vill säga min morfar, sökte sig till Sverige för att träffa Ester och Bella. När de anlände till Sverige var min mor redan gravid med min äldste bror, det första barnet. Det var inte alls meningen att man skulle stanna i Sverige... Vart man skulle ta vägen var inte riktigt klart, USA var ett alternativ, Palestina ett annat. För att inte fastna i denna del av historien så blev det alltså så att de blev kvar. Ja, egentligen inte alla för Bella reste år 1950 till Israel och gifte sig och blev kvar där.

Min mamma, Paula, var vid tiden då hon kom till Sverige 25 år gammal. Som 18 åring hade hon flyttat till Budapest från den lilla ungerska byn Beled vid den Österrikiska gränsen för att arbeta som sömmerska. När hon var 21 år, 1943, var kriget och judeförföljelserna ett faktum i Ungern. Min mor överlevde kriget i Budapest med falska identitetspapper.

Mamma tyckte om att laga mat. Hennes matlagning i kombination med hennes gästfrihet gjorde att hon och pappa redan som unga nyinvandrade flyktingar ofta hade middagsgäster i det enkla och lilla hem som de startade med. Mamma bjöd på den sorts mat som hon var van vid från sitt eget hem. Jag har många gånger undrat hur hon så väl visste hur maten, kakorna och allt annat som hon gjorde skulle beredas. Hon var ju så ung när hon flyttade från föräldrahemmet till Budapest. Hennes mat var i många avseenden ungersk men också med stark österrikisk påverkan, dels beroende på det österrikiska inflytandet som finns på ungersk mat och dels beroende på hennes egen mammas härkomst från Österrike. Och så ingick ett flertal recept som hade sin grund i ungerskjudisk tradition. För mamma var det dessutom absolut självklart att föra ett kosher hushåll.

Pappas matminnen var något annorlunda än mammas. Han kom från Tjeckoslovakien, den del som fram till år 1919 tillhört den ungersk-österrikiska monarkin och som ligger i det område som kallas för Karpatryssland. Pappa var mycket mörk och hans hår var svart. Han brukade berätta att man inom hans familj sa att familjen var sefardisk och

att en förfader "som var mörk som en korp" en gång kommit från Spanien med sina 12 svarta söner.

Till viss del skiljde sig i alla fall pappas matminnen från mammas. Han kunde tala lyriskt om vissa maträtter som hans mamma lagat som exempelvis borscht.

Jag upptäckte tidigt att det var något annorlunda med maten och måltiderna hemma hos oss jämfört med mina kamrater som jag lekte med och som kom från, vad jag benämnde som "vanliga familjer". Något som jag ganska tidigt lade märke till, redan i femårsåldern, var mina lekkamraters föräldrars inställning till själva måltiden. När jag var hemma hos någon och det blev dags för middag var det inte ovanligt att kamraten sa` "Nu får du gå hem för jag ska äta", eller "du får vänta för jag ska äta". Hemma hos mig var det en självklarhet att jag skulle fråga min kamrat om hon ville äta med oss. Det är klart att de andra föräldrarna inte på något sätt var sämre människor än mina föräldrar, men man hade en annan inställning till detta med att bjuda på middag än vad man hade i mitt hem.

Mamma och pappa hade många vänner bland dem som liksom de kommit till Sverige efter kriget. De kom från olika länder och ofta jämfördes de olika mattraditionerna då man umgicks. Jag kommer aldrig att glömma mammas väninna Tant Margit, född i Rumänien. Hon var specialist på att göra gefillte fisch, en tradition som min mamma inte hade med sig från sitt hem. Varje gång som det skulle bli stor fest, exempelvis då mina bröders bar-mitsva (konfirmation) firades, kom Tant Margit hem till oss och gjorde riktig gefillte fisch. Jag minns t o m hur vi tillsammans med henne åkte till Gamla Stan och köpte fin braxen vid fiskmarknaden som låg på en pråm invid Munkbron. Sedan tillredde Tant Margit gefillte fisch i en hel dag, sådan där fisken utanpå ser helt vanlig ut men som inuti är fylld med den härliga färsen.

Ja, Chajas idé att göra en bok om judisk mat är rätt. Mat är något man minns, något som man förknippar med sitt ursprung, något som man kan bjuda på både för att tillfredställa hunger, smaksensationer, behovet att umgås och inte minst för att dela med sig av en kulturupplevelse.

Marina Burstein

Hur hamnade jag i denna judiska soppa? "För att jag i mitt arbete producerar böcker för Hillelförlaget (denna boks utgivare)" lyder det rationella svaret. Ett annat svar ligger både i och mellan raderna nedan.

Jag är född i Helsingfors. Min familj kan betecknas som en judisk medelklassfamilj. Min far var läkare och min mor stannade hemma för att ta hand om oss barn (tre st). Det efterkrigsfinska samhället präglades av de svåra umbäranden som landet fått utstå både under vinterkriget (1939-40) och fortsättningskriget (1941-44). Under de långa krigsåren var min far inkallad och verkade som frontläkare. Min mor (betydligt yngre än min far) var periodvis evakuerad ut till landet. Ett par år efter krigsslutet träffades de, gifte sig och bildade familj.

Både från min mors och fars sida härstammar jag från s k judiska kantonister. Kantonister var unga judiska pojkar som under första hälften av 1800-talet tvångsvärvades till tsarens armé. Där tjänstgjorde de som soldater i 25 år. Den ryska armén hade till uppgift att få dessa pojkar (barn) att övergå till den enda rätta läran d v s den grekisk-ortodoxa tron. Vilka metoder som användes härvidlag, var man inte så nogräknad med. Endast ett fåtal judiska soldater förmådde under sådana omständigheter förbli judar.

Vid tidpunkten för Krimkrigets utbrott år 1853 hade

Finland förvandlats till ett storfurstendöme och tillhörde Ryssland. Ryska trupper (inklusive många judar) skickades till Sveaborg för att försvara Helsingfors gentemot den engelska flottans landstigningsförsök. Efter krigsslutet förkortades den obligatoriska värnpliktstiden till 10 år. I ett slag friställdes därmed en mängd judiska soldater stationerade i Finland. Dessa hade tjänstgjort så länge att inga fasta band till familj och hembygd längre existerade. Många valde därför att stanna. Detta är ursprunget och bakgrunden till den judiska invandringen till Finland (Åbo, Helsingfors och Viborg). Min fars släkt bosatte sig i Viborg (Viborg tillhör fr o m fredsslutet 1945 Ryssland), min mors släkt bosatte sig i Helsingfors.

Vårt hem präglades av en sekulariserad judisk identitet. Min far sympatiserade i unga år med Bund medan min mors intresse för judiska spörsmål var svalare. När jag var sex år gammal flyttade familjen till Borgå, en stad belägen ca 6 mil öster om Helsingfors. Det geografiska avståndet till övrig familj och församling fick familjens judiska konturer att blekna. Vi höll ej på kosherreglerna, men de stora helgerna firades, främst rosh hashana, jom kipur, chanuka och pesach. Till jom kipur åkte vi alltid in till synagogan i Helsingfors och pesach firades med släkten. Vid dessa tillfällen tillreddes även judisk mat. Tillagningen av den fyllda fisken, "gefillte fisch" var alltid ett äventyr som vi barn följde med största spänning och likaså kunde man aldrig i förväg veta huruvida "kneidlachbullarna" i soppan skulle bli stenhårda eller upplösas i smulor.

I vuxen ålder började jag intressera mig alltmer för det judiska. Efter avslutade studier vid Helsingfors universitet beslöt jag mig för att flytta till Stockholm bl a av det skälet att jag ville leva ett mer "judiskt" liv. Att vara med och producera denna bok om judisk matkultur i Sverige är enligt min mening ett sätt att göra just detta.

ORDFÖRKLARINGAR

Afikoman: (heb.)En bit av den mellersta av de tre matsot som ska finnas på sederbordet. Denna bit, afikoman, ska sparas till måltidens avslutning. Enligt gammal sed, för att roa barnen, stjäl barnen afikoman. När det är dags att avsluta måltiden förväntas de vuxna utlova en gåva i utbyte mot afikoman.

Anbeissen: (ty.) Aptitretare

Ashkenas: Beteckning på judar med ursprung i Väst - och Östeuropa. Den ashkenasiska traditionen har huvudsakligen utvecklats vid sidan om den kristna och dess historia kan härledas till tidig medeltid (Västeuropa). Ashkenas är det äldre hebreiska ordet för Tyskland. Se även sefard och avsnitt Den judiska matens resor.

Bagel: (jid.) Brödkringla med en något seg konsistens. Se även avsnitt Bröd.

Balaboste: (jid.) Värdinna/husets härskarinna. Kan också användas som ett adjektiv som beskriver en duglig husmor.

Bar mitsva: (heb.) En judisk pojke som fyllt 13 år åläggs religiöst sett eget ansvar för sina handlingar, han blir bar mitsva, "budets son".

Bat mitsva: (heb.) En judisk flicka som fyllt 12 år åläggs religiöst sett eget ansvar för sina handlingar, hon blir bat mitsva, "budets dotter".

Barches: (jid.) Synonymt med ordet challe. Förekommer inom vissa jiddisch-dialekter. Kan troligen härledas från det heb. ordet "bracha", välsignelse. Se även avsnitt Bröd, Helgernas mat.

Besamim: (heb.) Väldoftande kryddor, används vid havdala, avslutningsceremonin för shabat.

Besamimbössa: Kryddbehållare med väldoftande kryddor. Används vid havdalaceremonin. Se havdala.

Bund: (jid.) Förkortn. "Algemeiner Jiddisher Arbeiter Bund in Lite, Poiln un Rusland". Judiska arbetares förbund i Litauen, Polen och Ryssland. Judiskt socialistiskt parti grundat i Ryssland 1897.

Challe/Challa: (jid./heb.) Benämningen på judiskt helgbröd. Härrör sig från seden att "ta challa",d v s avlägsna en bit av degen, ett symboliskt brödoffer.

Challebulkes: (jid.) Challebullar, kuvertbröd

Chamets: (heb.) Under pesach får man endast äta sådant som är osyrat/ojäst. Allt som inte får ätas under pesachhelgen betecknas som chamets, heb. för "syrat".

Chamin: (troligen ladino) Långkoksgryta hemmahörande i den sefardiska traditionen. Se även tsholent.

Chanuka: Firas till minne av återinvigningen av templet i Jerusalem. Under det syriska väldet var judisk gudstjänst i templet förbjuden.

Chanukia: (heb.) Nioarmad ljusstake som tänds under chanukahelgen. Se chanuka.

Charoset: (heb.) "Murbruk"- en blandning av äpple, nötter och vin. Se även seder.

Chassidism: Folklig judisk rörelse som under andra hälften av 1700-talet växte fram i de sydöstra delarna av Polen/Litauen. Sprungen ur en längtan efter Messias och tron på att hängivenhet till buden och en innerlig tro är vägen till glädje och närhet till Gud.

Cheder: (från heb. i betydelsen "rum") Judisk "folkskola", vanligt förekommande i Östeuropa fram till andra världskriget. Här började pojkar studera de heliga skrifterna redan vid 3 års ålder.

Chrein: Från tyskans Kren, pepparrot. På jiddisch också benämningen för riven pepparrot smaksatt med rödbeta, socker och ättika. Se även gefillte fisch.

Chremslach: (jid.) Ordets ursprung tros vara italienskt (Grimseli). Stekta "plättar", i vissa traditioner best. av matsemjöl, ägg m.m., i andra traditioner en sorts råraka.

Diaspora: (grek) Benämningen på den judiska exilen.

Eingemachtes: (jid.) Syltinläggning med rödbetor/morötter som huvudingrediens. Se även recept för pesach

Etrog: (heb.) En citrusfrukt som tillsammans med lulav tillhör sukothelgens ceremoniella tillbehör. Se även sukot.

Filodeg: Lövtunn deg lämplig för fyllningar. vanlig i Medelhavsköket.

Fleischig: (jid.) "Köttig". Se även avsnitt Kashrut.

Galle: (jid.) kalvsylta. Besläktat med ordet gelé (latin) men kan troligen närmast härledas till det polska ordet galareta = kalvsylta.

Gefillte fisch: (jid.) Fylld fisk, traditionell festrätt i judiska sammanhang.

Gehackte herring: (jid.) Hackad sill, sillsallad

Gehackte leber: (jid.) Hackad lever

Getto: Första gettot uppstod i Venedig 1516, en avskild stadsdel där judar tvingades bo. Idag har ordet betydelsen segregerat bostadsområde.

Gribenes: (jid.) Även kallat gribbele/gribbelach (plur.). Bitar av hönsskinn stekt i hönsflott.

Hagada: (heb) Berättelse. Innehåller berättelsen om uttåget ur Egypten, tolkningar av densamma samt legender och psalmer. Se även pesach.

Halacha: (heb.) Den judiska lagen och dess tillämpningar.

Homentashen: (jid.) Fyllda kakor som bakas till purim. Se även purim.

Havdala: (heb.) Ceremoni som markerar slutet på shabat och början av vardagen. Betyder "åtskillnad", här mellan vardag och helg. Se även shabat.

Hommous: Malda kikärter blandade med olja, citron och tehina, sesampasta.

Jeshiva/jeshive: (heb./jid.) Skola för högre judiska studier.

Jiddisch: Språket kom till i Tyskland under 1000-talet. Här ingår ord från medeltidstyska, hebreiska, arameiska och slaviska språk inklusive vissa inslag från det romanska språkområdet. Språket är en tyskklingande legering. Talades av ashkenasiska judar. Se även ashkenas.

Jom ha'atsmaut: (heb.) Israels självständighetsdag. Se även avsnitt Helgernas mat.

Jom kipur: Försoningsdagen, Se även avsnitt Helgernas mat

Judereglementet: Lag som reglerade judarnas rättigheter och skyldigheter i Sverige, stiftad 1782. Upphävdes 1838 men först 1870 gavs judar i Sverige fullständiga medborgerliga rättigheter.

Kashrut: (heb.) Kosherhållning.

Keis-kichen: (jid.) Ostkakor.

Kidush: Bön som helgar shabat eller annan helgdag. Vanligtvis görs kidush med en bägare vin. "Bjuda till kidush" i bet. sammankomst där man förrättar gemensam kidush åtföljd av lättare förtäring. Se äv. avsnitt Shabat, helgernas mat.

Kneidlach (kneidel. sing.): (jid.) En knödel gjord på matsemjöl och ägg. Serveras i hönssoppan. Se även receptavsnitt Pesach.

Kosher: (jid.) Det som är lämpligt/tillåtet att förtära enligt de judiska dietreglerna. Se även kashrut.

Kreplach: (jid.) Fyllda kokta degknyten.

Kugel: (jid.) En rätt som kan jämföras med en "låda", d v s en rätt tillredd i en form i ugnen.

Ladino: Benämns även som spanjolska, judeospanska eller judesmo. Utvecklades ursprungligen på den iberiska halvön. Sammansatt av ord från medeltidsspanska och hebreiska med inslag av arabiska, turkiska och slaviska uttryck. Talades av sefardiska judar bosatta i Nordafrika, Grekland, Turkiet och Bulgarien. Se även sefard.

Latkes: (jid.) Potatisplättar som i första hand associeras med chanuka. Se även avsnitt Helgernas mat.

Lechem: (heb.) Bröd.

Lulav: (heb.) En bukett bunden av en palm-, myrten- och videkvist som ingår i sukothelgens liturgi. Se även sukot.

Mashgiach: (heb.) Person som har till uppgift att kontrollera att kosherreglerna efterföljs i t ex ett kök eller vid livsmedelsproduktion.

Masorti: (heb.) Traditionell. Benämningen på en strömning inom judendomen, i USA går den under namnet Conservative Judaism.

Matse/matsa: (jid./heb.) Påskbröd, kallas även osyrat bröd. Se även pesach.

Menora: (heb.) Kandelaber. En av judendomens äldsta symboler är den sjuarmade menoran, den sjuarmade ljusstaken.

Milchig: (jid.) Mjölkig. Se även avsnitt Kashrut.

Minjan: (heb.) Nummer/antal. En judisk gudstjänst i kollektiv form kan endast genomföras om antalet deltagare är minst 10 (män), d v s man har en minjan.

Mishna: Del av Talmud. Se även Talmud

Mofrum: Maträtt med sefardiskt ursprung vars bas utgörs av potatis och köttfärs. Se recept kötträtter.

Parve: (heb. och jid.) Mat som varken är köttig eller mjölkig, d v s neutral mat. Se även avsnitt Kashrut.

Pesach: (heb.) Firas på våren för att minnas uttåget ur Egypten och befrielsen från slaveriet.

Purim: Firas till minnet av hur Persiens judar räddades från förintelse (enligt Esters bo i Bibeln).

Rosh chodesh: (heb.) Nymånadsdagen. Se även avsnitt Det judiska året.

Rosh hashana: (heb.) Den judiska nyårshelgen, infaller under tidig höst.

Schmaltz: (jid.) Hönsflott eller annat animaliskt flott

Shtetl: (jid.) diminutiv av ordet stad. Benämning på små byar på den östeuropeiska landsbygden i vilka många av invånarna var judar. Se även avsnitt Den judiska matens resor.

Seder: (heb.) Ordning. Benämning på pesachelgens inledande helgmåltid. Se även avsnitt Pesach

Sefard: Från heb. Sefarad, Spanien. Ursprungligen beteckning på de judar vars traditioner utvecklades på den iberiska halvön. Idag benämns alla judar med ursprung i Nordafrika, Mellanöstern och Asien som sefarder. Från 900-talet fram till mitten av 1900-talet levde de sefardiska respektive de ashkenasiska traditionerna sida vid sida med få inbördes kontaktytor. Geografiskt gick skiljelinjen vid det bergmassiv som skiljer Nordeuropa från Sydeuropa från Kaukasus genom Alperna till Pyrenéerna.

Seudat shlishit: (heb.) "Den tredje måltiden". På shabat ska man enligt tradition äta minst tre måltider innan helgens utgång.

Shabat: (heb.) Den sjunde dagen, vilodagen. Kan härledas från det heb. ordet sheva, sju.

Shabbesklapper: (jid.) Den person som i shteteln hade till uppgift att gå från dörr till dörr och annonsera början på shabat.

Shavuot: (heb.) Veckor. Anspelar på de sju veckorna som förflyter från pesach till shavuothelgen. Firas för att minnas att Gud i vid berget Sinai gav lagen, Toran, till det judiska folket. Har även en bakgrund som skördehögtid och kallas även skördefesten eller de första frukternas fest.

Shechita: (heb.) Slakt genomförd enligt judisk lag. Se även avsnitt Kashrut.

Shiva: (heb.) De sju dagarna av sorg som följer efter en nära anhörigs bortgång.

Shochet: (heb.) Slaktare specialutbildad för att få lov att utföra slakt enligt judisk lag. Se även avsnitt Kashrut.

Shulchan aruch: (heb.) "Det dukade bordet". Utkom under andra hälften av 1500-talet. Samling av tolkningar och förklaringar till den talmudiska lagen så att den blev tillgänglig för gemene man.

Sidur: (heb.) Bönbok som används vid både shabat- och vardagsgudstjänst.

Simchat Tora: (heb.) Torafesten. En glädjefest för Toran. Den dagen på året då man avslutar läsningen av Toran för att omedelbart börja om från början igen.

Sofganiot: (heb.) Ett friterat bakverk, en "munk".

Sukot: (heb.) Lövhyddor. Under sukothelgen bygger man lövhyddor i vilka man vistas under sukotveckan. Detta är höstskördens fest. Se även avsnitt Helgernas mat.

Tehina: Sesampasta.

Talmud: Den nedskrivna muntliga läran, kommenterar till Toran. Kodifieringen avslutades i Babylonien ca 500 e v t. Talmud består av två delar, Mishna och Gemara.

Taref/treif: (heb./jid.) Ej kosher. Se även avsnitt Kashrut.

Teiglach: (jid.) En söt konfekt som företrädesvis serveras till rosh hashana-helgen.

Tisha be av: (heb.) Den nionde dagen i månaden Av. Fastedag till minnet av Jerusalems och templets förstörelse år 70 e v t.

Tora: De Fem Moseböckerna.

Tsholent: En långkoksgryta hemmahörande i den ashkenasiska traditionen. Se även chamin, se även avsnitt Shabat.

Tu bish vat: Den 15:e i månaden shvat, trädens nyår.

Tsimmes: (jid.) Maträtt baserad på morötter

INDEX

LITTERATUR

Amsellem, Patrick m fl , Att odla papaya på Österlen, Rabén Prisma, 1998

Bonnier, Tor, Längesen, Albert Bonniers förlag, 1974

Broberg, Runblom, Tydén, Judiskt liv i Norden, Acta Universitatis Upsaliensis, 1988

Burstein Marina, Det judiska bostadsmönstret i Helsingfors och migrationsströmmar genom Finland 1840-1975. Helsingfors universitet, 1978

Det Judiska Stockholm, Judiska muset, 1998

Donin Chaim, Att vara jude i vardag och helg. Hillelförlaget, 1994

Ek Sven B. Nöden i Lund, En etnologisk stadsstudie, 1971

Encyklopedia Judaica

Epstein, Helene De överlevandes barn, Penguin Books, 1988

Fried Hedi Ett tredje liv, Natur och Kultur, 2000

Gersh, Harry, Så här går det till, judisk vardag och helg. Hillelförlaget, 1999

Goldman, Anita, Rita Rubinstein åker tunnelbana i den bästa av världar, Natur och Kultur, 1997

Goldschmidt Hanne och Siesby Birgit, Till bords indenfor murerne - Kobenhavnske minder om mennesker og mad, Selskabet för dansk jodisk historie, C.A Reitzels forlag, 1993

Goodman Naomi m fl , Bibeln bjuder till bords, Bokförlaget Cordia, 1995

Herbst-Krausz, Règi zsidó ételek, Minerva Budapest, 1984, 1988

Jacobowsky C Vilh, Svensk-judiskt herrgårdsliv, Nordiska muset, 1967

Kitov E. The Book of our Heritage, Feldheim Publishers, 1978

Källor till invandringens historia i statliga myndigheters arkiv 1840-1990, utgiven av Lars Hallberg och Riksarkivet 2001

Nationalencyklopedin, trettonde bandet, Bokförlaget Bra Böcker

Neuman, Bertil, Något försvann på vägen, Legenda 1989

Oredsson Sverker, Svensk antisemitism och ny forskning, uppsats i HIstorielärarnas förenings årstidsskrift 1999/2000

Roden Claudia, The Book of Jewish Food, , Alfred A Knopf Inc. 1996

Rohlén-Wohkgemut Hilde, Judiska Kvinnogestalter -porträtt och skisser, Tradobooks 1991

Sveriges judar, deras historia, tro och traditioner. Judiska muset i Stockholm, 1997

Tarschys Bernhard, Det judiska köket, artikel skriven för Sveriges Radio

Tarschys Bernhard, Om det judiska, Sveriges Radios förlag 1972

The Kosher Palette, Kushner Hebrew Academy/Kushner Yeshiva High School